U1008688

国家出版基金项目
NATIONAL PUBLICATION FOUNDATION

"十四五"国家重点出版物出版规划项目

长江大保护与高质量发展研究系列丛书

长江保护与绿色发展研究院
江苏长江保护与高质量发展研究基地 ◎ 组织编写

社会卷

SOCIAL VOLUME

河海大学出版社
HOHAI UNIVERSITY PRESS
·南京·

图书在版编目(CIP)数据

长江大保护与高质量发展研究系列丛书. 社会卷 / 长江保护与绿色发展研究院，江苏长江保护与高质量发展研究基地组织编写. -- 南京 ：河海大学出版社，2024. 11. -- ISBN 978-7-5630-9554-4

Ⅰ. X321.25;F127.5

中国国家版本馆 CIP 数据核字第 2024G86M40 号

书　　名　长江大保护与高质量发展研究系列丛书.社会卷
　　　　　CHANGJIANG DABAOHU YU GAOZHILIANG FAZHAN YANJIU XILIE CONGSHU. SHEHUI JUAN
书　　号　ISBN 978-7-5630-9554-4
策划编辑　朱婵玲
责任编辑　彭志诚　李蕴瑾
特约校对　薛艳萍
装帧设计　林云松风
出版发行　河海大学出版社
地　　址　南京市西康路 1 号(邮编:210098)
电　　话　(025)83737852(总编室)
　　　　　(025)83722833(营销部)
经　　销　江苏省新华发行集团有限公司
排　　版　南京布克文化发展有限公司
印　　刷　南京工大印务有限公司
开　　本　787 毫米×1092 毫米　1/16
印　　张　17
字　　数　305 千字
版　　次　2024 年 11 月第 1 版
印　　次　2024 年 11 月第 1 次印刷
定　　价　82.00 元

《长江大保护与高质量发展研究系列丛书》编委会

主　　任：张建云　唐洪武

副 主 任：杨桂山　郑金海　徐　辉　陈生水　王显东
　　　　　王冠军　林　康　张　兵　王国亮

委　　员：（按姓氏笔画排序）
　　　　　王春业　田贵良　史安娜　成长春　朱新华
　　　　　华祖林　刘　旭　杨　涛　李一平　李祎恒
　　　　　李祎雯　李俊杰　李　娜　李琼芳　余钟波
　　　　　张长征　张海榕　陈　达　陈军飞　陈　涛
　　　　　金君良　庞庆华　顾金土　黄韦华　黄永春
　　　　　曹　翀　鲁春辉　潘海英　魏有兴

丛书主编：张　兵　史安娜

总序

进入21世纪以来，中国经济已由高速增长阶段转向高质量发展阶段，正处于转变发展方式、优化经济结构、转换增长动力的攻关期，由粗放型增长向高质量、绿色增长转变成为实现可持续发展的必然选择。长江是中华民族的母亲河之一，横跨东、中、西部，联通南北，成为中华民族发展的重要支撑。推动长江经济带高质量发展是以习近平同志为核心的党中央作出的重大决策，是关系国家发展全局的重大战略。共抓长江大保护，构建长江新发展格局，推动长江经济带高质量发展，是国家经济社会发展的重要组成部分，是功在当代、惠泽长远的重大决策部署，对实现"两个一百年"奋斗目标、实现中华民族伟大复兴的中国梦具有重要意义。

2014年9月，国务院印发了《关于依托黄金水道推动长江经济带发展的指导意见》，将长江经济带发展上升为国家战略。2016年9月，《长江经济带发展规划纲要》正式印发，确立了"一轴两翼、三极、多点"的发展新格局。2016年1月，在重庆召开的推动长江经济带发展座谈会上，习近平总书记提出"共抓大保护、不搞大开发"的新理念。2017年10月，党的十九大报告又将"以共抓大保护、不搞大开发为导向推动长江经济带发展”纳入新时代实施区域协调发展战略的重要内容。2018 年 4 月，习近平总书记在武汉召开的深入推动长江经济带发展座谈会上强调，加强改革创新、战略统筹、规划引导，以长江经济带发展推动经济高质量发展。2020 年 11 月，习近平总书记在南京召开的全面推动长江经济带发展座谈会上进一步强调，要谱写生态优先绿色发展新篇章，打造区域协调发展新样板，构筑高水平对外开放新高地，塑造创新驱动发展新优势，绘就山水人城和谐相融新画卷，使长江经济带成为我国生态优先绿色发展主战场、畅通国内国际双循环主动脉、引领经济高质量发展主力军。2020 年 12 月，十三届全国人大常委会第二十四次会议表决通过《中华人民共和国长江保护法》，明确提出建立长江流域协调机制和区域协作机制，增强长江保护和发展的系统性、整体性、协同性，“共抓大保护、不搞大开发”正式写入我国法律。2021 年 11 月，《中共中央 国务院关于深入打好污染防治攻坚战的意见》印发实施，明确要求持续打好长江保护修复攻坚战，为新时期长江保护修复工作指明了方向。

围绕贯彻落实习近平总书记系列重要讲话精神和党中央、国务院关于推动长江经济带发展战略部署，2019 年 6 月，在教育部、水利部、江苏省、三峡集团的关心支持下，河海大学与南京水利科学研究院主动服务国家重大战略，发挥政产学研各方面优势，共同组建“长江保护与绿色发展研究院”。研究院聚焦国家重大战略需求，深度对接院所企业科技创新资源，整合优势创新力量，以保障长江水安全和补齐长江大保护领域重大问题短板为导向，以重大科技项目为引领，以高水平创新平台为支撑，通过建立共担科技项目、共建研发平台、共促成果转化、共用科技人才、共享科技资源，形成多元开放、优势互补、集成高效的融合发展新机制，建设一个从宏观战略到微观治理、从规划布局到技术实施、从商业模式到科技金融等全面综合的新型研究机构，为长江大保护和长江经济带发展提供有力的科技支撑和智力保障，为中国乃至全球大江大河治理保护提供智慧和方案。此外，河海大学充分发挥水利学科优势、经管文法多学科发展特色，主动融入和服务长江经济带发展，成立了江苏长江保护与高质量发展研究基地。该基地于2019年入选江苏省决策咨询研究基地，作为长江保护与绿色发展研究院的智库载体和平台，积极成为助力长江大保护和江苏长江经济带高质量发展的新型智库。

《长江大保护与高质量发展研究系列丛书》是由长江保护与绿色发展研究院、江苏长江保护与高质量发展研究基地推出的智库产品。丛书分为综合卷、经济卷、社会卷、生态卷、法治卷、政策卷和文化卷七部分，其中：综合卷系统梳理了长江经济带社会经济、科技创新和绿色低碳高质量发展总况、存在问题及对策建议；经济卷主要分析了长江经济带经济高质量发展的政策环境及面临的挑战，在对长江经济带经济发展质量进行测度评价的基础上，对典型地区的产业高质量发展实践进行了考察；社会卷立足于长江经济带生态文明建设过程中的社会形势，从社区生态文明建设、民间环保组织实践及环境政务建设三方面展开调查研究；生态卷基于长江流域生态健康评价，重点阐述了长江生态环境的现状与存在问题、长江流域生态环境保护的实践与成效以及长江流域生态环境的修复与治理对策；法治卷讨论了《中华人民共和国长江保护法》的制定背景与制度创新、法治困境及推动长江经济带高质量发展的法治建议，分析了长江大保护与高质量发展中的典型法治案例；政策卷重点介绍了长江保护政策的变迁历程、实施现状及地方探索，对长江水资源开发利用政策、水生态保护修复政策、产业绿色发展政策的实施效果进行了评价；文化卷阐述长江水利、移民、灌溉、抗洪、航运、桥梁文化的发展历程，以及长江文化的弘扬和传承之路。

呈现在读者眼前的这套丛书，是我们长江保护与高质量发展研究系列成果的一部分。我们期望这一系列的探索，能够为政府、企业、科研院所、高校的相关研究提供深入而系统的基础支持；能够成为观察长江经济社会发展新成就、新理论、新走向的重要理论高地；能够推动学界、市场与政策制定者们更加关注长江保护与绿色发展；能够为落实“长江大保护”国家战略提供智慧支持。

长江保护与绿色发展研究院（生态文明建设与流域保护研究院）
江苏长江保护与高质量发展研究基地

目录 CONTENTS

01

第一章

长江经济带生态文明建设的社会形势分析

长江经济带生态文明建设需要与社会建设、经济建设同步推进。在坚持“保护优先、自然恢复”原则的前提下，各地应构建“政府为主导、企业为主体、社会组织和公众共同参与”的环境治理体系。政府的职责是建立环保信用体系，强制企业环境信息披露，坚守生态保护红线、耕地和永久基本农田、城镇开发边界三条控制线等制度；推动天然林保护、退耕还林还草、生态屏障、生态走廊和生物多样性、水土流失综合治理等工程；加强地质灾害防治，完善生态补偿机制，并以建立节约型机关为表率。企业的职责是清洁生产，发展节能环保产品，形成绿色循环低碳经济。社会公众通过接受生态文明教育，树立生态文明理念和责任意识，参与创建绿色家庭、绿色学校、绿色社区，开展绿色出行等行动。综观实践，与生态文明建设相关的社会领域主要涉及八个主题，分别是人口流动及城镇化、绿色生活方式、民间环保组织、社区治理、环境政务新媒体、生态文化、自然保护区以及区域协同。

1.1 人口流动及城镇化总体状况

2017—2022 年，长江经济带总体常住人口仍不断增加(见表 1-1)。截至 2022 年，长江经济带常住人口已经占到全国总人口的 43.07%。从 2017 年到 2022 年，浙江省常住人口增量超过百万，达到 407 万，江苏省、四川省、安徽省、重庆市和贵州省常住人口增量均不足百万，分别增长为 92 万、85 万、70 万、69 万、53 万。隶属于长江中游城市群的江西省常住人口增量较小，而湖北省和湖南省增幅则为负。从外省流入数据来看，2020 年长江经济带共流入外省人口 5 180 万人，占全国流动人口 41.49%，具有举足轻重的地位。浙江省、上海市、江苏省居前三位，分别为 1 619 万、1 048 万和 1 031 万，三者合计占长江经济带外省总流入量的 71.39%，在长江经济带中占绝对多数地位。

从净流入人口数据来看(见表 1-2)，长江经济带只有江苏、浙江和上海三个省市处于净流入状态。2021 年浙江省、上海市、江苏省净流入人口分别为 1 382 万、1 010 万和 596 万。2021 年安徽省、四川省、贵州省、湖南省净流出人口巨大，分别为 997 万、777 万、731 万和 646 万。从人口流出率来看，上海市和浙江省的人口流出率不到 5%；江苏省和云南省的人口流出率分别为 5.08%和 8.03%；贵州省和安徽省的人口流出率较高，分别为 22.73%和 19.66%。从

注：本书相关数据因四舍五入，计算结果有偏差。

2016—2021 年变化情况来看，浙江省净流入人口有 19.04%的增长；上海市和江苏省的净流入规模基本稳定；江西省、湖南省的净流出规模保持稳定；安徽省、湖北省、四川省和云南省净流出人口呈现波动减少趋势。

表 1-1　2017—2022 年长江经济带各省市常住总人口　（单位：万人）

地区	2017 年	2018 年	2019 年	2020 年	2021 年	2022 年	外省流入
上海	2 466	2 475	2 481	2 488	2 489	2 475	1 048
江苏	8 423	8 446	8 469	8 477	8 505	8 515	1 031
浙江	6 170	6 273	6 375	6 468	6 540	6 577	1 619
安徽	6 057	6 076	6 092	6 105	6 113	6 127	155
江西	4 511	4 513	4 516	4 519	4 517	4 528	128
湖北	5 904	5 917	5 927	5 745	5 830	5 844	225
湖南	6 633	6 635	6 640	6 645	6 622	6 604	158
重庆	3 144	3 163	3 188	3 209	3 212	3 213	219
四川	8 289	8 321	8 351	8 371	8 372	8 374	259
贵州	3 803	3 822	3 848	3 858	3 852	3 856	115
云南	4 693	4 703	4 714	4 722	4 690	4 693	223
长江经济带	60 093	60 344	60 601	60 607	60 742	60 806	5 180
全国	140 011	140 541	141 008	141 212	141 260	141 175	12 484

数据来源：国家统计局《中国统计年鉴 2023》，最后一列是 2020 年第七次全国人口普查数据。

表 1-2　2016—2021 年长江经济带各省市净流入人口　（单位：万人）

地区	2016 年	2017 年	2018 年	2019 年	2020 年	2021 年	人口流出率(%)
上海	1 017	1 011	1 013	1 012	1 012	1 010	1.45
江苏	605	629	614	611	600	596	5.08
浙江	1 161	1 212	1 273	1 336	1 399	1 382	3.40
安徽	−994	−1 002	−1 007	−1 027	−1 045	−997	19.66
江西	−518	−507	−509	−510	−506	−506	14.03
湖北	−272	−238	−256	−251	−415	−373	11.14
湖南	−694	−663	−692	−680	−651	646	12.17
重庆	−282	−246	−241	−228	−204	−298	13.18
四川	−886	−824	−801	−749	−711	−777	11.59

续表

地区	2016年	2017年	2018年	2019年	2020年	2021年	人口流出率(%)
贵州	−695	−672	−707	−723	−762	−731	22.73
云南	−94	−108	−127	−144	−156	−73	8.03

数据来源:《长江经济带统计年鉴2022》,最后一列的人口流出率根据2020年的数据计算。

长江经济带城镇化进程继续推进。就2022年来看,有四个省市城镇人口比重高于全国平均水平(见表1-3),其中:上海市的城镇人口比重最高,达到89.33%;其次是江苏省和浙江省,分别为74.42%和73.38%;再次是重庆市,城镇化比率为70.96%。其余省份均低于全国平均水平,特别是云南和贵州,分别为51.72%和54.81%,低于全国10个百分点以上。从六年的变化情况来看,长江经济带总体的城镇人口比重提高6个百分点;贵州省、四川省、江西省的城镇人口比重增速最快,分别增长7.05、6.57、6.37个百分点。相对而言,最为发达的上海市城镇人口比重增加的最少,只有0.23%个百分点,逐渐逼近区域城镇人口比重的极限水平。其余省市城镇人口比重均有超过4个百分点的增长,中西部省份虽然人口在大量流出,但是城镇化水平仍在大步推进。

表1-3 2017—2022年长江经济带各省市城镇人口比重 (单位:%)

地区	2017年	2018年	2019年	2020年	2021年	2022年
上海	89.10	89.13	89.22	89.30	89.30	89.33
江苏	70.18	71.19	72.47	73.44	73.94	74.42
浙江	68.91	70.02	71.58	72.17	72.66	73.38
安徽	54.29	55.65	57.02	58.33	59.90	60.15
江西	55.70	57.34	59.07	60.44	61.46	62.07
湖北	59.88	61.00	61.83	62.89	64.09	64.67
湖南	54.62	56.09	57.45	58.76	59.71	60.31
重庆	65.00	66.61	68.24	69.46	70.32	70.96
四川	51.78	53.50	53.86	56.73	57.82	58.35
贵州	47.76	49.54	51.48	53.15	54.33	54.81
云南	46.29	47.44	48.67	50.05	51.05	51.72
长江经济带	58.70	59.78	60.86	63.22	64.17	64.70
全国	60.24	61.50	61.23	63.89	64.72	65.22

数据来源:国家统计局《中国统计年鉴2023》。

长江经济带城镇化推进的一个后果是城镇规模不断扩大。到 2022 年，长江经济带城镇居民人均占地面积为 67.06 平方米/人，略低于全国平均水平的 69.16 平方米/人；江苏、湖北、重庆等三省市明显超过全国平均水平，分别为 77.58 平方米/人、75.84 平方米/人和 71.97 平方米/人；湖南省、云南省、贵州省和上海市的城镇用地较为节省，远低于全国平均水平。从六年变化来看，云南省的城镇居民人均占地面积略有减少，其余省市的城镇居民人均占地面积均有所扩大，其中上海、湖北、浙江、湖南四省市的城镇居民人均占地面积增长较多，分别增加 10.13 平方米/人、9.00 平方米/人、6.12 平方米/人、4.29 平方米/人。因此，总体来说，各省市城镇化水平提升是以扩大用地规模为代价的，而没有严格遵守控制城镇开发边界的原则。

表 1-4　2017—2022 年长江经济带各省市城镇居民人均占地面积

（单位：平方米/人）

地区	2017 年	2018 年	2019 年	2020 年	2021 年	2022 年
上海	46.05	56.60	56.34	55.71	55.88	56.18
江苏	74.84	75.99	76.24	76.90	77.24	77.58
浙江	64.89	65.03	65.41	67.63	70.84	71.01
安徽	64.78	65.71	68.36	67.67	67.18	67.84
江西	60.26	62.63	63.57	62.38	62.41	63.67
湖北	66.84	70.34	73.61	76.30	74.61	75.84
湖南	48.56	51.02	50.42	50.19	52.24	52.85
重庆	69.79	71.51	70.45	70.24	72.85	71.97
四川	67.37	68.69	68.16	67.18	69.56	69.82
贵州	52.72	54.48	54.25	54.53	56.73	56.53
云南	53.52	53.34	54.55	53.58	52.30	53.06
长江经济带	62.88	64.91	65.47	65.64	66.61	67.06
全国	67.62	68.91	69.85	67.30	68.28	69.16

数据来源：2018—2023 年《中国统计年鉴》。

总体来看，长江经济带人口规模不断扩大，人口流动不断加强，城镇化水平与用地规模也在不断增加。这与长江经济带经济发展、城市集群、政策约束等因素是密切相关的(图 1-1 为长江经济带区域图)。“十三五”期间,长江经济带下游形成了以上海为中心的城市群,中游形成了以武汉为中心的城市群,上游形成了以重庆、成都为双核心的重要城市群。

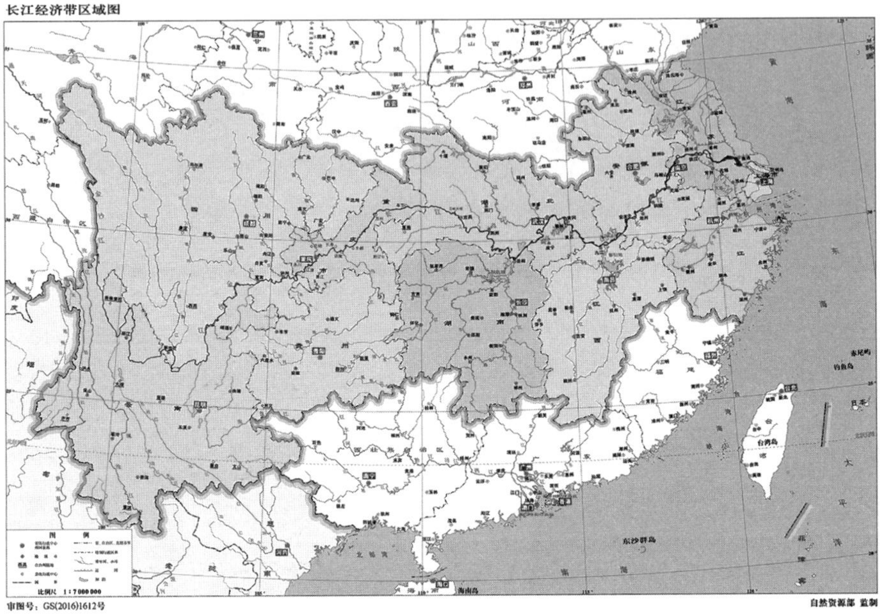

图 1-1　长江经济带主要城市群(圈)分布示意

城镇化水平的提升带来了城镇占地、生活垃圾、交通堵塞与污染等方面的困难和压力。城镇占地扩张导致生态廊道被阻断,长江干支流的自然岸线被破坏,生态系统的服务功能退化,各种自然生态特征碎片化。[①] 人口高度集中并没有走集约资源的道路,建设用地增长、农田减少、生活垃圾剧增,人地矛盾进一步凸显。[②] 长江经济带多数地方的垃圾处理速度难以跟上垃圾产生速度,垃圾填埋、回收、处理等面临较大压力。在交通运输方面,长江经济带的家用汽车、货物运输、客流运输、交通事故、尾气排放、能源消耗等持续对环境产生压力。

---

① 张莹,潘家华."十四五"时期长江经济带生态文明建设目标、任务及路径选择[J]. 企业经济,2020(8):5-14.

② 张莹,潘家华."十四五"时期长江经济带生态文明建设目标、任务及路径选择[J]. 企业经济,2020(8):5-14.

1.2 绿色生活方式总体状况

随着经济的快速发展，长江经济带的居民生活水平也有所提升。绿色生活方式是居民参与生态文明建设的主要途径。生活方式是人们出于经济、社会地位考虑而选择符合自身文化价值观的行为。绿色生活方式主要表现在生活耐用品、能源消耗、一次性用品、出行、居住等方面的节制、高效和亲近自然。

长江经济带各省市六年间人均用电量有所增长（见表1-5）。在2020年，长江中下游的浙江省、上海市、江苏省人均用电量较高，分别为1 070.54千瓦时、1 034.83千瓦时、941.46千瓦时；云南省、四川省、安徽省人均用电量较低，分别为563.43千瓦时、641.07千瓦时、667.90千瓦时。从六年的变化情况来看，长江经济带各省市人均用电量普遍增加200～300千瓦时，其中贵州省、浙江省、湖南省人均用电量增长较多，分别是380.78千瓦时、322.96千瓦时、304.67千瓦时；长江经济带各省市人均用电量增速普遍在40%～60%，安徽省、江西省、贵州省人均用电量增速较高，增速分别为62.56%、63.58%、68.04%；云南省六年间在人均用电量方面，无论是96.69千瓦时的增量，还是20.72%的增速，均为长江经济带各省市最低。

长江经济带各省市六年间人均用水量有增有减。2020年，江苏省、江西省、湖北省人均用水量较多，分别是572.0立方米、540.3立方米、477.9立方米；重庆市、贵州省、浙江省较少，分别为219.2立方米、233.8立方米、255.2立方米。最高人均用水量约为最低人均用水量的2.6倍。从六年变化来看，上海市、云南省、江西省呈现增长趋势，六年间分别增加75.4立方米、13.1立方米、0.5立方米，其余省市均呈现下降趋势，普遍减少30～40立方米，江苏省减少最多，达到149.0立方米。

长江经济带各省市六年间经济能耗整体呈明显下降趋势。2020年，贵州省、云南省、四川省人均能耗较高，分别是0.59吨标准煤/万元、0.52吨标准煤/万元和0.43吨标准煤/万元，上海市、重庆市、江苏省人均能耗较低，分别为0.28吨标准煤/万元、0.30吨标准煤/万元和0.31吨标准煤/万元。从六年变化来看，各省市人均能耗普遍减少0.1～0.2吨标准煤/万元，贵州省、湖北省、云南省人均能耗减少较多，分别减少0.31吨标准煤/万元、0.17吨标准煤/万元和0.17吨标准煤/万元；各省市六年间人均能耗减速普遍在15%～35%，上海市、重庆市、贵州省人均能耗减速较高，减速分别为34.88%、31.82%

和 34.44%。

表 1-5 长江经济带各省市人均用电量、用水量及经济能耗六年对比表

地区	用电量(千瓦时)		用水量(立方米)		能耗(吨标准煤/万元)	
	2015 年	2020 年	2015 年	2020 年	2015 年	2020 年
上海	766.34	1 034.83	317.0	392.4	0.43	0.28
江苏	637.74	941.46	721.0	572.0	0.42	0.31
浙江	747.58	1 070.54	336.9	255.2	0.45	0.38
安徽	410.87	667.90	472.3	439.9	0.51	0.37
江西	411.99	673.95	539.8	540.3	0.50	0.38
湖北	478.31	752.75	516.5	477.9	0.54	0.37
湖南	496.83	801.50	488.7	459.3	0.54	0.39
重庆	452.67	688.82	263.0	219.2	0.44	0.30
四川	417.62	641.07	324.9	283.3	0.50	0.43
贵州	559.68	940.46	277.1	233.8	0.90	0.59
云南	466.74	563.43	317.5	330.6	0.69	0.52

数据来源:2016 年和 2021 年的各省市统计年鉴、国家统计局。

“一次性用品”减量使用有新的进展。以快递为例,菜鸟驿站开展了“回箱计划”,其联合中通、申通、圆通、韵达等快递公司,在全国近 10 万个网点设置绿色回收箱,让用户收到快递后,将纸箱留在菜鸟驿站或送到附近的快递网点,供循环使用,每回收一次可以减少 37 克碳排放。① 苏宁物流、京东快递等公司也运用大数据、物联网、人工智能等技术,推动快递绿色包装规模化应用。

长江经济带居民生活消费总体较为理智与节俭。其中经济越发达的地区,生活耐用品平均持有量普遍越多,人均能源消耗更为突出,反映出长江经济带地区民众生活方式更多受经济影响,而非来自绿色生活理念。当前,长江经济带的居民尚未形成自觉、自主和自制的绿色生活方式和习惯。

1.3 民间环保组织总体状况

长江经济带的民间环保组织从珍稀动植物保护和水污染防治领域起步,

① 陈婕.物流行业首个绿色互动社区上线,回收快递箱积分还能换鸡蛋[N].钱江晚报,2022-03-21.

逐渐将活动拓展至环境教育、环境污染监督、环境公益诉讼等领域，深入推动了中国环境治理进程。经过多年发展，民间环保组织的类型不断增加，活动领域得到了积极扩展。

当前，民间环保组织已然成为环境治理体系与治理能力现代化的重要推动力量。近年来，民间环保组织被赋予了推动环境协同治理的使命。党的十九大报告中指出，要构建“政府为主导、企业为主体、社会组织和公众共同参与”的环境治理体系。在此背景下，民间环保组织在巩固其传统环保活动领域的基础上，正积极探索如何同政府和企业更好地协同与合作，进而在环境多元共治倡导中拓展活动空间。

长江经济带的一些民间环保组织通过积极调整自身实践策略，在环境协同治理方面取得了不少成绩。例如，名为“绿水”的民间环保组织采用“共情式营销”与“专业化嵌入”的行动策略，提升了组织的话语技艺与行动能力，推动了同地方政府以及企业的协同治理关系的构建①；贵阳公众环境教育中心采用非对抗的环境治理参与模式，借助环境监督与辅助企业治污相结合的方针，在建立起联动工作机制的同时，推动了企业向环境友好型方向发展。此外，近些年来，民间环保组织“自然之友”依托环境公益诉讼，联合地方生态环境部门作为共同起诉单位，以政府和环保组织协作的方式，推动了环境污染事故的解决，带动了环境公益诉讼事业的发展。

整体而言，经过多年发展，长江流域民间环保组织的总体发展形势趋于向组织行动专业化、智能化以及组织实践策略艺术化的方向迈进。在此基础上，长江流域的民间环保组织成为连接政府、企业与社会力量的重要治理主体。但民间环保组织在发展过程中，还面临着自身造血能力弱的挑战，面对未来的环境治理仍有很大的提升空间。

1.4　社区治理总体状况

社区作为基层自治组织，是连接民众和政府的桥梁之一。社区在长江经济带生态文明建设与发展中扮演着重要角色。为推动长江经济带高质量发展，各省市在社区治理方面付出诸多努力，推动了社区治理的透明化、智能化、

① 陈涛，郭雪萍.共情式营销与专业化嵌入——民间环保组织重构多元关系的实践策略[J].中国行政管理，2021(2)：59-67.

制度化。

社区治理透明化是指将治理措施、计划、成效通过信息公开等方式，及时向社会反馈，接受社会监督。例如，采用农村人居环境整治“红黑榜”长效管理机制，江苏省苏州市吴中区制定了《吴中区农村人居环境整治和长效管理“红黑榜”考核办法(试行)》。该办法规定从管理机制、村容村貌、村庄沿线、河渠管护和农户参与 5 个方面，采取镇级自查、月度检查、随机抽查相结合的多级检查形式对乡镇和农村社区进行考核，并根据考核结果设立“行政村红黑榜”和“镇(街道)红黑榜”。①

社区治理智能化是指利用“数字＋社区治理”技术提升社区治理水平的措施。长江经济带各省市以科技为支撑，立足市民生产生活，积极开发并推广“数字＋社区治理”相关 App，大力提升社区治理数字化、智能化水平。因此，社会公众可以随时、随地、随手以多种方式参与社区治理，如江苏省宿迁市“市民城管通”小程序、连云港市“智慧云码”平台等。

社区治理制度化是指社区治理逐步完善工作内容和方法，形成稳定的制度或机制。各省市在社区治理制度化方面也进行了很多探索。重庆市以“党建＋”引领社区治理制度创新，依托党的组织优势，创新“党建＋组织”主体嵌入机制；搭建协商参与平台，创新“党建＋平台”自治联动机制；聚焦服务供给优化，创新“党建＋服务”资源整合机制。② 湖北省武汉市百步亭社区探索出居委会、物业委员会、业主委员会的“三委联动”制度模式，在全周期管理、垃圾分类积分制、党员楼栋长制等方面取得良好成绩。③ 浙江省建德市探索设立“社区公益金”制度，引导社区居民委员会通过社区管理配套用房共建共享、低偿服务取得的合法收入和辖区企事业单位资助等方式，多渠道筹措社区治理资金，提高社区公共服务能力。④

当前，长江经济带社区治理面临的难点在居民参与、技术普及、资金投入等方面。一是居民参与度低。在社区治理中，作为治理重要主体的社区居民，参与程度普遍不高。如长江经济带为推动区域协调发展而施行的利益分享机制，是生态文明建设的普适机制，然而目前仅各级政府单方面投入，社会力量

① 田丽娟，石婷，李庆旭. 生态涵养发展的吴中创新——苏州生态涵养发展实验区开展生态文明建设的探索与成效[J]. 中国生态文明，2021(6)：51-54.

② 王君. 以“党建＋”引领社区治理机制创新[N]. 重庆日报，2020-04-07.

③ 谢科范. 打造社区治理的 3.0 模式[J]. 中国发展观察，2021(8)：42-44.

④ 新安江街道. 新安江街道关于进一步创新社区治理机制提升公共服务水平的意见(试行)[EB/OL]. (2020-04-15). https://www.jiande.gov.cn/art/2020/4/15/art_1229432762_1706908.html.

调动不足，公众参与程度偏低。二是社区治理数字化水平有待提高。虽然各省市大力发展数字化社区治理，但由于App或小程序推广不足、部分群体缺乏智能手机的使用技巧、市民环保意识薄弱以及地区经济发展差距等诸多方面的原因，目前长江经济带社区治理智能化、数字化水平仍有待提高。三是资金投入不足。长江经济带各省市在生态文明建设中，虽然对于社区治理持续高度关注，但由于社区治理见效慢且社区数量过多，在资金投入上，部分地区存在过于谨慎或者忽视等情况，导致社区对某些环境问题无能为力。

1.5 环境政务新媒体总体状况

"十四五"期间，政务新媒体得到快速发展，已经成为各级政府部门发布权威信息、加强政民互动、引导网络舆论、提升社会治理能力的一个重要组成部分。政务新媒体正在改变和影响着舆论格局、社会治理结构，并且已经成为代表区域影响力的重要元素。长江经济带11省市环境政务新媒体发展整体健康有序，省厅与市局均在微博、微信等第三方平台上开设了政务账号，信息发布严谨、建设运维规范、监督管理到位，没有出现"僵尸""睡眠""雷人雷语""不互动无服务"等现象。

微博建设颇有成效，但传播力与影响力有待提升。11省市的环境政务微博账号更新频繁，活跃度较高，满足政务新媒体检查指标中对更新频率的要求，形成了长江经济带环境政务微博矩阵，在内容、功能、渠道、影响力等方面形成了一定特点。但环境政务微博在转发、评论、点赞等互动数据上表现不佳，服务性和互动功能落地方面有待改进。

微信公众号健康有序，但各省市之间差距较大。整体而言，长江经济带11省市生态环境部门官方微信平台均顺畅运行，发布内容恰当严谨，栏目设置完整，涵盖信息发布、政策解读、服务项目、互动环节等，基本做到每日更新，没有出现"僵尸号""摆设号"的情况。但11省市生态环境部门官方微信公众号建设水平差异性大，同时在更新速度、原创文章、报道质量、消息呈现形式、互动环节设置及传播影响力等方面与"权威的信息发布和解读回应平台、更加便捷的政民互动和办事服务平台"的定位还有较大距离。

长江经济带11省市环境政务新媒体建设现阶段主要面临三个难点。一是在专业化的运营管理能力提升方面，运营人员数量偏少，覆盖不同部门的专门化考评标准与体系较难建立。二是在精准的平台定位方面，新媒体矩阵内微博、微信、抖音以及其他政务 App 如何各司其职、各有特色是各地亟须思考和解决的问题。三是在服务功能的设置方面，“办事入口的汇聚整合和优化，服务数据的互联共享，服务操作的便捷简化”等功能还未实现。

1.6 生态文化总体状况

长江经济带各省市高度重视生态文化建设。中国生态文化协会发布的 128 个“全国生态文化村”中，长江经济带各省市共有 62 个行政村上榜。各省市围绕长江文化，纷纷建立长江文明馆、长江文化公园等。长江经济带的生态文明教育基地、绿色学校等生态文明宣传教育阵地，总体数量、质量均居于全国前列。各省市还推行了生态文明宣传周、生态文明进社区等活动。生态文化建设还包括以湿地、山川湖泊、森林草原等自然资源为核心的生态旅游。

长江经济带生态文化建设任务与目标主要包括发扬长江文化、开展生态文明宣传教育、创新生态文化产品与生态旅游三点。一是以长江文化为核心，开展生态文化建设。2020 年，习近平总书记在全面推动长江经济带发展座谈会上提出，要“保护好、传承好、弘扬好”长江文化。长江流域滋养了历史悠久的中华文化，长江经济带的生态文明建设也应该发挥文化的作用，以长江文化为基础，用文化活动反哺生态文明建设。二是制定生态文化发展纲要，开展生态文明宣传教育。生态文化建设要着力树立全民生态文明意识，为生态文明的发展提供内在动力。将生态环保教育内容纳入教育体系，培育绿色的生活和消费模式，引导居民和社会各界的消费行为理性化，树立生态伦理道德观，选择健康、绿色的生活方式。三是探索生态文化产品与生态旅游“文化—经济”双重价值实现路径。利用长江经济带地区自身自然、历史文化等特色，保护好、传承好、利用好本地生态文化资源和生态旅游资源，在宣传生态文化、培养民众生态审美的同时，推动乡村振兴与生态文旅融合发展，推进共同富裕。

长江经济带现有生态文化建设措施主要有建设场馆、开展活动以及打造项目三种。一是建设长江文化相关场所，宣传长江生态文化。武汉市长江文明馆于 2015 年 9 月 25 日落成开放，2018 年 10 月 28 日，长江文明馆与全球水博物馆网络签约，成为长江生态文化宣传与发扬的重要场所。2019 年 9 月，江阴市在滨江风光带鲥鱼港公园内，建立以长江生态文化为主题的长江大保护展示馆，对长江生态特色进行了充分挖掘与开发。二是通过生态文明宣传教育阵地等多种形式开展宣传教育活动，提升民众与社会生态环保意识。2024

年，江西省将每年的 8 月定为省生态文明宣传月，推动有条件的森林公园、湿地公园、地质公园、风景名胜区等生态文化载体逐步向公众免费开放，培育公众的自然保护意识和生态文明意识。2021 年，江苏省评选出徐州市潘安湖湿地公园、盐城市大纵湖国家湿地公园等首批“江苏省生态文明教育实践基地”，给社会民众、在校学生等提供生态教育场地。三是依托地区优势，打造丰富生态旅游项目。南充市依托长江主要支流嘉陵江，以生态保护和低碳发展为主线开发“印象嘉陵江 · 生态文化”旅游项目，实现经济效益与生态效益双提升。在便利交通的支持下，皖南山区宣城市、黄山市等地将丰富的自然生态资源与常州市、上海市的自然生态资源连为一体，打造“常宣沪一体化”生态旅游路线，提升区域绿色发展及开放发展指数。镇江市、泸州市发挥滨江地带独特的自然风貌和历史积淀特长，建设长江生态湿地公园，以保护生态为前提，以传承文化为核心，打造生态文化旅游品牌，推动生态文化旅游发展。

长江经济带生态文化建设也存在经验不足、认可度低、标准化难这三大困难。一是理论支持与实践基础薄弱。一方面，生态文化作为生态文明建设的重要组成部分，指导理论却较为缺乏，无论是对生态文化组成，还是对建设与推广的研究都尚且不足，不能起到生态文化建设支持作用。另一方面，长江经济带各省市对于生态文化建设的实践工作数量、质量尚且不足，经验模式总结缺失，难以提供借鉴和参考。二是民众对生态文化认可度低。首先，长江经济带尤其是中下游地区，城市化程度较高，民众接触自然生态途径较少，人与自然环境关系疏远。其次，物质主义、科技万能论、人类中心主义等观念盛行，民众对于生态认知薄弱且片面。最后，现有生态文化宣传教育与相关文化作品质量、内容参差不齐，接受度和受欢迎程度不高。三是效果难以测量，标准难以制定。生态文化建设评价中，如民众生态文化水平等具有较强主观和个人因素，因此，难以制定较为全面、科学、客观的测量和评估标准。

1.7　自然保护区总体状况

长江经济带是我国乃至全球生物多样性保护的重要地区，拥有独特的生态环境与丰富的生物资源，对我国生态安全建设具有重要的战略支撑作用。为进一步推动生物多样性与生态环境保护，长江经济带基本形成以自然保护区为主体的就地保护网络。根据《中国统计年鉴》，长江经济带各省市国家级自然保护区数量与面积逐年增加。截至 2020 年，长江经济带共拥有 153 个国家级自然保护区，共占地718.8万公顷（见表1-6），占全国国家级自然保护区总数量的32.28%。长江经济带各省市对国家级自然保护区建立了管理制度并开展日常巡护工作，部分重点保护野生动植物数量稳中有升。从各省市总体情况来看，上海、江苏、浙江、湖北、江西等省市评估情况较好。①

自然保护区的生态质量和制度建设持续改进。随着自然保护区生态修复水平的提高，物种数量不断增加。自然保护区初期划分较为碎片化，严重限制了野生动物的活动范围。因此，长江经济带各省市鼓励建立生态廊道，构建长江流域生物多样性保护网络。为避免生态破坏，各省市还建立了生态影响监测和评估制度，建立极端灾害事件应急预案与响应机制，提升城乡自然灾害应急处理能力。同时，我国大力推进国家公园体制试点，将自然保护区连点成片，以加强自然生态系统原真性、完整性。在首批10个国家公园体制试点中，浙江省钱江源、湖南省南山、云南省普达措、四川省大熊猫国家公园和湖北省神农架均位于长江经济带地区。以国家公园为主体的自然保护地体系成为今后的重要工作内容。

表1-6　长江经济带国家级自然保护区数量与面积

长江经济带各省市	国家级自然保护区数量(个)			国家级自然保护区面积(万公顷)		
	2010年	2015年	2020年	2010年	2015年	2020年
上海市	2	2	2	6.6	6.6	6.5
江苏省	3	3	3	33.6	29.9	30.2
浙江省	9	10	11	9.8	14.7	14.8
安徽省	6	7	8	13.1	13.9	14.4
湖北省	10	18	22	24.0	42.8	54.6
湖南省	17	23	23	50.1	63.5	60.6
重庆市	3	6	6	19.6	25.5	25.5
四川省	23	30	32	277.5	293.6	304.9
贵州省	8	8	10	24.4	24.4	29.0
云南省	16	20	20	142.7	150.3	152.2
江西省	8	14	16	14.4	23.1	26.1
小计	105	141	153	615.8	688.3	718.8

数据来源：2011年、2016年、2021年《中国统计年鉴》。

① 中华人民共和国生态环境部.生态环境部组织完成长江经济带120处国家级自然保护区管理评估[EB/OL].(2019-08-23). https://www.mee.gov.cn/xxgk2018/xxgk/xxgk15/201908/t20190823_729839.html.

目前，长江经济带自然保护区建设面临的难题主要有：生态补偿标准低、经费保障机制不健全、生态保护与地方发展相冲突等。首先，由于自然保护区的建立，改变了当地居民传统的“靠山吃山”“靠水吃水”的生计方式。生态补偿政策可以弥补因此带来的部分经济损失，因此直接关系保护区周边广大群众的切身利益。以云南省为例，生态公益林补偿金标准为每亩[①]每年 15 元，扣除管护费，实际补偿到保护区内林权所有者手中每亩每年仅 10 元，远远低于实际产生的林木价值。[②] 其次，自然保护区管理机构只有日常人员的经费保障，缺乏吸引专业人才的专项资金。最后，长江经济带人口聚集和高强度开发与自然保护区建设之间的矛盾日益突出。在保护地方生态环境的同时，促进当地村落经济发展成为今后自然保护区建设的重要工作。例如划在扬子鳄自然保护区内的安徽省南陵县长乐村，[③]村庄自身发展受到一定程度的限制，2016 年还被划定为国家级贫困村。面对这一困境，长乐村提出“保护扬子鳄，就是保护‘钱袋子’”。通过注册 “长乐鳄”商标，大力发展生态农产品，既保护了扬子鳄的栖息地，也保护了农户的经济利益。与大熊猫自然保护区为邻的关坝村放弃了以往的打猎、伐木、挖药、捕鱼等传统生计方式，借助自然保护区建设的机遇，充分发挥生态优势，大力发展养蜂产业与生态旅游，实现了保护区与周边社区的利益共享。[④]

1.8　区域协同总体状况

2016 年以来，长江经济带生态大保护战略进入全面推进时期。[⑤] 由于上中下游地区横跨东中西三大板块，资源禀赋、经济发展水平等方面存在显著差异，因此，由中共中央政治局审议通过的《长江经济带发展规划纲要》确立了

① 亩：面积单位，1 亩≈666.67 平方米。

② 云南省林业和草原局. 对省政协十二届四次会议第 0562 号提案的答复[EB/OL]. (2021-09-05). https://lcj.yn.gov.cn/html/2021/jianyitianbanli_0905/63783.html.

③ 长乐村地处野生扬子鳄核心保护区，栖息着目前世界上最大的野生扬子鳄种群。扬子鳄作为国家一级保护动物，是我国长江中下游特有的一种鳄鱼。据考证，扬子鳄起源于中生代，是见证了上亿年岁月变迁的“活化石”。但野生扬子鳄数量稀少，曾一度濒临灭绝。

④ 何海燕，李芯锐，冯杰. 大熊猫国家公园社区为主导的自然教育发展模式研究——以平武县关坝村为例[J]. 绿色科技，2022，24(3)：257-260.

⑤ 《中国标准化》编辑部，重庆市质量和标准化研究院，长江经济带省市生态文明标准化联席会议 . 长江经济带生态文明标准化发展实践[J]. 中国标准化，2021(9)：6-17.

“一轴、两翼、三极、多点”的发展格局[①]，努力将长江经济带发展为生态文明建设示范带、高质量经济发展带、东中西互动合作的协调发展带。[②]

区域之间的协同离不开顶层设计。2016 年 3 月，国家通过了《长江经济带发展规划纲要》；一年后，中华人民共和国环境保护部（现中华人民共和国生态环境部，以下简称生态环境部）、中华人民共和国水利部（以下简称水利部）等联合印发《长江经济带生态环境保护规划》；2017 年，沿江 11 个省（市）全面推进“三线一单”（生态保护红线、环境质量底线、资源利用上线和生态环境准入清单）以及各省市间的横向生态补偿机制编制工作；2018 年 12 月，生态环境部、中华人民共和国国家发展和改革委员会（以下简称发改委）发布《长江保护修复攻坚战行动计划》；2020 年 12 月 26 日，中华人民共和国全国人民代表大会常务委员会（以下简称全国人大常委会）通过并出台了《中华人民共和国长江保护法》。[③] 至此，相关法律法规及政策为长江经济带的稳定持续区域协同打下基础。

截至 2020 年底，长江经济带已探索出了各种协同模式，其中三种模式相对成熟。一是结对扶贫模式。这种模式有发达地区、高校、企业与贫困地区之间的对口支援，也有金融扶贫，如设置长三角区域专项精准扶贫基金，专门面向皖西大别山、苏北、浙西贫困革命老区及上海个别贫困地区。二是区域一体化模式。地区之间相互协商合作，统筹规划，共同推进区域高质量发展，如长三角生态绿色一体化发展示范区、长江三角洲城市群、成渝地区双核心城市群等。三是生态补偿模式，如皖浙之间的新安江流域生态补偿机制、云贵川之间的赤水河流域横向生态保护补偿机制等。

1.9 小结

长江经济带生态文明建设目标明确，即建设资源节约型（发扬勤俭节约传统美德，节约不可再生资源，从节水、节电、节能、节粮等入手）、环境友好型（大力促进绿色可再生能源，倡导绿色生活方式以减少环境压力）及具有生物多样性（保

---

① 韩安然.《长江经济带发展规划纲要》印发强调发挥上海武汉重庆核心作用[N]. 湖北日报，2016-09-12.

② 郝吉明，王金南，张守攻，等. 长江经济带生态文明建设若干战略问题研究[J]. 中国工程科学，2022(1)：141-147.

③ 郝吉明，王金南，张守攻，等. 长江经济带生态文明建设若干战略问题研究[J]. 中国工程科学，2022(1)：141 - 147.

护野生动植物，建设自然保护区，鼓励生态农业）的经济带。在建设过程中需要坚持“基层为本”的原则。该原则主要内涵包括三部分：一是民本性，即向基层让权，让利于民；以合群-能群-乐群为行动框架，以社区居民的自觉性呼应顶层设计，契合生态环境的公共性。二是长远性，应克服短期的急功近利，从家园观念出发，以公益促长远，以声誉保长远。三是操作性，力忌“形式主义、官僚主义、技术至上主义”，以技术、制度保障实践。

02

第二章

农村社区生态文明建设现状评估和趋势分析

传统农村是以农村、农民、农业为基础，主要依靠血缘关系加以团结，居民之间有着相似的生活方式、生活习惯、价值取向的“熟人”聚居区。随着城乡关系进一步的深化调整，农村社区日益呈现“经济收入较低，人口流出严重，生活空间日渐收缩”等特点，只能依靠基层政治与行政管理、农村公共服务重建社区信任和认同，构建新型农村社会生活共同体。① 生态文明建设是农村社区建设中的民生工程，虽然做出了显著的成绩，但仍面临不少困难、风险和挑战。本章聚焦长江经济带农村社区的生态文明建设，在梳理农村社区生态文明建设现状，总结其建设难点和成功经验的基础之上，分析其今后的发展趋势。

2.1 农村社区生态文明建设现状

农村社区生态文明建设是迈向绿色发展、提高居民生活质量的必由之路。基于当前农村社区的现状，生态文明建设的主要内容涉及生态农业、生活垃圾治理、水环境治理、绿色能源以及生态修复和野生动植物保护等方面。

2.1.1 生态农业发展现状及措施

长江经济带是中国重要的“粮仓”。2020 年，长江经济带粮食作物面积为 42 213 千公顷，占全国的比例为 36.15%；粮食产量为 23 914 万吨，占全国的比例为 35.76%；其化肥施用量占比为 34.72%，农药使用量占比为 41.66%。②由此可见，长江经济带的粮食作物面积占比和产量占比基本相当，且比例明显高于长江经济带国土面积占比的 21%，但低于人口占比的 43.07%。长江经济带的化肥施用强度略低于全国平均水平，但农药使用强度却高于全国平均水平。

自农业工业化进程开始以来，农村地区持续面临过度垦荒、地下水资源过量开采、水土流失及土壤沙化、森林资源匮乏、草地退化严重、农业污染加剧等各种生态问题。为此，中国农业科技专家从 20 世纪 80 年代初期起，开始探索将传统农业的优势与现代科学技术相结合的生态农业。生态农业侧重于挖掘传统农业技术精华，强调以沼气为纽带的农业废弃物资源化利用和农村能源

---

① 项继权. 中国农村社区及共同体的转型与重建[J]. 华中师范大学学报(人文社会科学版)，2009(3)：2-9.

② 国家统计局. 中国统计年鉴- 2021[M]. 北京：中国统计出版社，2021.

综合建设，提倡立体种植，强调多种经营，提高土地生产力；注重大农业系统的农、林、牧、渔等各行业的有效综合；实现健康安全农产品生产；协调人与自然的关系；促进农业和农村的经济、社会可持续发展；达到生态、经济、社会三大效益的统一。① 生态农业既可以是微观的庭院生态系统或温室大棚，也可以是中观的复合经营农田生态系统，还可以是宏观的小流域或县域的区域可持续发展等。② 长江经济带一直致力于发展生态农业，实现农业绿色发展，在减少化肥农药施用、处理畜禽粪污等方面进行了实践探索。

(1) 化肥农药施用现状及措施

化肥农药给农作物带来了产量的提升，但由此也产生了诸如土壤结构破坏、土壤酸化板结以及水体富营养化等一系列环境问题。2015—2020 年，长江经济带农作物播种面积平均降幅为 1.92%，降幅较大的是上海市、浙江省和重庆市，但江西省、湖北省和四川省的农作物播种面积还有所扩大(即六年减少率的数据为负值)，此外，全国农作物播种面积也略有扩大。六年间，长江经济带各省市化肥农药施用量整体呈现下降趋势，其中化肥减少 15.72%，高于全国平均减少率 12.83%；农药减少 25.71%，略低于全国平均减少率 26.34%。化肥用量降幅较大的四个省市分别是上海市、江西省、贵州省和浙江省。农药用量降幅较大的四个省市分别是江西省、上海市、贵州省和浙江省(见表 2-1)。

表 2-1 长江经济带各省市农村农作物面积及化肥、农药用量

地区	2015 年农作物面积(千公顷)	2020 年农作物面积(千公顷)	六年减少率(%)	2015 年化肥用量(万吨)	2020 年化肥用量(万吨)	六年化肥减少率(%)	2015 年农药用量(吨)	2020 年农药用量(吨)	六年农药减少率(%)
上海	340.2	255.2	24.99	9.9	6.9	30.30	4 415	2 644	40.11
江苏	7 745.0	7 478.4	3.44	320.0	280.8	12.25	78 100	65 703	15.87
浙江	2 290.5	2 014.5	12.05	87.5	69.6	20.46	56 458	36 561	35.24
安徽	8 950.5	8 818.0	1.48	338.7	289.9	14.41	111 048	83 294	24.99
江西	5 579.1	5 644.4	−1.17	143.6	108.8	24.23	93 873	52 708	43.85
湖北	7 952.4	7 974.4	−0.28	333.9	267.3	19.95	120 685	93 143	22.82
湖南	8 717.0	8 400.1	3.64	246.5	223.7	9.25	122 353	101 450	17.08
重庆	3 575.8	3 372.5	5.69	97.7	89.8	8.09	18 199	16 205	10.96
四川	9 689.9	9 849.9	−1.65	249.8	210.8	15.61	58 912	42 130	28.49

① 李文华，刘某承，闵庆文. 中国生态农业的发展与展望[J]. 资源科学，2010，32(6)：1015-1021.

② 李文华，刘某承，闵庆文. 中国生态农业的发展与展望[J]. 资源科学，2010，32(6)：1015-1021.

续表

地区	2015 年农作物面积（千公顷）	2020 年农作物面积（千公顷）	六年减少率（%）	2015 年化肥用量（万吨）	2020 年化肥用量（万吨）	六年化肥减少率（%）	2015 年农药用量（吨）	2020 年农药用量（吨）	六年农药减少率（%）
贵州	5 542.2	5 475.3	1.21	103.7	78.8	24.01	13 722	8 423	38.62
云南	7 185.6	6 989.7	2.73	231.9	196.7	15.18	58 648	44 846	23.53
长江经济带	67 568.2	66 272.4	1.92	2 163.2	1 823.1	15.72	736 413	547 107	25.71
全国	166 374	167 487	−0.67	6 023.6	5 250.7	12.83	1 782 969	1 313 303	26.34

数据来源：历年《中国统计年鉴》。

下面分析化肥农药的施用强度。根据生态环境部的《国家生态文明建设示范村镇指标（试行）》（环发〔2014〕12 号）规定，我国化肥施用理想强度为 14.67 千克/亩；农药施用理想强度为 0.17 千克/亩。① 由表 2-2 可知，2020 年长江经济带各省市平均化肥施用量为 18.34 千克/亩，低于全国的平均水平 20.90 千克/亩，比 2015 年降低 14.06%，但明显高于 1990 年中国农作物化肥施用量水平 11.60 千克/亩。2020 年，长江经济带化肥施用量较少的三个省份为贵州省、江西省和四川省，只有这三省达到理想的化肥施用水平。从六年的降幅来看，江西省、贵州省和湖北省成绩较为突出，均超过 20%。2020 年长江经济带各省市平均农药施用量为 0.55 千克/亩，略高于全国水平的 0.52 千克/亩，比 2015 年降低 24.66%。2020 年，长江经济带农药施用量较少的三个省市为贵州省、四川省、重庆市，但只有贵州省达到理想的农药施用水平。从六年农药施用量减少率来看，江西省、贵州省和四川省成绩较为突出，均超过 29%。

表 2-2　长江经济带各省市农村每亩施用化肥、农药情况

地区	2015 年化肥（千克/亩）	2020 年化肥（千克/亩）	六年化肥减少率（%）	2015 年农药（千克/亩）	2020 年农药（千克/亩）	六年农药减少率（%）
上海	19.40	18.03	7.06	0.87	0.69	20.69
江苏	27.54	25.03	9.11	0.67	0.59	11.94
浙江	25.47	23.03	9.58	1.64	1.21	26.22
安徽	25.23	21.92	13.12	0.83	0.63	24.10
江西	17.16	12.85	25.12	1.12	0.62	44.64
湖北	27.99	22.35	20.15	1.01	0.78	22.77

① 该标准基本以同期日本数据为参照，该国农作物化肥施用量为 14.8 千克/亩，农药施用量为 0.25 千克/亩。

续表

地区	2015年化肥（千克/亩）	2020年化肥（千克/亩）	六年化肥减少率(%)	2015年农药（千克/亩）	2020年农药（千克/亩）	六年农药减少率(%)
湖南	18.85	17.75	5.84	0.94	0.81	13.83
重庆	18.22	17.75	2.58	0.34	0.32	5.88
四川	17.19	14.27	16.99	0.41	0.29	29.27
贵州	12.47	9.59	23.10	0.17	0.10	41.18
云南	21.52	18.76	12.83	0.54	0.43	20.37
长江经济带	21.34	18.34	14.06	0.73	0.55	24.66
全国	24.14	20.90	13.42	0.71	0.52	26.76

数据来源：历年《中国统计年鉴》《中国环境统计年鉴》《中国农村统计年鉴》。

为了有效降低化肥农药的施用量，浙江省大力推行了“肥药两制”，取得了一定的成效。所谓“肥药两制”就是指化肥农药购买的实名制和定额制。实名制指购买者在购买化肥农药产品时，需要出示有效身份证件，配合农资经营店如实完整登记购买人的信息，电子信息自动换算每位农户可享受的农业投入品补助额度。① 定额制是一种指导肥药施用的针对总量的限制性标准规范。各地根据不同区域、不同作物生产实际需要，因地制宜，制定分阶段、分区域、分作物的化肥、农药的限量标准。② 农资经营店利用读卡器、摄像头、刷脸系统等数字技术建立省级“肥药两制”改革数字化管理系统，实行全方位智慧监管生产台账记录，整合农资监管平台与农产品质量追溯平台，改善跟踪评价、数据分析等核心模块，构建统一的投入品增减挂钩数字监管平台，③并以一年为奖补周期，对达标的实名制农资经营店进行奖励。④ 通过总量控制，使农业从业者了解每亩土地合适的肥药施用量是多少，减少浪费、合理施肥用药，从根本上解决化肥农药使用问题。⑤

① 文长存，胡豹. 浙江农业“肥药两制”改革经验成效分析与深化建议[J]. 中国农村科技，2022(2):54-57.

② 文长存，胡豹. 浙江农业“肥药两制”改革经验成效分析与深化建议[J]. 中国农村科技，2022(2):54-57.

③ 文长存，胡豹. 浙江农业“肥药两制”改革经验成效分析与深化建议[J]. 中国农村科技，2022(2):54-57.

④ 汪洁，张小琴. 浙江省“肥药两制”改革机制模式研究——以台州市黄岩区为典型[J]. 中国农技推广，2021,37(6):63-66.

⑤ 浙江省人民政府办公厅. 浙江省人民政府办公厅关于推行化肥农药实名制购买定额制施用的实施意见[EB/OL]. (2020-11-05). https://www.zj.gov.cn/art/2020/11/5/art_1229019365_2147372.html.

（2）畜禽粪污处理现状分析

2016 年，长江经济带的猪、牛、羊和家禽等畜禽排放的粪便总量约为 6.55 亿吨（猪粪当量），约占全国畜禽粪便排放总量的 36%；单位耕地畜禽粪便负荷约为 15 吨/公顷，高出全国平均水平约 7 个百分点。① 为了综合利用畜禽粪污，防止其成为新的污染源，各地探索了一些新的经验。如重庆市万州区的“低架网床＋益生菌＋异位发酵”生态养殖模式，让近 100 万头养殖的生猪睡在“网床”上，排出的粪便不用水冲，而是通过自动刮粪器统一收纳到圈舍外，与秸秆、益生菌等深度混合发酵，制成有机肥，实现了“零排放”“零污染”；低架网床喂猪不用水冲洗猪圈，一方面节约水电，另一方面也减少了病菌的传播，营造了干净卫生的环境，间接提高了仔猪的育成率。② 重庆市采用这种模式实现了生猪粪便零排放，畜禽粪污资源化利用率达到 91%以上。③

（3）秸秆综合处理现状分析

秸秆是成熟农作物茎叶（穗）部分的总称。通常指小麦、水稻、玉米、薯类、油菜、棉花、甘蔗和其他农作物（通常为粗粮）在收获籽实后的剩余部分，是一种具有多用途、可再生的生物资源。秸秆主要有五种利用方式，即肥料化、饲料化、燃料化、基料化和原料化。

秸秆肥料化是秸秆最基本的利用方式，将秸秆粉碎后通过机器均匀抛散，再利用旋耕机耕翻掩埋还田。秸秆直接还田能够减少秸秆存量、增加土壤养分含量、解决草堆乱放置问题。2020 年江苏省通过配备还田机具、协调农机服务组织、推动跨区作业等方式实现了秸秆还田 4 300 万亩。④

秸秆饲料化有两种方式，第一种是直接通过秸秆青贮、揉丝微贮作为牲畜饲料，第二种则是将秸秆粉碎后按比例加入氨水或尿素，堆入氨化池进行氨化。后者能使处理后的秸秆气味微酸芳香，适口性好，牲畜的消化率比普通秸秆饲料提高 20%左右。在安徽亳州，肉牛养殖场通过秸秆收储、青贮储存和秸秆饲料加工进行生态养殖，在提高肉牛品质的同时带领农民增收。⑤

---

① 肖琴，周振亚，罗其友．新时期长江经济带农业高质量发展：问题与对策[J]．中国农业资源与区划，2019，40(12)：72-80．

② 重庆发布．万州区“双百亿”工程谱新篇[EB/OL]．(2020-12-17)．http://cqfb.people.com.cn/news/20201217/519066.htm．

③ 重庆发布．万州区“双百亿”工程谱新篇[EB/OL]．(2020-12-17)．http://cqfb.people.com.cn/news/20201217/519066.htm．

④ 吴琼．4300 万亩！江苏秸秆机械化还田面积创历史新高[EB/OL]．(2020-03-14)．https://k.sina.com.cn/article_5675440730_152485a5a02000s5xv.html．

⑤ 王亚楠．生态养牛奏响“致富曲”[N]．亳州晚报，2022-03-16(6)．

秸秆基料化是指将秸秆作为菌类培养基使用，秸秆中富含的营养物质能够为菌类的生长提供良好的生长条件。农作物秸秆的使用能够降低培养基中一半以上的木屑使用量，降低了菌类的生产成本。在江苏省睢宁县官山镇，一些村民利用秸秆作为基料，种植出的双孢蘑菇雪白个大营养高，并出售到一线城市，取得了不错的经济效益。①

秸秆原料化是指将秸秆粉碎后，采用先进的秸秆压缩技术，以特制的胶水将粉碎后的秸秆进行压缩处理，得到具有一定形状的压缩包（如秸秆板、秸秆砖等），应用于建筑行业，具有防火、环保、抗碱性强、强度高以及轻便的优势。在江苏省苏州市，企业通过仿生学原理，将秸秆变为塑木建材，通过制作河边护栏、码头栈道以及菜地栅栏的方式参与太湖周边美丽乡村建设，②既取得了经济效益，又促进了美丽乡村建设，推动乡村生态发展。

秸秆燃料化在过去是指将秸秆用作燃料直接燃烧，但这种利用方式不仅效率低下，还会污染环境，传统的燃料化利用已经不再适应环保的需求。因此当前的利用方式主要是将秸秆进行气化并转化为酒精燃料。在江苏省徐州市魏集镇徐庄村，通过建设沼气站，利用秸秆发酵制成沼气提供给村内村民使用。③

对于秸秆的利用方式已经有了不少探索和发现，但当前的秸秆利用方式都是单一模式，尚未形成长链式的综合利用。因此，今后秸秆综合利用的方向应当是将秸秆的饲料化、燃料化、肥料化结合起来，克服其中的技术障碍，延长秸秆资源利用链（见图 2-1），共同促进农村社区的生态环境建设。

2.1.2 农村生活垃圾现状及治理措施

（1）农村生活消费现状

长江经济带各省市的农村居民收入总体略高于全国平均水平，但内部差距较大（表 2-3）。2021 年长江经济带各省市的农村居民人均可支配收入为 19 837 元，比全国平均水平高 4.79%；2022 年为 21 143 元，比上年增长 6.58%，比全国平均水平高 5.02%。收入水平大致格局是：第一层次是上海、浙江；第二层次是安徽、江西、湖南、湖北、重庆和四川；江苏介于第一层次和第

---

① 张扬，顾士刚，姚贤辉. 江苏睢宁官山镇：奏响现代农业生态循环小康曲[EB/OL].（2020-06-17）. https://jsnews. jschina. com. cn/xz/a/202006/t20200617_2573000. shtml.

② 周伟蔚. 秸秆做环保建材，太湖芦苇“变身”出口欧美[N]. 姑苏晚报，2016-02-27(1).

③ 刘作霖，刘玉慧，郑玉倩. 江苏徐州：“秸”尽所用，筑起农业发展的绿色屏障[EB/OL].（2022-03-14）. https://www. ntjoy. com/html/guoneixinwen/2022/0314/350074. shtml.

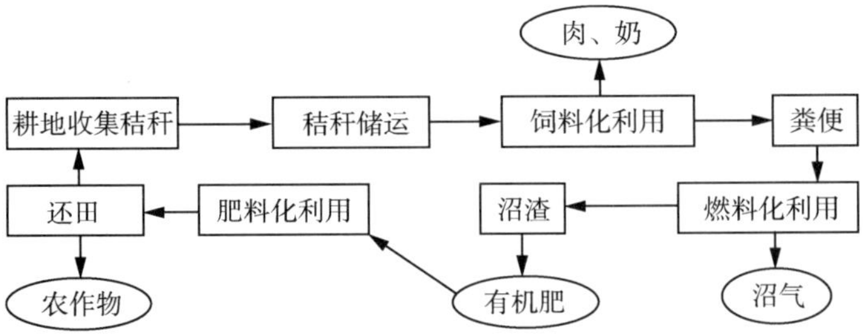

图 2-1　秸秆综合利用技术框架图

二层次之间；第三层次是云南和贵州。第一层次大致是第二层次的 2 倍，是第三层次的 3 倍。长江经济带农村居民 2021 年的平均消费率为 88.88%，高于全国水平的 84.07%。低于全国平均水平有四个省市，分别为上海、浙江、江苏、江西。长江经济带农村居民 2022 年的平均消费率为 88.48%，高于全国水平的 82.61%。低于全国平均水平共有三个省市，分别为上海、浙江、江苏，当地居民储蓄能力较强。

表 2-3　长江经济带各省市农村常住人口的可支配收入、消费支出及消费率

地区	农村常住人口（万人）	2021 年人均可支配收入（元）	2021 年人均消费支出（元）	2021 年消费率（%）	2022 年人均可支配收入（元）	2022 年人均消费支出（元）	2022 年消费率（%）
上海	266	38 520	27 205	70.62	39 729	27 430	69.04
江苏	2 216	26 791	21 130	78.87	28 487	22 597	79.32
浙江	1 788	35 247	25 415	72.11	37 565	27 483	73.16
安徽	2 482	18 372	17 163	93.42	19 575	17 980	91.85
江西	1 741	18 684	15 663	83.83	19 936	16 984	85.19
湖北	2 094	18 259	17 647	96.65	19 710	18 991	96.35
湖南	2 668	18 295	16 951	92.65	19 546	18 078	92.49
重庆	953	18 100	16 096	88.93	19 313	16 727	86.61
四川	3 531	17 575	16 444	93.56	18 672	17 199	92.11
贵州	1 759	12 856	12 557	97.67	13 707	13 173	96.10
云南	2 296	14 197	12 386	87.24	15 147	13 309	87.86

续表

地区	农村常住人口（万人）	2021 年人均可支配收入（元）	2021 年人均消费支出（元）	2021 年消费率（%）	2022 年人均可支配收入（元）	2022 年人均消费支出（元）	2022 年消费率（%）
长江经济带	21 794	19 837	17 229	88.88	21 143	18 313	88.48
全国	49 104	18 931	15 916	84.07	20 133	16 632	82.61

数据来源：2022 年《长江经济带统计年鉴》，以及 11 个省市统计局，国家统计局。长江经济带的平均数据根据 2021 年常住人口加权总和计算。2022 年农村常住人口视为与 2021 年相同。

长江经济带农村居民的生活消费品总量持续增长。2022 年长江经济带的社会消费品总额为 222 625.4 亿元，占全国份额的 50.63%。① 长江经济带的农村居民在家用汽车、洗衣机、电冰箱等消费品上的支出总体呈现增长态势。如 2017—2021 年，四川省每百户农村居民对家用汽车、洗衣机、电冰箱、微波炉、空调、热水器等消费品的拥有量呈增加趋势（表 2-4），其中热水器、空调和电冰箱增加比较显著，分别增加了 46.60 台、35.46 台、10.86 台。家庭耐用消费品的增加一方面提高了居民的生活水平和生活质量，另一方面也说明农民对于大件物品的更新换代具有一定需求。大件物品多是电器类，其部件含有大量有害化学元素，比如铅、汞、溴化阻燃剂等。如果农村居民对大件物资处理不到位，随意丢弃，将会对农村环境造成严重的污染并危害农村居民的身体健康。

表 2-4　2017—2021 年四川省每百户农村居民年末耐用消费品拥有量

耐用品	2017 年	2018 年	2019 年	2020 年	2021 年
家用汽车（辆）	13.39	15.45	20.61	22.30	18.08
摩托车（辆）	49.52	48.70	49.06	46.80	48.31
洗衣机（台）	89.93	90.46	94.94	96.00	97.45
电冰箱（台）	96.16	96.73	101.0	102.5	107.02
微波炉（台）	12.55	11.01	11.59	12.20	13.67
家用彩电（台）	117.08	113.89	115.59	116.40	117.12
空调（台）	42.74	50.06	59.33	64.20	78.20
热水器（台）	40.26	51.11	76.09	83.10	86.86
排油烟机（台）	29.03	26.83	17.35	19.40	21.21

数据来源：2017—2021 年《四川省统计年鉴》。

① 国家统计局．中国统计年鉴 2023[M]. 北京：中国统计出版社，2023.

农村电子商务大幅增长。随着电商大规模进村，快递业务在长江经济带沿线农村地区实现全覆盖。2018—2022 年长江经济带农村居民快递业务量呈现显著增长趋势(表 2-5)。浙江省五年间的邮政快递业务量远多于其他省市，大致占整个长江经济带业务的四成，其次是江苏、安徽、四川和湖北，这 4 个省份的快递业务量增长幅度较大。快递包裹数量的增长，也意味着快递包装垃圾的同步增长，如泡沫箱、气泡纸、干冰袋等快递垃圾被随意丢弃、简单堆放和填埋，容易导致臭气蔓延，逐渐污染农村土壤和地下水体。

表 2-5　2018—2022 年长江经济带农村邮政快递业务量　（单位:亿件）

省市	2018 年	2019 年	2020 年	2021 年	2022 年
上海	3.79	3.38	3.60	40.03	30.49
江苏	12.64	15.80	18.53	224.29	222.84
浙江	30.31	37.69	49.94	622.85	609.71
安徽	4.97	6.64	9.18	125.38	140.77
江西	2.64	3.18	4.43	61.70	69.13
湖北	5.28	6.43	6.62	96.72	109.96
湖南	3.46	4.39	6.07	79.69	91.97
重庆	1.53	1.76	2.23	29.07	31.70
四川	6.79	8.00	9.31	117.37	119.50
贵州	1.07	1.19	1.32	18.17	22.24
云南	1.79	2.22	3.15	41.21	42.86

数据来源:国家统计局,《中国统计年鉴 2023》;国家邮政局公布的 2018—2022 年邮政行业运行情况;农村邮政快递业务量=(1—城镇人口比重)×全省邮政快递业务量。

(2) 不断健全农村垃圾治理体系

长江经济带农村地区的生活垃圾治理体系形成了“村收集、镇转运、县处理”的“三步走”模式。首先，在基础设施方面，配置农村生活垃圾收集点，安排垃圾清运车、乡镇转运车等交通运输工具，建设垃圾转运站、垃圾填埋场、焚烧发电厂、水泥窑以及建筑垃圾资源化利用设施。其次，在人力方面，各省市大量就近聘用乡村保洁员，同步建立了村庄环境长效管护机制，对农村生活垃圾进行无害化收运和处理。最后，垃圾处置采取以县为单位，因地制宜、就近处置的原则，保证垃圾能及时得到合理处置。

（3）积极推进农村垃圾处理市场化

根据“村收集、镇转运、县处理”的“三步走”模式，农村生活垃圾处置产业链可以分为三个环节。首先是对垃圾进行源头分类，即以农村居民或村内环卫工为主体，将垃圾集中至村内垃圾堆放点。其次是以清洁公司为主的清运、中转和运输阶段，将农村垃圾点的垃圾集中转运到转运站。最后为垃圾处置阶段，包括焚烧、填埋、堆肥和回收利用，由垃圾公司运送到统一的处理点。垃圾无害化处理过程复杂，专业化程度高，投资较大，仅靠政府一方来执行会出现诸多问题，如资金压力较大、管理成本较高、效率相对较低等。因此，把农村生活垃圾处理市场化贯穿整个生活垃圾处理产业链，对农村垃圾无害化处理有着重要作用。例如长江经济带部分省市采用PPP的项目运作模式，[①]整个处理过程与企业合作，垃圾处理公司负责农村垃圾的收集和处理，政府进行服务购买，村组干部、村民和承包人实行三方监督模式，最大限度实现垃圾治理的高效化和环保化。再如四川省眉山市采取“项目管理、市场运作”的做法，引导村民自愿缴纳垃圾收集费并通过公开竞标形式，确定农村生活垃圾分类收集和常态保洁承包人，实现三方监督。[②] 而湖南省则从拓宽环卫企业参与渠道入手，政府安排环境整治资金，鼓励民营企业和社会力量捐资支持农村人居环境整治。[③]

（4）利用互联网技术实现数字化管理

为了使农村生活垃圾管理更加方便，长江经济带各省市也开始利用互联网技术实现数字化管理。首先是建立农村生活垃圾分类智慧管理数据平台，推进数字化农村生活垃圾治理模式，如利用手机App、车辆定位系统以及垃圾处理智能化设备，构建垃圾处理大数据管理平台，实现垃圾处理智能化。其次是智能化、便捷化的软件加适当的积分激励措施，让监督的触角拓展到普通村民身上，让村民动动手就能够为乡村垃圾处理作出贡献。在智能化垃圾处理系统的加持下，浙江省嘉善县普及“金实乐”智能监管系统的行政村（农村社

---

① PPP即Public-Private Partnership的英文缩写，指的是在公共服务领域，政府采取竞争性方式选择具有投资、运营管理能力的社会资本，双方按照平等协商原则订立合同，由社会资本提供公共服务，政府依据公共服务绩效评价结果向社会资本支付对价。

② 四川省生态环境厅．“一元钱”治理农村垃圾模式入选全面深化改革典型案例[EB/OL]．(2021-01-13)．https://sthjt.sc.gov.cn/sthjt/c106038/2021/1/13/baefb06916144caa946dc4084d15ee66.shtml.

③ 湖南省人民政府．中共湖南省委办公厅湖南省人民政府办公厅关于印发《湖南省农村人居环境整治三年行动实施方案（2018—2020年）》的通知[EB/OL]．(2018-07-20)．https://www.hunan.gov.cn/hnszf/xxgk/wjk/swszfbgt/201807/t20180720_5148034.html.

区）达到 91 个，农村生活垃圾分类准确率达到 80%以上，成效明显。而浙江省龙游县则通过打造“龙游通＋云监管＋智处理＋有礼积分”升级模式动员农户积极参与。长江经济带农村地区的垃圾处理智能化建设正逐步开展，覆盖面积逐渐增加，已建设好的智能化垃圾处理网点效果显著，这也是未来长江经济带农村生活垃圾处理的重要趋势。

随着农村居民生活水平的提高和电子商务的发展，农村生活垃圾呈现“城市化”的趋势，不可降解的垃圾种类与数量呈双增长趋势，这给传统的垃圾处理模式带来了巨大挑战。长江经济带各省市积极构建的“村收集、镇转运、县处理”的垃圾治理体系，通过垃圾处理市场化提高农村垃圾处理的专业化、高效化和经济化，利用互联网大数据拓宽居民参与途径，为乡村垃圾处理“增智”，有利于实现农村垃圾的有效治理。

2.1.3 农村水环境治理现状

长江经济带覆盖面积虽然仅占全国的 21%，但多年来废水排放总量占全国排放量的比例达 40%以上，致使长江流域的湖泊均有不同程度的污染。[①] 农村水环境治理主要是从岸线生态修复、实现建制镇污水处理全覆盖、引用水源地保护等工作入手加以解决。

一是岸线生态修复。主要涉及长江干流及七条主要支流。岸线生态修复就是要拆除违法违规的岸线占地项目，实施两岸造林工程，划定长江岸线保护区，对岸线保护提供绿色支持。例如，南京市腾退长江干流岸线 47 千米，完成沿江造林 2 900 亩。[②]

二是实现建制镇污水处理全覆盖。个别乡镇地区曾经因为缺少污水处理设施，生活污水未经处理就近排入江河，导致脏水横流、臭气熏天。为了解决污水问题，长江经济带各省市严格落实国家规定，大规模且因地制宜地建造污水处理厂、配套接口干管等基础设施。例如，浙江省从农村污水处理设施规模化运营管理角度，对化粪池、厨房下水管道等户内设施及公共管道处理设施进行整体、细化设计，并按照排水方式、排水去向等分类制定农村生活污水治理排放标准；建立“企业运维自检、主管部门抽检、环保部门监测”的三级水质监测制度，对不同规模的设施实施不同次数或比例的水质抽检，并把水质监测作

---

① 中华人民共和国生态环境部. 2020 中国生态环境状况公报[R]. (2021-05-26).

② 段学军. 岸线管控和国土空间规划[R]. 第二届水网地区城乡发展与规划国际会议(2020). [2012-12-21].

为运维监管和运维成效评价的重要抓手。[①] 云南省累计建成建制镇污水处理厂(站、设施)558座,污水配套管网2.51万千米,污水处理达到95.45%。[②]

三是饮用水源地保护。饮用水源地保护是生态安全的核心战略任务。长江经济带11个省市保护饮用水源的治理手段主要有以下三方面:第一,隔离防护水源保护区。通过搬迁红线内的居民区、禁止船舶在水源地区域航行、限制水库区内的渔业养殖等手段,有效减少人类活动对水源地的干扰与影响。如江苏省南京市对水源地一级保护区进行封闭式管理,安装一级保护区物理隔离防护栏14 438米,按"有点必标、有界必设"的要求,规范设置各类标识标志牌共计112块。[③] 第二,建立饮用水源保护地监测系统。通过有关设备建立起一道完整的防护网络,实现对水体24小时不间断监控。同时监察组不定期对饮用水保护地的水体进行抽样检测,如果发现污染物超标的情况,便会停止对外输送水体,彻查原因,确保居民用水安全。第三,加强对饮用水源地的防污治理,确保用水安全。相关部门根据水源保护地的防护要求和污染物的总量控制要求,定期进行治理,避免污染范围扩大。同时组建监管小组,密切关注饮用水源保护地的指标监测情况。[④] 2016年以来,长江经济带各省市积极探索农村生活污水处理模式,基本实现农村生活污水处理设施全覆盖,并委托第三方机构进行运营、管理及监测,充分保障了农村水环境的质量。截至2020年底,长江经济带相关省市同步完成8 390个乡镇级集中式饮用水源保护区划定,划定比例达到83.6%。[⑤]

除了对水源地的直接保护,长江沿线省市还加强了化工环境风险治理措施,恢复长江水生态功能,并筑牢长江生态安全屏障。据统计,2020年长江流域水质优良(Ⅰ~Ⅲ类)断面比例为96.7%,较2015年提高14.9个百分点,比全国平均水平高13.3个百分点;全长江水域无劣Ⅴ类,其中干流和主要支流水质均为优;2020年长江经济带废水中氨氮排放总量为47万吨,较2015年下降

---

① 叶林奕,叶红玉,刘锐.农村生活污水处理设施省级管理体系探索——以浙江省为例[J].环境工程学报,2022,16(3):1039-1047.

② 环保在线.云南:处理率达95.45% 5年累计建成乡镇污水站558座[EB/OL].[2021-01-13].https://www.hbzhan.com/news/detail/140065.html.

③ 李益进,邢少佳,孙健云.全力推进长江岸线保护修复工作的实践[J].江苏水利,2020(S1):31-34.

④ 杨强.饮用水源保护地污染问题及治理途径[J].乡村科技,2019(18):119-120.

⑤ 界面新闻.生态环境部:长江经济带已完成8390个乡镇级水源保护区划定[EB/OL].[2020-10-21].https://baijiahao.baidu.com/s?id=1681168856706674848&wfr=spider&for=pc.

0.6 个百分点。[①] 在资金支持方面，2021 年国家开发银行为长江经济带的绿色项目发放贷款 4 493 亿元，实现江河水生态治理及河道整治 1 542 千米，河道疏浚 448 千米，每天新增污水处理能力 453 万吨，搬迁污染企业 158 家，建设农村供水管网 3 476 千米。[②]

2.1.4 乡村绿色能源发展现状

绿色能源是指可再生、不排放污染物、能够直接用于生产生活的能源，如生物质能、水能、风能、太阳能、地热能和海洋能等可再生的清洁能源。“十三五”以来，长江经济带合理开发利用绿色能源，积极推进重大能源项目，建立了较为可靠的农村能源产业服务体系。

(1) 多方面拓宽生物质能利用

生物质直接燃烧发电是目前世界上重点推行的一项可再生能源技术。生物质能资源丰富，主要包括农业废弃物(秸秆)、林业废弃物(树枝、树叶)、畜禽粪便、有机废水等。生物质能可通过物理转化技术、化学转化技术、生物转化技术等将其转化为固态、液态和气态燃料。[③] 据统计，我国每年有折合 4.6 亿吨标准煤的生物质资源，其中农林废弃物资源折合 4 亿吨标准煤。但与实际需求相比，当前农村地区生物质能的利用率较低，每年仅有不到 1 亿吨的农林废弃物被用来发电。

生物质能培育有两大重点领域：一是沼气工程。生物质在厌氧条件下经过多种厌氧、兼性厌氧的微生物的协同作用生成沼气。[④] 沼气工程资金一般来自政府统筹，县级投入一定资金，其中包含农业生态保护与资源利用、畜禽养殖污染治理奖补等资金投入。沼气工程技术在农村的反响较好，设计目标 1 000 立方米的沼气工程可以实现全年 160 户用户供应生活燃气的目标，每年可产沼渣高效绿色有机肥 1 500 吨，实现了资源的循环利用。[⑤] 如表 2-6 所示，湖南、湖北、四川的沼气工程数量较多。四川、湖北、云南的户用沼气池数量较

---

① 中华人民共和国生态环境部. 2020 中国生态环境状况公报[R]. [2021-05-26].

② 张千千. 国家开发银行 2021 年发放 8759 亿元贷款支持长江经济带发展[N]. 潇湘晨报，2022-02-09.

③ 马隆龙，唐志华，汪丛伟，等. 生物质能研究现状及未来发展策略[J]. 中国科学院院刊，2019，34(4)：434-442.

④ 罗婕，刘志国. 生物质利用技术研究进展[J]. 株洲师范高等专科学校学报，2006(2)：48-51.

⑤ 陈文. 陈集镇：合肥市首家大型秸秆沼气集中供气民生工程建设开工[EB/OL]. (2017-12-12). https://www.fdxcb.gov.cn/display.asp? id=99961.

高。随着农村新型城镇化的深入、家庭生产功能的弱化以及新能源的推广，2021—2022 年长江经济带的沼气工程呈减少趋势，上海、重庆、安徽、湖南和贵州降幅最大，分别为 57.14%、47.68%、47.46%、45.89%、41.38%。同时，农村户用沼气池数量也呈下降趋势，重庆、浙江、湖南三省市降幅均超过 75%。沼气池的兴起和衰落是农村能源使用方式随社会、经济和技术变迁的缩影，虽然沼气池使用率下降，但它仍在特定场景下有着独特的价值。

表 2-6　2021—2022 年长江经济带各省市农村沼气工程数量及户用数

省市	2021 年		2022 年	
	沼气工程数	户用沼气池数	沼气工程数	户用沼气池数
上海	63	—	27	—
江苏	4 003	69.80	3 389	25.77
浙江	4 409	6.30	3 850	1.35
安徽	2 977	76.60	1 564	45.68
江西	7 780	164.10	5 709	77.53
湖北	8 880	259.30	8 119	216.19
湖南	20 211	172.30	10 937	42.56
重庆	5 495	139.70	2 875	16.26
四川	7 044	533.10	6 835	431.53
贵州	1 897	133.50	1 112	61.52
云南	1 743	202.50	1 812	101.44

数据来源：引自《中国农村统计年鉴(2022)》；沼气工程数单位均为“个”；户用沼气池数单位为“个/万户”。

二是生物质发电。国家能源局数据显示，2022 年，全国生物质发电量达 1 824 亿千瓦时，同比增长 11%。生物质发电新增装机容量 334 万千瓦，累计装机容量达 4 132 万千瓦，同比增长 8.8%。其中，生活垃圾焚烧发电新增装机容量 257 万千瓦，累计装机容量达到 2 386 万千瓦；农林生物质发电新增装机容量 65 万千瓦，累计装机容量达到 1 623 万千瓦；沼气发电新增装机容量 12 万千瓦，累计装机容量达到 122 万千瓦。江苏省、浙江省累计装机容量排名第三、第四，分别是 297 万千瓦、284 万千瓦；浙江省、江苏省、安徽省生物质发电年发电量排名全国前五，分别是 145 亿千瓦时、136 亿千瓦时、124 亿千瓦时。

(2) 积极推进小水电绿色改造

长江经济带水力资源丰富，沿岸 11 个省市内分布着 2.5 万多座小水电站。[①] 水电作为可再生能源，是农村地区的重要能源和民生工程，对推动农村经济社会发展、巩固拓展农村脱贫攻坚成果、保障农村民生、改善农村地区生态环境等具有重要作用。然而，由于各地区对小水电站的规划不合理、开发无秩序、监管不到位等问题，致使部分地区河道脱流甚至干涸，生态环境遭到严重破坏。如江西省虽建有小水电站 4 121 座，但该地区面临老旧电站与民营电站多、小水电站建设区域不合理、运行不规范等问题，有 398 座小水电站需要退出，近 3 700 座小水电站需要整改。[②]

基于上述诸多问题，长江经济带各省市加大对农村地区小水电整顿和改造的力度。一是清理整改农村小水电站。中华人民共和国水利部联合相关部门明确要求，立即或限期退出涉及自然保护区核心区或缓冲区、严重破坏生态环境的违规水电站；整改审批手续不全、不满足生态流量要求的水电站。[③] 截至 2020 年底，长江经济带 3 090 座立即退出类、440 座限期退出类小水电站已全部退出，清理整改中已有 1.4 万余座小水电站完成泄放设施改造。[④] 长江经济带农村地区的农村小水电引发的生态环境问题得到初步治理。二是农村小水电绿色改造。小水电绿色改造主要是改建生态流量泄放设施，生态修复减脱水河段，提高小水电站的能效与安全、水质检测等标准。如浙江省仅 2020 年就成功建设 97 座绿色小水电，在“十三五”期间共建设绿色小水电 197 座。[⑤] 三是采用“大数据＋生态”技术监管小水电的生态流量。各小水电站依据具体情况，结合数字化、智能化手段，通过在不同河道位置安装实时监测设备，进行生态流量监测，有效保护生态流量。如浙江省丽水市启动生态流量在线监管全覆盖工作，对全市偏远地区无信号覆盖、无电源供应、无便利交通的小水电

---

① 唐婷. 长江经济带小水电绿色大转身[N]. 科技日报，2021-05-11.

② 刘诗平. 打一场小水电整治硬仗——长江经济带小水电站清理整改记[EB/OL]. (2021-04-19). http://www.xinhuanet.com/fortune/2021-04/19/c_1127348517.htm.

③ 中华人民共和国水利部. 关于开展长江经济带小水电清理整改工作的意见[水电〔2018〕312 号][EB/OL]. http://www.gov.cn/zhengce/zhengceku/2018-12/31/content_5440398.htm.

④ 刘诗平. 打一场小水电整治硬仗——长江经济带小水电站清理整改记[EB/OL]. (2021-04-19). http://www.xinhuanet.com/fortune/2021-04/19/c_1127348517.htm.

⑤ 中华人民共和国水利部. 2020 年农村水利水电工作年度报告[R/OL]. (2021-11-19). http://www.mwr.gov.cn/sj/tjgb/ncslsdnb/202111/t20211119_1552021.html.

站全部安装图片抓拍设备，定期将抓拍图片上传至智慧水电系统。①

（3）大力推进分布式光伏电站建设

分布式光伏项目一般采用“渔光互补”“农光互补”“屋顶分布式”等模式提供清洁能源，带动当地其他产业发展。“渔光互补”或“农光互补”模式将光伏发电与渔业或农业相结合，复合使用空间，节省土地资源，输出清洁能源。例如，江苏省高邮市甘垛镇 30 兆瓦“渔光互补”发电项目占地 3 000 亩，总投资约 10 亿元，2015 年 10 月 30 日下午提前并网发电。它采用新型支架技术，充分利用鱼塘广阔面积进行太阳能发电，不仅大幅度提高了单位土地面积的经济价值，所发电量还可并入国家电网进行售卖。该项目投产后每年节约标准煤 3 900 多吨，减少排放温室效应气体二氧化碳约 10 430 吨，每年减少排放硫氧化合物约 80 吨、氮氧化合物约 27 吨。②

“屋顶分布式”光伏项目既有家庭用户型，也有企业用户型。浙江省宁波市鄞州区李岙村是全国规模最大的光伏村。2014 年，该村采用光伏建筑一体化模式，在全村 344 户屋顶上安装 500 千瓦分布式光伏电站，投资总额 500 万元。项目资金主要由村集体、政府支持，采用全额上网模式，年发电量 50 万千瓦时，全部上网电价为 1 元/千瓦时，省区市共补贴 0.3 元/千瓦时，光伏电站每发一千瓦时电可以得到 1.3 元收入，③年发电收入可达 65 万元，投资回收期是 8 年。村里每户每月免费使用 30 千瓦时电，每年能够为村集体带来二三十万元的集体收入。④

企业“屋顶分布式”光伏项目，则是利用闲置的厂房屋顶资源，采用“自发自用，余电上网”形式，既解决企业的用电需求，降低用电成本，又提升企业能耗中的清洁能源占比，实现经济与环保效益的“双赢”。⑤ “十三五”以来，贵州省光伏发电实现了从无到有、从小到大、从慢到快的跨越式、规模化发展，光伏

① 丽水市水利局. 率全省之先丽水实现小水电生态流量在线监管全覆盖[EB/OL]. (2022-03-11). http://slj.lishui.gov.cn/art/2022/3/11/art_1229248087_58930109.html.

② 世纪新能源. 中电投高邮甘垛 30 MW 渔光互补光伏发电项目一期(10 MW)已提前并网发电[EB/OL]. (2015-11-05). https://www.ne21.com/news/show-71198.html.

③ 该年度上网电价政策和补贴政策现已发生变化。

④ 宁波市海曙区人民政府. 海曙龙观乡李岙村入选“绿水青山就是金山银山”浙江十五年探索与实践典型案例[EB/OL]. (2021-01-12). http://www.haishu.gov.cn/art/2021/1/22/art_1229116290_58933816.html.

⑤ 吴栋梁，周韦华，赵永，等. 守护一江碧水，扬起时代风帆——国家电投助力长江经济带高质量发展纪实[N]. 中国电力报，2018-08-11(1).

装机容量从 2016 年初的 3 万千瓦增加到 2020 年底的 1 057 万千瓦。①

2.1.5 生态修复和野生动植物保护

长江是中华民族发展的重要支撑，也是重要的生物基因库和珍稀水生生物的天然宝库。自 2016 年推动长江经济带发展重庆座谈会上提出“共抓大保护，不搞大开发”以来，长江经济带 11 省市把修复长江生态环境作为主要任务，加强水生生物产卵场、索饵场、越冬场和洄游通道等重要鱼类生境的保护和修复，上中下游协同发力，共抓大保护，生态修复不断取得新进展、新成效。

（1）长江岸线生态修复按下“快进键”

自 2020 年起，长江流域的重点水域分类、分阶段实行渔业禁捕。禁捕是有效缓解长江生物资源衰退和生物多样性下降危机的关键之举。收起渔网，把江河还给大自然休养生息。江苏省先后关停“散乱污”企业 203 家，清理整治“小杂船”162 条（户），腾出岸线 5.5 千米；在沿江地区打造既层次分明、色彩优美，又功能完备、效益多元的生态廊道，让群众也充分享受到生态修复的红利②。湖北省在长江岸滩线生态复绿面积达 856 万平方米，完成造林绿化 75.4 万亩。③ 重庆市积极探索废弃矿坑有偿填埋城市建设渣土、将部分生态受损区域修复成合格农用地后进行交易等市场化机制，撬动更多资金参与生态修复；全市森林覆盖率从 2015 年的 45.4%提高到 2020 年的 52.5%。④ 国家开发银行支持多项长江生态保护修复领域项目，湖泊水生态治理修复 2.1 万亩，新建储备林 569 万亩，湿地生态保护 1.4 万亩。⑤ 2019—2020 年，江苏省级财政共投入沿江 8 市造林和村庄绿化专项资金 1.3 亿元，支持沿江 8 市全域新增造林 35.1 万亩，其中沿江 500 米范围内造林 3.12 万亩，100 米范围内造林 1.6 万亩。⑥

---

① 顾冰洁. 贵州绿色能源发展风光无限[J]. 当代贵州，2021(35)：63.

② 推动长江经济带发展网. 沿江 11 省市奏响“长江之歌”共抓大保护合力不断增强——写在推动长江经济带发展座谈会召开四周年之际[EB/OL]. (2020-01-09). https://cjjjd.ndrc.gov.cn/zhongshuochangjiang/ztbd/202001/t20200109_1218707.htm

③ 陈菲，危丽琼. 生态修复，一马当先——长江经济带化工产业高质量发展纪实之四[N]. 中国化工报，2021-06-10(1).

④ 周凯. 重庆：生态修复重现山清水秀[EB/OL]. (2022-01-05). http://www.news.cn/photo/2022-01/05/c_1128236035.htm.

⑤ 推动长江经济带发展网. 国开行去年发放 8 759 亿元贷款支持长江经济带发展[EB/OL]. (2022-02-09). http://www.xinhuanet.com/money/20220209/4ab91f548ac5436eb6e9a26ff21ce48b/c.html.

⑥ 中华人民共和国财政部. 江苏省财政支持长江动植物保护成效显著[EB/OL]. (2021-05-25). http:www.nof.gov.cn/zheng wu xin xi/xin wen lian bo /jiang su cai zheng xin xi lian bo /2021 05/t20215253T08414.htm.

(2) 科学协调大型工程建设与野生动植物保护

大型工程建设对野生动植物的生存、生长及繁衍常常造成不利影响，致使工程建设与动植物生存栖息地的矛盾愈加凸显。以水利工程为例，其对长江鱼类资源的影响主要为阻拦鱼群的迁徙流动、改变鱼类栖息环境、阻断了营养物质的循环等。① 随着生态文明建设的深入推进，工程建设单位的生态保护意识不断提高，保护经验不断丰富。长江流域多个水利工程根据长江鱼类生态习性的特点，采取了诸多工程措施以救助鱼类生存，如采取人工繁殖放流的方法补充鱼类资源，建立科研监测机构，及时反馈鱼群变化等。② 金沙江白鹤滩水电站是构筑长江生态屏障的重要一环，与流域梯级水库群共同承担着涵养、修复长江流域生态环境的重大责任。为此，三峡集团投资 3.82 亿元用于保护区能力建设、增殖放流、科研、监测等工作，其中白鹤滩水电站鱼类栖息地保护将建立以长江上游珍稀特有鱼类保护区为主体，包括白鹤滩库区黑水河等流水生境在内的系统保护格局。③

另一个可行措施是将饮用水保护工程建设为自然保护基地。黄浦江上游水源地金泽水库位于上海市青浦区金泽镇西部、太浦河北岸，库区总面积约 2.7 平方千米，其中水域面积约 1.92 平方千米，总库容约 910 万立方米。水库中的水生植物总面积超过 5.3 万平方米，不仅具有吸收水体氮磷营养盐等水质净化功能，还有为动物提供生态环境、与藻类竞争、固定边坡与改善底质等重要的生态功能。金泽水库因为良好的生态环境也吸引了很多鸟类和鱼类来此栖息，水库先后监测到 19 种鱼类。每到冬季，有数十种鸟类会来这里栖息，如白鹭、红嘴鸥、绿头鸭等。管理机构常态性地对鱼类、鸟类、浮游生物、水生植被、底泥状态、生态设施效果等进行专项监测，通过科学投放及捕捞滤食性鱼类，对水库藻类进行控制；通过合理种植及收割挺水植物、沉水植物，建立库区浮动湿地，发挥水质净化及生态稳定作用。④

(3) 珍稀濒危野生动植物资源稳中有增

长江经济带具有极其丰富的生物多样性资源，且珍稀濒危野生动植物资

---

① 蒋固政. 长江流域大型水利工程与鱼类资源救护[J]. 人民长江，2008(23)：62-64.

② 刘焕章，黎明政，常涛. 水生所与三峡和葛洲坝水利工程中的鱼类保护[J]. 水生生物学报，2020，44(5)：1040-1044.

③ 吉哲鹏. 一个世界级绿色能源基地正在崛起——来自长江经济带的报道[N]. 浦东时报. 2018-07-23(12).

④ 澎湃新闻. 上海第二大水源地如何提供饮用水？科学设施＋花草鱼各司其职[EB/OL]. (2021-06-16). https://baijiahao.baidu.com/s?id=1702695378568537570&wfr=spider&for=pc.

源呈现“稳中有增”的趋势。近年来，通过长江珍稀水生生物拯救行动计划建立了完善的自然种群监测、评估与预警体系。在三峡水库、长江故道、河口、近海等水域建设了一批中华鲟接力保种基地。在长江中下游夹江、故道、水库、湖泊等水域建设了一批长江江豚迁徙地保护水域。支持有条件的科研单位和水族馆建设长江珍稀濒危物种人工繁育和科普教育基地。

长江流域的森林覆盖率和森林资源总量持续增加，部分珍稀濒危野生动植物生存环境得以改善。2021 年，湖北省在长江干流国家重点保护陆生野生动植物资源调查中发现，秤锤树、青头潜鸭、中华秋沙鸭、黑鹳、白冠长尾雉、白鹇等物种有了新的分布区，猕猴、青头潜鸭、鸿雁、白额雁、小天鹅、水雉和白琵鹭等物种的种群数量有较大幅度的增长。[①] 2019—2020 年，江苏省级财政共投入湿地（野生动物）保护和恢复资金 3 200 多万元，支持各地贯彻落实长江十年禁渔计划，持续开展水生生物增殖放流活动，保护、修复岸线和洲滩湿地，沿江 8 市修复湿地 7.6 万亩，一批珍稀濒危野生动植物物种拯救保护和原生境改造工程顺利实施；南京市和镇江市 2 个江豚省级自然保护区内稳定栖息着 70 至 100 头江豚，数量明显高于 2018 年。[②]

近年来，长江经济带 11 省市还积极开展古树名木保护工作。江西省南丰县对 1 641 株古树名木进行了调查、拍照、建档，并录入江西省古树名木管理系统，建立了相关的管理办法和养护责任制。该县采取“一树一策”，通过挖掘渗水井、喷洒农药防治害虫、清除腐烂枯枝、对树洞进行消毒防虫处理、消除安全隐患、拆除影响古树生长的障碍物等方式，进行古树名木的救治和保护。[③] 浙江省 2016 年启动古树名木专项保护行动，累计完成对濒危及急需救助的古树名木的保护 1.3 万多株。[④] 贵州省安顺市为 1 373 株古树名木建立身份档案，完成电子识别码工作，建档率和识别率均为 100%。[⑤]

---

① 湖北省林业局. 湖北完成长江沿线动植物资源调查，涉及 50 种重点陆生野生动植物，为长江大保护提供决策依据[N]. 湖北日报，2022-01-13.

② 江苏省财政厅. 省财政支持长江动植物保护成效显著[EB/OL]. (2021-04-29). http://czt. jiangsu. gov. cn/art/2021/4/29/art_8065_9825363. html.

③ 江西省林业局. 江西南丰扎实开展古树名木保护工作[EB/OL]. (2022-02-07). http://www. forestry. gov. cn/.

④ 张科，赵希元，朱桂寿. 浙江 1.3 万余株古树名木获专项保护[N]. 中国绿色时报，2022-02-24(1).

⑤ 张爱国，杨桔，袁芳. 贵州安顺为 1 373 株古树名木建档[N]. 中国绿色时报，2022-02-22(3).

2.2 农村社区生态文明建设经验

农村社区是我国重要的人口聚居区。由于“城乡二元体制”的长期分割，农村地区的生态文明建设一直没有得到应有的重视。随着“生态文明”观念的不断普及，农村地区生态文明建设也受到越来越多的关注。长江经济带作为我国经济发达地区，农村生态环境经历了先降后升的变化。随着农村地区的生态环境不断好转，生态文明建设成果不断展现，长江经济带各省市在农村社区生态环境建设方面也积累了许多有益的经验。这些措施包括动员群众参与、生态经济双发展、公共服务均等化供给、拓宽参与主体以及落实生态补偿机制五个方面，为未来的农村社区生态文明建设提供了宝贵的经验，对其他地区的农村社区生态文明建设具有重要的借鉴意义。

2.2.1 物质精神双重激励，提高居民参与动力

长期以来，农村社区居民被塑造成一种“缺乏主体性”的群体，通常认为他们在公共领域的参与积极性较低，没有主动参与意识和参与观念。农村居民是农村社区的主要参与者，也是农村社区得以发展、维系、进步的核心因素。因此，无论政策、技术方案设计得多么优秀，如果离开了农村居民的参与，效果就会大打折扣。长江经济带各省市为了提高农村居民参与农村社区生态文明建设的积极性，从精神和物质两个方面入手，激发农村居民的参与主动性。在物质方面依托特色农业资源、农耕文化、人居环境，围绕特色生态种养、生物多样性保护与道地中药材种植、生态立体循环农业等主题，树立和打造特色生态农产品品牌，突出“环境良好、以农业为主导功能”的地区特点，从乡村产业角度入手，让农民在生产的过程中实现生态环保。在精神文化领域，部分省市还通过积分兑换、环保宣传等活动，从思想上提高农民的环保意识，让居民有参与感、获得感、幸福感和荣誉感。

根据调查，安徽省全椒县大山新村通过实行卫生环境积分制，动员村内网格员、理事会理事对村民的生活环境卫生进行打分。村民通过评比获得积分，年末凭借积分卡兑换相应等级的物品。积分兑换规则按照一分一元的比值兑换，积分兑换的物品通常为村民日常生活用品，虽价值不高但含有奖励意义，从而极大地提高了农村居民参与生态环境保护的积极性。大山新村参与人居环境建设的村民人数占常住村民人数的99.1%。每年年末的评奖环节，充分

地赋予了得奖村民幸福感和荣誉感，也让其他村民获得了参与感，真正地塑造了一种全社区参与的氛围，极大地美化了村内的生态环境。

2.2.2 严格遵守生态红线，积极谋求经济增长

农村社区在发展经济的过程中，更应始终严格遵守生态红线，积极谋求生态农业及其配套产业发展，立足农村优势，实现绿色增收。当前的生态农业有立体复合型和综合利用型两种模式。立体复合型生态农业代表模式可以是对空间的综合利用，也可以是对土壤环境的综合利用。通过合理规划种植时间和种植作物，实现对上一季农业废弃物资源的利用，同时充分利用冬闲田，促进农业生态环境的改善，提高农田利用率，获得较好的经济、社会和生态效益。例如在长江经济带部分省市实行的“桑枝条—黑木耳—水稻”循环模式，就是对立体复合型农业的良好诠释。综合利用型生态农业一般以沼气为纽带，集能源、养殖、种植为一体，将沼气、生物、肥料、饲料有机结合，从而达到农业经济效益、生态效益和社会效益相协调。同类型的模式还有“秸秆—基料—食用菌”“秸秆—成型燃料—燃料—农户”“秸秆—青贮饲料—养殖业”等。再如湖北省实施的“猪—沼—菜”“猪—沼—果”“猪—沼—茶”生态农业模式，其利用中间产物达到节约资源的目的。猪粪中含有大量的有机物质，发酵生成的沼气可用于日常生活，同时可将沼液、沼渣当作肥料用于种植蔬菜、水果和茶叶等。[①]

2.2.3 统筹城乡基础设施，实现公共服务均等

由于我国过去一段时间内长期实行“城乡二元体制”，且经济发展的重心集中于城市和工业，因此，农村地区的基础设施建设和公共服务建设长期落后于城市，主要表现为布局缺乏规划指导和约束、环境“脏乱差”、基础设施落后、公共服务供给不足等。这极大地影响了农村地区的生态环境建设进度，也阻碍了农村居民的参与积极性。随着社会的发展和生态文明意识的提升，长江经济带地区的生态文明建设在统筹城乡基础设施、实现公共服务均等方面也取得了长足的进步和令人瞩目的成绩。一是通过城乡一体编制村庄布局规划，形成了以“中心城市—县城—中心镇—中心村”为骨架的城乡空间布局体系。二是以县域乡村建设规划为龙头，形成村庄布局规划、中心村建设规划等

---

① 中农富通长三角规划所.“循环农业”创新农业生产模式，生态循环绘就农业新蓝图[EB/OL].(2020-11-27). https://baijiahao.baidu.com/s?id=1684494221393847688&wfr=spider&for=pc.

衔接配套的规划体系。三是加强农村生态环境综合整治，改变过去的单点治理模式，实行全领域治理。四是重视乡村景色建设，通过建设乡村舞台、乡村健身设施和乡村公园，实现“绿不断线、景不断链”的景况。

面对乡村不可逆转的趋弱态势，长江经济带的地方政府也可以有所作为。如浙江省开展的“千村示范、万村整治”工程，发展了乡村基础设施，让农村人居环境获得了极大改善。全省建制村由 2003 年的近 4 万个缩减到 2017 年的 2.7 万多个。在乡村基础设施建设上，全省累计硬化村内主干道 4.3 万千米，添置垃圾箱 130 万个，种植绿化苗木 3 500 万余株。让乡村从“一处美”迈向“一片美”“全域美”，①让农村居民也能够享受到经济发展、生态文明建设带来的良好体验。

2.2.4　放权社区社会组织，增强社区服务能力

基层是国家治理的“神经末梢”，是公共服务和产品供给的“最后一公里”。农村社区治理如果仅仅依靠乡镇政府实施推进，可能会造成资源浪费、效率相对较低以及专业化水平较低的后果。社区要因地制宜地向社区社会组织放权赋能，有效激发基层治理的活力、创造力。社区社会组织由政府部门扶持、指导，接受村民、主管部门监督，依靠社区能人，凭借关系网，组织广大社区志愿者，整合社区资源，利用地方性知识，真正实现“效率、资源和专业性”三位一体的治理模式。以南京市禄口街道的“社区微公益”为例，该项目通过社区内部建设社会组织，实现了政府购买服务提供由“政府配餐”向“居民点菜”的转变，让公共服务的提供更有针对性、有效性和易接受性，精准对接了居民需求。社区能人在专业组织的协助和培育下，依靠本土资源成立、发展本土社会组织。②从 2018 年至 2020 年，禄口街道共提供资金 75 万余元，扶持打造本土型、草根型社会组织 19 家，包含残疾人救助、安全知识宣传、环境整治以及女性帮扶、儿童教育等多种类型，开展活动 800 多次，受益人群累计 3.5 万人次，组织志愿者达 4 000 人次。正是这些社区社会组织，提供了丰富多彩又切合居民需求的服务，让公共服务实现了“精准提供”，推动了农村社区生态文明建设。

---

① 中华人民共和国生态环境部. 美丽中国先锋榜(8)|浙江实施“千万工程”造就万千美丽乡村的生动实践[EB/OL].(2019-08-23). http://www.mee.gov.cn/xxgk2018/xxgk/xxgk15/201908/t20190823_729836.html.

② 张亦非，陈成，韩丽萍. 江宁禄口：汇聚基层公益的“星星之火”[EB/OL].(2022-01-11). http://news.longhoo.net/2022/lhyc_0110/534101.html.

2.2.5 开展区域协商合作，落实生态补偿机制

多年来，长江经济带由于河流众多，流域范围广泛，上下游省市之间围绕经济社会发展和生态环境保护需求的矛盾日益突出。上游地区想要发展，一定程度上会影响本地区的生态环境，而下游地区则会受到上游地区生态环境恶化的外部影响。为解决这一矛盾，流域生态补偿机制应运而生。流域生态补偿机制可以给上游地区因承担生态保护责任而遭受的损失带来利益补偿，下游地区也因此获得优良的生态资源。区域协商合作能够很好地解决流域内环境治理各自为政、单打独斗的弊端。它既能够减少资源重复性投入而造成的资源浪费，又能够通过上下游共保联治的平台，以“数据互传、信息互通”实现综合性治理，推动流域内生态环境共治。

新安江流域生态保护补偿机制是我国通过区域之间平等协商而促成的最早也是影响力最大的案例。自 2012 年起，浙江省和安徽省通过建立权责清晰的流域横向补偿机制框架、加强流域上下游共建共享、打造合作共治平台等措施，运用建立统一标准、两省联席会议以及两省合作监督等方式，在水质达标后由浙江省向安徽省支付补偿，反之，则由安徽省向浙江省进行等量补偿。在流域治理中，上游的安徽省利用获得的补偿资金积极推动农村生态环境建设，通过回收废旧农药包装物、农村环境整治、退耕还林、垃圾分类等措施达成了目标，而下游的浙江省也通过上游水质的变化，实现了千岛湖水质改善，从而达到双赢发展。[①]

2.3 农村社区生态文明建设难点

农村社区生态文明建设虽然取得一定成绩，但还面临着许多难点。既有农村居民社区参与积极性不高，也有只顾眼前利益、威胁生态保护的生产方式，还有城乡间环境治理投入不均等、农村基础环境设施较为薄弱等问题。受制于经济社会发展水平和自然禀赋差异，各地的生态治理技术也不完全相同，因此，开发适宜地方特点的治理技术是一大难点。另外，区域内部以及区域之间的协商机制还有待完善，政府与社会组织、社会组织与社会组织、地方政府与地方政府之间如何实现协商合作，如何从整体性思维出发推进农村社区生态文明建设，均

① 赵征南. 新安江生态补偿：没有“对赌”，只有双赢[N]. 文汇报，2019-11-27(8).

是农村社区生态文明建设面临的实际困难。

2.3.1 农村居民社区参与积极性有待提高

农村社区生态文明建设涉及环境基础设施、生态修复、野生动植物保护、垃圾污水治理和村容村貌等工作。村民既是参与者也是受益人。由于大量青壮年人口流出,农村常住人口主要是老人、孩子等留守群体。他们一般受教育程度较低,对环境污染的危害认知不足,环境监督意识较为薄弱,对社区生态治理工作大多持观望态度。部分还保留着不良的生活方式和习惯,比如祭祀先祖燃烧纸钱、燃放爆竹烟花等。农村居民总体上对社区生态治理工作的积极性不高。主要原因有:居民参与能力不足、居民参与内驱力不足、居民参与内容单一、居民参与渠道不畅通、居民参与组织化程度不高等。充分调动农村居民参与生态治理的积极性成为一个十分迫切的任务。

2.3.2 农业经济效益与生态保护关系持续紧张

近年来,我国农村的经济建设取得了一定的成就,但农村生态文明建设存在一些问题。为了提高经济效益,粗放型生产方式至今仍在广大农村地区普遍应用,看似可以促进经济增长,但实际上却破坏了生态平衡,导致生态环境问题频发。农业虽具有生产、景观、文化、生态等多种功能,但对于农民而言,最重要的仍然是生产功能。农业生产者为了追求高产量往往过量使用化肥农药,不能被农作物吸收的残余化肥农药就会污染土壤和水体。另外,近年来规模养殖的畜牧业迅速崛起,畜禽粪污大量堆积,没有相应的处置设备和技术,就会流入河流湖泊或渗入浅层地下水,从而加重农村污染形势。在水产养殖产业方面,残余饵料、肥料或各种养殖生物的排泄物及残骸等也会在水体中进行分解或沉淀,消耗水体中的溶解氧,并释放出氨氮、亚硝酸盐氮、硝酸盐氮等产物,从而增加水体中 COD、总氮、总磷、氨氮等的含量,造成水体富营养化,进而影响养殖水域的生态环境。规模化农业生产要求品种单一、统一管理、统一作业,这也不利于自然系统的生物多样性及其再生、自净。如何在实现经济效益的同时兼顾生态效益,是农业可持续发展面临的理论和实践问题。

2.3.3 农村生态治理的资金投入支持不足

农村生态治理工作涉及饮用水源地保护、生活污水和生活垃圾处理、畜禽养殖的污染治理与农村废弃物综合利用、历史遗留的农村工矿污染治理、农业面源污染和土壤污染防治、村庄环境综合整治六个方面。这些治理项目均需要大量的资金投入。目前的公共财政总体上是"重城市、轻农村"，对农村环保投入明显不足，特别是云贵川的偏远山区，耕地条件差，陆、水基础设施建设不足。农村生态治理资金投入不足主要有三个原因。第一是农民与村集体的投入主体缺失。我国农民的收入不高，投入乡村生态文明建设的能力较弱，绝大多数的村集体也常年没有收入，缺乏主导农村生态文明建设的基本能力。第二是政府的投入总量不足与投入结构不合理。在长期的"城乡二元体制"发展模式下，城乡的生态文明建设也形成二元化的资金投入方式。我国农村生态文明建设与城市相比，无论是从总量还是从相对量上都有很大差距。尤其是各级政府对于提供农村建设投资的责任与界限不明确，导致财政投入农村生态文明建设的数量偏少，难以落实资金的情况也常有发生，农村生态文明建设的财政缺口较大。第三是社会资本参与动力不足。国家实施了各项鼓励政策引导社会资金投入农村生态文明建设，但这并没有消除社会投资方"投入-收益"难以平衡、资金回笼困难的顾虑。

2.3.4 适宜地方的生态治理技术供给不足

农村社区生态文明建设需要技术支持，如生态农业技术，垃圾处理、废水处理方面的技术等。虽然近年来我国政府积极推动农村环境治理和保护，并取得了一定成绩，但由于各地区的实际情况不一样，生态治理的技术不能做到因地制宜。欠发达地区受经济、地形地貌、土壤等多种因素的影响，生态治理的难度也较大。农村生态治理技术针对欠发达地区的供给相对不足，导致农耕效率低下，生态文明建设水平不高。① 因此，要实现生态农业必须借助先进的科技手段及完善的配套设施，采用农业先进技术对粮种及土壤进行改良，以不断提高农业生产及生态文明建设水平。云南石林享有"中国天然氧吧"的称号，当地自然环境有利于发展高原特色生态产业，因此，该县大力发展人参果、甜柿、枇杷、雪莲果、百香果、三七等多种特色种植产业。

2.3.5 共同体区域之间协商机制仍待健全

长江经济带生态环境是一个整体，需要区域内的各个地区从整体性思维出发，开展协同联动的工作机制推进生态环境建设。上下游地区虽然同处于一个生态共同体，但由于地理位置、经济社会发展水平的差异，协商机制还不

① 张丽华. 生态农业发展问题探讨[J/OL]. (2021-06-17). https://www.21ks.net/lunwen/stny/161423.html.

够健全。区域间政府部门为了各自利益，还没有形成一个整体保护环境的思维习惯。例如湖南省张家界大鲵国家级自然保护区管理处函告桑植县水利局一案，桑植县水利局拍卖已经是自然保护区范围的澧水采砂河段，却未取得自然保护区主管部门的批准，与张家界自然保护区的生态保护要求相矛盾，反映出资源主管部门与自然保护区管理部门之间的职责衔接不当的问题。[①] 由此可见，长江经济带的生态治理涉及多区域并分散在水利、交通、生态环境、农业、自然资源等多个部门，进行生态共建与管理需要建立常态化的协商机制。

随着社会的不断发展，不管是长江经济带还是全国，都在大力推动农村生态文明建设。由于主体参与积极性不足、经济效益与生态保护的冲突、各区域间协同机制的不完善、相关农村环境治理技术较为落后和因地制宜发展特色农业的技术有待创新等难点，推动长江经济带农村生态文明建设还有很长的路要走。因此，提高村民参与、解决处理技术、增加经济投入、实现可持续发展等任务，是长江经济带各区域下一步应该着手解决的问题。

2.4 农村社区生态文明建设趋势分析

农村社区的生态文明建设不仅包括对当前生态环境问题的社区治理，也包括瞄准未来农村社区的可持续发展。构建“以人为本”“人与自然和谐相处”的生态社区，是农村社区未来的发展方向。从农村社区生态文明建设的既有成功经验与面临的困境来看，未来农村社区的生态文明建设有以下几点趋势。

2.4.1 农村常住人口继续缓慢流失

农村人口急剧减少，不少地区出现了“空心村”现象。据第七次全国人口普查数据显示，我国农村的常住人口为5.1亿人，占总人口的36.11%，远低于农村户籍人口54.6%的占比。与第六次全国人口普查相比，农村常住人口减少了1.64亿人。长江经济带的农村人口占比几乎与全国保持一致。2019年，长江经济带各省市城镇化率平均值为61.70%，略高于全国平均水平的

---

① 东宁法院网. 杨国先诉桑植县水利局水利行政协议及行政赔偿案[EB/OL]. (2019-09-05). http://mdjdn.hljcourt.gov.cn/public/detail.php?id=2942.

60.60%，但下游的江浙沪三省市均超过70%。① 农村人口流失意味着农业生产主体的缺失和弱化。农村青壮年劳动力的大量流失导致农村建设主体弱化，集体资源、基础设施都无法有效协调，甚至出现农田抛荒现象，进而引发土地荒芜、房屋空置、基础设施老化、教育医疗服务落后、集体经济困难、社会保障水平低、农村治理能力低下等一系列问题。②

农村人口流失对农村、农业来说并非只有负面影响，也可以带来一定的生态环境效益。如农村人口流失、农业生产事务减少导致的土地荒芜，正好给土地带来了难得的休养生息的机会。农民主动放弃耕种，间接实现了退耕还林还草的目的。在大江大河的发源地、水源涵养地或是生态脆弱地，农民主动弃耕也有利于水土保持与水质改善。总之，随着我国城镇化、工业化水平的提升，农村人口流失是不以个人意志为转移的客观事实。面对许多村庄变成了"空心村""老龄村"的事实，撤并搬迁、合村并镇、易地搬迁将是部分村庄不得已而选择的策略。但是，对于具有地理位置、生态资源优势的村庄，应把握乡村振兴的相关政策机遇，大力促进特色产业发展，吸引外流人员回村创业。

2.4.2 农村生活空间呈现收缩态势

在我国农村常住人口数量下降的同时，农村建设用地规模却保持着较快的增长速度，导致农村人居空间被不断稀释，即农村人居的"空间收缩"。物理意义上的"空间收缩"是指水平层面上量的减少和集聚，如居住点的减少和集聚、基本公共服务设施的归并等。③ 面对农房空置、破败而引发的村庄萎缩现象，人居空间的收缩激活了闲置资源，实现了乡土改造。在城镇化和现代化的大方向下，乡村收缩是必然趋势，"精明"是确保有序收缩、健康收缩的基本原则。空间减量、居住点聚集、基础设施归并，使村民享受到社区便捷的交通、教育、医疗、文化娱乐等公共服务设施。生活空间减量发展及存量空间优化可以改善居住环境、提升生活品质。④ 乡村实行"精明收缩"是面对乡村空心化、人口老龄化、土地闲置化、农地抛荒化、资源失衡化的困境，实现"统筹

---

① 周海旺，欧阳才宇. 长江经济带社会发展报告(2019—2020)[EB/OL]. (2020-12-23). https://cyrdebr.sass.org.cn/2020/1223/c5775a100922/page.htm.

② 宋迎昌. 城市化大潮下的农村真的衰落了吗? [J]. 城市与环境研究，2016(3):3-19.

③ 赵民，游猎，陈晨. 论农村人居空间的"精明收缩"导向和规划策略[J]. 城市规划，2015，39(7):9-18,24.

④ 岳晓鹏，钱子萱，丁潇颖. 精明收缩视角下的天津农村空间优化策略[J]. 规划师，2021，37(23):59-66.

协调规划，提升运行效率，优化资源配置”的必要之举。

2.4.3 生态经济成为农村发展主流

生态经济是指在生态系统承载范围内，挖掘地区可利用的资源，促进社会、经济、生态三者的协调发展。生态经济的前提是生态建设，因地制宜地发展生态有机产业、生态旅游产业及生态农业，目标是实现生态、经济、社会三赢。各区域应科学规划布局，将特色产业的重点转移到地区的可利用资源上，壮大特色产业的规模。如在依山傍水、人文气息浓厚的地区，通过整合旅游资源、改善交通条件、改造人文景观、开发自然景观，提高生态旅游的经济价值。良好的生态环境是生态经济发展的基础。统筹规划山、林、水、田、路，加强水环境的综合治理，积极推广“光伏、小水电、生物质能”等绿色能源，建设生态庭院，绿化荒地，是落实绿色生产方式和生活方式的主要载体。有条件的地方，可以采取优惠政策引导民间资本参与建设休闲娱乐的生态庄园。绿色发展理念只有找到兼顾经济效益和生态效益的路径，方能激活农村生态建设蓄积的“绿色资本”。

2.4.4 生态价值转化体系日益健全

农村在国家发展战略中的重要性越来越凸显，其重要性主要体现在经济发展价值、生态价值、国家安全（尤其是粮食安全）价值、文化价值等方面。生态价值转化离不开宏观政策支持。现在国家重视乡村振兴，重视碳中和、碳达峰等问题，乡村的生态价值就显得越来越重要。① 乡村生态价值转化以良好的生态环境为基础。田园风光、诗意山水、乡村生活，越来越成为一种稀缺资源。村落的生态系统特殊性在于村落既是自然生态的一部分，也是人工生态的结果，在人与自然互动过程中形成的独特生态文化和生态理念，渗透在村落生产和生活的方方面面，这是城镇社区所不具备的。良好的生态环境是农村的最大优势和宝贵财富。随着美丽乡村建设的推进，越来越多的乡村生态价值被重新认识，吸引第三方机构投资乡村，修筑步道、跑道，沿河、沿路建小景点，引入农产品加工业，改造农房和生态景观，将乡村逐渐打造成为城市居民周末的栖息之地，充分发挥乡村生态价值。

---

① 王春光. 新社会转型视角对乡村振兴的解读[J]. 学海，2021(5)：26-35.

2.4.5 区域均衡成为内在发展趋势

城乡区隔、东中西部分化是我国平衡发展的重要障碍。早期的户籍制度限制了城乡之间的人口流动。随着经济的快速发展，大量农村人口涌入城市，乡村地区的很多资源也流向城市，造成城镇经济不断繁荣，乡村地区逐渐衰落。东中西部地区之间的平衡也是同样的道理。中西部地区大量青壮年劳动力留在东部地区，使得东部地区与中西部地区之间的发展水平差距越来越大。城乡均衡发展、上中下游区域一体化是国家现代化的重要标志，也有利于实现共同富裕的目标。城乡之间、东中西部地区之间应优势互补、平等交换、融合共生，形成有机团结的命运共同体。政府调控、市场调控都是区域融合的必要手段，市场机制是资源配置的决定性机制，政府发挥政策支持、激励和引导作用，通过教育、医疗、福利保障、基础设施等一体化发展，①积极引导资金、劳动力等资源流向薄弱地区。只有实现资源的双向流动，方能促进区域融合的深度和广度。

① 张克俊，杜婵. 从城乡统筹、城乡一体化到城乡融合发展：继承与升华[J]. 农村经济，2019(11)：19-26.

03

第三章

城市社区生态文明建设现状评估和趋势分析

长江经济带横跨中国东中西三大区域，覆盖上海市、江苏省、浙江省、安徽省、湖北省、湖南省、江西省、贵州省、重庆市、四川省、云南省11个省市，是重大国家战略发展区域，对推动我国经济转型升级、产业结构优化、生态文明建设具有不可替代的作用。当前长江经济带地区已经形成了长江三角洲、长江中游和川渝三大城市群以及若干实力比较雄厚的区域性中心城市，城市化水平较高。[①] 因此，对长江经济带各省市城市社区生态文明建设现状进行梳理，有利于明晰长江经济带当前发展现状，认清生态发展的问题与不足；对各省市城市生态文明建设经验与未来趋势进行分析，对推动长江经济带绿色发展、生态文明建设具有重要意义，同时也能为我国其他地区的城市社区建设提供重要借鉴范例。

3.1 城市社区生态文明建设现状

长江经济带各省市加强建设生态文明、推动绿色发展、加大生态环境保护和修复力度，对实现全国高质量发展、可持续发展具有重要意义。由于经济、社会、文化、地形等多种因素的影响，长江经济带各省市城市社区生态文明建设现状不尽相同，因此对其总体现状进行梳理有利于明确我国长江经济带当前发展现状，对推动长江经济带城市社区生态文明建设具有重要意义。

3.1.1 城市生态环境质量的演变

长江经济带各省市在“共抓大保护、不搞大开发”发展战略导向下，积极推动生态环境治理，打好污染治理攻坚战。长江经济带各省市的环境质量得到大幅度改善，如建成区绿化覆盖率增加、城市空气质量提升、水环境改善、城市生活垃圾无害化处理等。

一是长江经济带各省市建成区绿化覆盖率增加。就长江经济带总体而言，城区绿化覆盖率皆呈增长趋势，但增长幅度较小(图3-1)；就各区域而言，上游、中游和下游地区在城区绿化覆盖率方面差异较小，其中江苏、浙江、安徽、江西、湖北、湖南、贵州、重庆、四川、云南等省市的城区绿化覆盖率均在40%以上；上海市绿化覆盖率最低，仅为37.73%。由此可见，各省市在城市社

① 中国政府网.长江经济带如何城镇化[EB/OL].(2014-09-10). https://www.gov.cn/xinwen/2014-09/10/content_2748311.htm.

区生态文明建设中，对城市公园绿地建设、城区绿化覆盖率较为重视，提高了城市社区生态环境质量。如湖北省十堰市所开展的“绿满十堰”行动，三年共累计完成植树造林 89.07 万亩，至 2021 年森林覆盖率达 64.72%，城区绿化取得显著成效。[①]

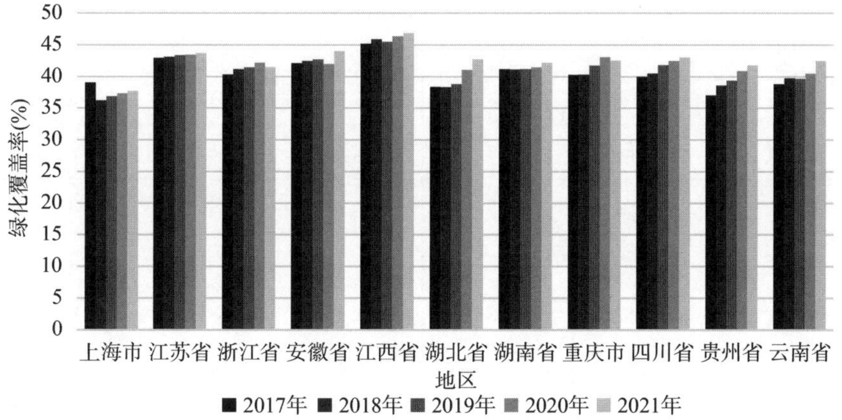

图 3-1　2017—2021 年长江经济带各省市建成区绿化覆盖率

资料来源：长江经济带大数据平台。

二是城市空气质量大幅提升。环境空气质量达标指的是参与评价的 $PM_{2.5}$、PM_{10}、O_3、SO_2、NO_2、CO 等六项指标均达到国家规定水平。城市空气优良天数（或达标天数）指的是空气质量指数（AQI）在 0～100 之间的天数，优良天数比例指的是城市空气优良天数在一年中的占比。[②] 从表 3-1 与图 3-2 中的数据可以看出，一方面长江经济带各省市城市空气优良天数比例存在较大差异，如云南、贵州、江西、重庆等省市城市空气优良天数比例均为 90%以上，其中贵州和云南城市空气优良率高达 99%，遥遥领先其他省市；而江苏、安徽、湖北等省份的城市空气优良天数比例皆低于 85%。另一方面各省市城市空气优良天数比例增长幅度存在差异，如上海、江苏、安徽等省市五年内在优良天数比例方面的增长幅度皆高于 5%，其中安徽省达到 10.8%。就长江经济带总体情况而言，2018 年，长江经济带城市空气优良天数比例超过全国均值 79.3%的省市有 8 个；2022 年超过全国均值 86.5%的省市有 8 个，仅江苏、安徽、湖北三省低于全国均值。

① 王雁博．绿染城乡满目春——十堰市生态文明建设走笔[N]．十堰日报，2018-03-12(3).

② 中华人民共和国生态环境部．中国生态环境状况公报(2020)[R].(2021-05-26).

表 3-1　2018—2022 年长江经济带城市空气优良天数比例

地区	年份				
	2018	2019	2020	2021	2022
上海市	81.1%	84.7%	87.2%	91.8%	87.1%
江苏省	68.0%	71.4%	81.0%	82.4%	77.4%
浙江省	90.8%	93.1%	96.2%	94.4%	89.3%
安徽省	71.0%	71.8%	82.8%	84.6%	81.8%
湖北省	78.4%	77.7%	88.4%	86.7%	82.9%
湖南省	85.4%	83.7%	91.7%	91.0%	87.6%
江西省	88.3%	89.7%	94.7%	96.1%	92.1%
贵州省	97.7%	98.3%	99.2%	98.4%	99.1%
重庆市	86.6%	86.6%	91.0%	89.3%	90.1%
四川省	84.8%	89.1%	90.8%	89.5%	89.3%
云南省	98.9%	98.1%	98.8%	98.6%	99.7%
全国均值	79.3%	82.0%	87.0%	87.5%	86.5%

资料来源:2018—2022 年各省市生态环境状况公报。其中,2022 年江苏省数据根据公报取设区市数据中位值。

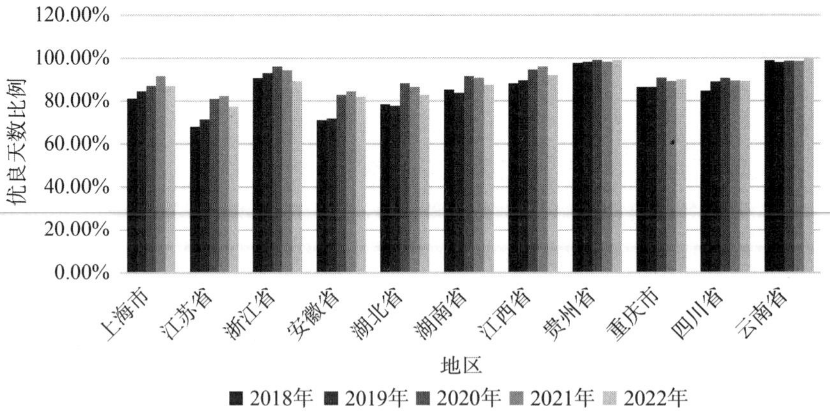

图 3-2　2018—2022 年长江经济带城市空气优良天数比例

资料来源:2018—2022 年各省市生态环境状况公报。

三是城市水环境总体改善。2022 年，长江流域监测的 1 017 个国控断面中，Ⅰ～Ⅲ类水质断面占 98.1%，比 2021 年上升 1.0 个百分点；无劣Ⅴ类水质断面，比 2021 年下降 0.1 个百分点。长江干流和主要支流水质为优。① 相比 2021 年，2022 年长江经济带Ⅰ～Ⅲ类水质比例有所提高，Ⅳ类和Ⅴ类水质比例呈下降趋势。表 3-2 中的数据可以看出，除浙江省、安徽省和湖北省Ⅴ类水质比例略微升高外，其他省市Ⅴ类水质比例皆在降低，部分省市已清零，如上海市和四川省。在地表水水质达标率方面，长江经济带各省市也存在较大差异，如上海、江苏、浙江、湖北、湖南、江西、贵州、重庆、四川等省市Ⅰ～Ⅲ类水质达标率均为 90%以上，而安徽省水质达标率较低，为 86.5%。为加强城市社区生态文明建设，长江经济带各省市针对水环境改善、污水治理做出了巨大努力和创新。如江西南昌市重点推进了赣江岸线生态治理工程，强化河湖岸线管理养护，对侵占河道与损毁河湖岸线、堤防、护岸的行为进行清理整治，同时清除了威胁水安全的码头、搅拌站、砂场，充分利用沿江滩涂，结合原有地形地貌，修复堤岸，种植植被，增加市民休闲娱乐设施，建设滨水生态公园，形成集旅游休闲、生态文化于一体的“公园式自然走廊”，有效保护了赣江母亲河、南昌水源地。2021 年，南昌开始对裘家洲和老官洲进行生态修复，与秋水广场、滕王阁、扬子洲等景点连片，提升“一江两岸”城市景观。通过修复取水缺口，修建生态护岸，抛石固脚，保证水流平缓顺畅，同时依托现有洲上湿地，播撒油菜籽和草籽，不仅有效保护了水环境，也使两岸风光更靓丽。②

表 3-2　2021—2022 年长江经济带各省市地表水水质状况

省份	年份					
	2021 年			2022 年		
	Ⅰ～Ⅲ类	Ⅳ类	Ⅴ类	Ⅰ～Ⅲ类	Ⅳ类	Ⅴ类
上海市	80.6%	18.7%	0.7%	95.6%	4.4%	0
江苏省	87.1%	12.9%	0	91.0%	9.0%	0
浙江省	95.2%	4.8%	0	97.6%	1.7%	0.7%
安徽省	77.3%	21.2%	1.6%	86.5%	11.7%	1.7%
湖北省	88.7%	9.2%	1.8%	90.5%	7.0%	2.5%

① 中华人民共和国生态环境部．中国生态环境状况公报(2022)[R].(2023-05-29).

② 人民日报看江西：江西省南昌市扎实推进水环境综合治理—— 擦亮“水名片” 做好“水文章”[EB/OL].(2023-04-20). https://sdxw.iqilu.com/share/YS0yMS0xNDQ5MDk3Mw.html.

省份	年份					
	2021 年			2022 年		
	Ⅰ～Ⅲ类	Ⅳ类	Ⅴ类	Ⅰ～Ⅲ类	Ⅳ类	Ⅴ类
湖南省	96.1%	3.4%	0.4%	97.4%	2.4%	0.2%
江西省	93.6%	/	/	93.6%	/	/
贵州省	97.7%	0.9%	0.5%	97.6%	2.0%	0.4%
重庆市	94.5%	5.0%	0.5%	95.4%	/	/
四川省	96.1%	/	0	99.4%	0.6%	0
云南省	87.7%	/	/	90.5%	/	/

资料来源：2021 年和 2022 年各省市生态环境状况公报。

四是城市生活垃圾无害化处理。截至 2022 年末，我国生活垃圾无害化处理场(厂)座数为 1 399 座，较上年减少 8 座，同比略降低 0.57%。2022 年全国城市生活垃圾无害化处理率达 99.90%，较上年增加 2%；生活垃圾无害化处理能力达 110.94 万吨/日，同比增长 4.95%。根据图 3-3 中的数据，就长江经济带各省市来看，2022 年浙江省和江苏省城市生活垃圾无害化处理能力超过 7 万吨/日，其余省市在 1～5 万吨/日之间。

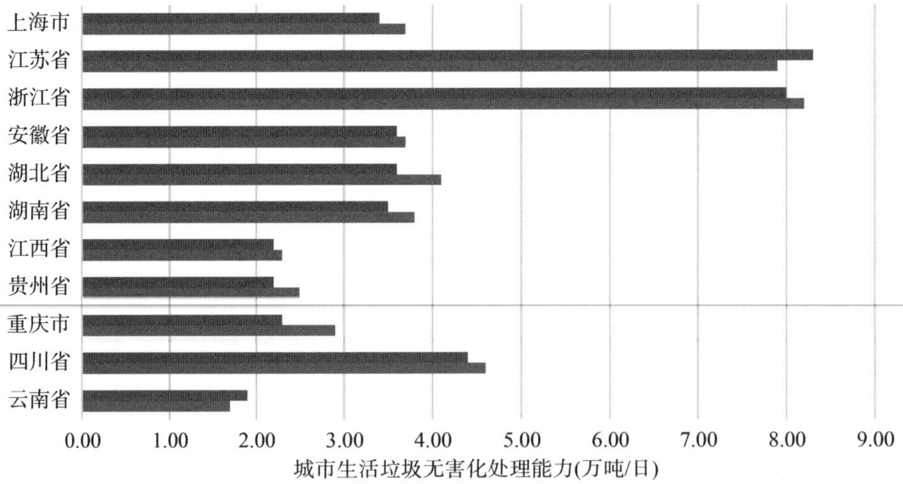

图 3-3 2021—2022 年各省市城市生活垃圾无害化处理能力(万吨/日)

资料来源：《2021 年中国城市建设状况公报》与《2022 年中国城市建设状况公报》。

3.1.2　城市社区生态文化建设的现状

培育生态文化是现代公共文化服务体系建设的重要内容，它能积极传递生态文明主流价值观，在全社会倡导勤俭节约、绿色低碳、文明健康的生产生活方式和消费模式，唤起向上向善的生态文化自信与自觉，为正确处理人与自然关系、解决生态环境领域突出问题、推进经济社会转型发展提供内生动力。① 根据国家方针与人们实际文化需求，长江经济带各省市地区的城市社区生态文化建设，在生态城市科学研究、城市生态文明宣传与教育、城市地域生态保护文化建设等方面取得了较好成果。

一是生态城市科学研究。19 世纪末，霍华德首先提出的"田园城市"，成为理想生态城市理论的开端。20 世纪，"生态城市""健康城市""绿色城市""可持续城市"概念先后被提出，并发展成为研究热点。进入 21 世纪，人类对于生态环境更加关注和重视，将"低碳城市"、"低碳生态城市"和"绿色生态城市"等理念推向新的高地。当前中国主流生态城市理论主要包括：平衡发展与保护的"两山"理论、强调自然与人文结合的"山水城市"及"花园城市"理论、以降低碳排放为目标的"低碳城市"理论等。这些理论普遍建立在循环经济、可持续发展、绿色治理、自然融合等理念的基础上，强调把生态文明理念融入城市发展和城市生活，促进工作与生活在空间上和谐、文化与建筑在心理上和谐、人与自然在生态上和谐、基础设施与功能设施在需求上和谐。

长江经济带各省市在现有生态城市理论的指导下，推动生态城市建设。例如浙江省杭州市，在"两山"理论的指导下，从 2013 年"美丽杭州"的建设工作起步，以"建设美丽中国样本"为目标，成为中国省会城市中首个国家生态市。同时，"美丽杭州"的建设也拉动了当地经济发展，做到"两山"的和谐统一。四川省成都市自 2018 年始，在"公园城市"理论的指导下，全面开启建设美丽宜居公园城市实践，全市森林覆盖率达 40.33%，建成区绿化覆盖率达 45%，人均公园绿地面积达 15 平方米。②

二是城市生态文明宣传与教育。当前国内城市生态文明宣传与教育以习近平生态文明思想为核心。习近平生态文明思想强调理解把握人与自然和谐共生的科学自然观、绿水青山就是金山银山、良好生态环境是最普惠的民生福

---

① 聂晓葵．筑牢生态文明体系的"四梁八柱"[N]．经济日报，2020-11-10.

② 杨金祝，罗田怡．成都加快建设美丽宜居"公园城市"，让生活更美好[N]．华西都市报，2019-07-30(A4).

祉、山水林田湖草是生命共同体等思想。① 长江经济带在习近平生态文明思想的指导下，各省市政府、社区、企业和事业单位等积极组织开展生态文明宣传与教育工作，主要针对生态文明理念宣传、生态环保知识科普教育、生态环保行为培育等内容，以组织宣传与实践活动、创作主题宣传作品、张贴标语图画、举办线上线下科普教育等形式开展活动。例如四川省巴中市实施习近平生态文明思想学习传播工程，开展绿色志愿服务、绿色社区创建、绿色出行，试点开设中小学校生态环保教育课程。② 2018 年湖南省在长沙市举行六五环境日国家主场活动，以“美丽中国，我是行动者”为主题，设计制作海报、标识、歌曲和微视频系列主题宣传产品，在全社会广为传播。③ 2021 年，上海市、江苏省、浙江省、安徽省共同启动长三角宣传教育联动工作，发出关于“长江大保护”的倡议书，开展探索区域生态环境一体化、加强生态环境保护舆论引导、提升生态文明建设宣传水平、推进绿色转型发展的矩阵传播等工作。④

三是城市地域生态保护文化建设。地域文化是基于该地区赖以生存的地理与人文环境，所形成的物质、精神、制度成果的总和，是实现人类自身内部、人与人之间和谐以及人与自然和谐的智慧。为增强文化自信与文化认同，长江经济带各地高度关注并进行地域文化开发。近年来，生态被作为关键因素参与到地域文化建设工作中。一方面，在建设地域文化场所、打造地域文化宣传教育阵地时，着重考虑生态保护，降低或防止对生态的破坏；另一方面，将生态作为地域文化核心内容进行挖掘与开发，打造并推出地域生态文化，强调历史、文化与自然的和谐共生理念。

长江经济带 11 省市拥有丰富的地域文化资源。长江是我国最长的河流，途经多个省区市，集合巴蜀文化、滇文化、黔文化、荆楚文化、赣文化、吴越文化、江淮文化等多个特色地域文化。2016 年以来，长江经济带各省市对于地域文化建设中的生态保护，以及地域生态治理中的文化建设保持高度关注和支持。例如江苏省江阴市的滨江风光带鲥鱼港公园内，建立起以长江生态文化为主

① 郇庆治. 习近平生态文明思想研究(2012—2018 年)述评[J]. 宁夏党校学报，2019，21(2)：19-30.

② 高启龙. 巴中：“十三五”期间加快绿色发展，绿水青山就是金山银山[EB/OL]. (2020-12-31). https://bazhong.scol.com.cn/qcfc/202012/58005059.html.

③ redcloud. 2018 年六五环境日国家主场活动在长沙举行[EB/OL]. (2018-06-06). http://www.tongdaonews.com/content/2018/06/06/8341167.html.

④ 陈静，叶攀. 长三角三省一市签署“长江大保护”倡议书[EB/OL]. (2021-11-29). http://www.chinanews.com.cn/gn/2021/11-29/9618382.shtml.

题的长江大保护展示馆，充分挖掘与开发地域生态特色。[①] 张家港市拆除沿江码头企业、违章建筑，保留少量工业遗址，生态修复滩涂湿地，打造“最美江湾”；创新“节庆＋旅游”“生态＋旅游”模式，定期开展“赏长江戏曲，游全域港城”戏曲节、“遇见张家港湾”诗歌会、长江主题影展等活动。[②]

3.1.3 城市社区生态文明制度建设现状

生态文明制度是城市社区生态文明建设的基础。长江经济带各省市在生态文明制度建设上，围绕法律法规、生态标准、制度体系、监督问责及新兴生态问题等方面，不断通过制定新法规政策、修订既有法律规定、整合制度体系等途径，提升生态文明制度的指导、监督、约束、规范作用，促进了生态相关具体工作的运行与管理。

一是生态相关法律法规及标准。“十三五”以来，我国完成了《中华人民共和国环境保护法》《中华人民共和国长江保护法》等 13 部法律，以及《排污许可管理条例》《建设项目环境保护管理条例》等 17 部行政法规的制定、修订工作。覆盖各类环境要素的法律法规体系基本建立。生态环境标准体系建设也取得重大成效，截至 2021 年，现行国家生态环境标准总数已经达到了 2 202 项。[③] 以国家层面制定、修订相关法律法规为契机，长江经济带各省市也对本地区内生态相关法律法规与标准进行补充完善。一方面，对于原有法律法规或标准进行补充和调整。例如 2015 年《江苏省大气污染防治条例》通过后，于 2018 年 3 月、2018 年 11 月根据实际情况并综合其他生态指标与规定进行了修订。另一方面，针对新出现或影响较大的生态问题，颁布新的法律法规或标准。例如湖北省为保护长江一级支流，于 2019 年颁布《湖北省清江流域水生态环境保护条例》。

二是城市生态文明制度体系。当前，我国生态文明体制中体现“源头严防、过程严管、损害赔偿、后果严惩”等原则的基础性制度框架已经初步建立，国家生态文明制度体系逐渐健全。长江经济带各省市积极推动城市生态文明制度体系建设，通过两个方面加以完善。一是优化生态保护制度。各省市落

① 李爽. 古韵新声话长江|江苏首座长江生态文化展馆与您有约[EB/OL].（2021-05-23）. https://jres2023. xhby. net/index/202105/t20210523_7096525. shtml.

② 李扬，贾亭沂. 新时代长江生态保护与文化旅游发展研究——以江苏张家港为例[EB/OL].（2021-12-30）. https://www. thepaper. cn/newsDetail_forward_16076985.

③ 何莉，李志贵. 我国生态环境法律法规和标准建设取得重大进展[EB/OL].（2021-11-25）. https://news. cnstock. com/news, yw-202111-4787176. htm.

实主体功能区规划，将生态保护红线根据地方情况进行合理调整，对自然资源资产产权制度、生态补偿制度进行补充和深化。二是完善环境治理体系。制定防治污染的相关规定与参考意见，推行河湖长制、林长制地方标准与实施方案，推进以河湖林长制为核心的全要素监管体系，出台生活垃圾管理条例，开展塑料污染治理专项行动。

三是城市生态问题监督问责机制。近年来，我国建立并实施中央生态环境保护督察制度，并取得了明显成效。长江经济带各省市在生态问题监督问责机制上，取得了较大的突破与进步。首先是各级政府明确生态文明建设主体责任，通过权责清单方式建立分工明确、责权清晰的环境监管和环境保护工作体系，提高环境监管体系的可问责性。其次是完善政府绩效评价考核制度，统筹规范生态文明建设领域内容相近的考评工作，对政策绩效、监管绩效的评价考核进行优化。最后是规范与完善环保督察问责程序，保证督察制度法治化、规范化、程序化。例如，2019 年江苏省发布《江苏省保护和奖励生态环境违法行为举报人的若干规定（试行）》，鼓励个人和单位依法举报环境违法行为，明确举报人可采用信函、电话、网络等方式实名或匿名举报。[①]

四是城市野生、流浪动物管理与城市生物多样性保护。一方面，随着城市社区生态文明建设的不断推进，城市社区生态治理与环境保护工作不断落实，曾经在城市中鲜少见到的野生动物开始频繁出现在城市之中，人与野生动物间各种冲突不断增加。另一方面，由于宠物弃养、野外繁殖等多种原因，城市流浪动物数量不断增多，给城市管理与居民生活带来挑战。针对近年出现的城市“人与动物”矛盾，为了保护城市生物多样性，国家不断完善宠物饲养与管理、野生动物保护、动物救助等相关制度。

长江经济带各省市，尤其是江、浙、沪、皖等省市，经济相对发达，人口相对集中，生态治理的基础较好，城市生物多样性也较高。近年来，长江经济带地区关于野猪、貉等进入人类生活区域的新闻频现。同时，城市中宠物数量较多，宠物品种丰富，对野生、流浪动物问题的治理提出了较高的要求。在城市宠物饲养管理方面，强化宠物饲主责任与义务，通过办理宠物证件、组织宠物年审等措施，规范居民宠物饲养行为，减少居民随意弃养与放养行为。例如，2019 年上海市制定《上海市养犬管理条例》；重庆市于 2019 年发布《重庆市野生动物保护规定》，强调对于城市野生动物应及时救助、保护，以及对野生动物

① 江苏省人民政府. 举报环保违法行为最高可获万元奖励[EB/OL]. [2019-01-20]. http://www.jiangsu.gov.cn/art/2019/1/20/art_60085_8089401.html.

造成的居民损失进行赔偿等。

3.1.4 城市生态环境建设资金及项目的现状

2016 年以来，长江经济带各省市为促进生态环境改善，逐步加强生态环境整治，加大力度开展生态环保项目，其中包括污水处理、生活垃圾焚烧发电、建筑垃圾资源化利用、生态保护修复等项目。长江经济带各省市为推进长江流域水生态系统性修复，规划实施 12 个重大生态保护修复项目，包括推进岷江、沱江、嘉陵江流域化工产业布局调整，促进高质量发展与流域水生态环境保护相融合；建立洞庭湖国家公园，推进洞庭湖四口水系综合整治工程等多方面内容。

第一，政府加大对生态环境保护方面的财政投入。长江经济带各省市重视环境基础设施建设，加强环境污染治理，加大对城市生态建设的财政投入力度。表 3-3 数据显示，长江经济带各省市生态环境建设人均投资额变化趋势差异较大，在上游欠发达地区省市投资增长明显，2021 年人均投资额较 2017 年有了大幅提高；中下游省市则波动较大、增减不一。由此可见，长江经济带各省市在环境基础设施建设、工业污染治理等方面的生态环境建设投资较多，为城市社区生态文明建设提供了良好的资金支持。

表 3-3 2017—2021 年长江经济带各省市生态环境建设人均投资额

（单位：元）

地区	2017 年	2018 年	2019 年	2020 年	2021 年
上海	577.15	787.49	727.28	428.70	524.94
江苏	484.87	621.87	547.7	671.11	520.91
浙江	520.26	547.04	487.13	667.96	666.69
安徽	652.46	593.97	597.11	568.15	511.46
湖北	545.33	451.79	535.08	399.37	519.92
湖南	256.46	175.32	167.51	286.56	364.06
江西	554.07	721.57	811.21	670.75	742.48
贵州	240.17	237.47	244.64	248.26	349.88
重庆	475.42	518.42	527.37	662.88	693.48
四川	281.08	401.45	411.05	486.94	583.84
云南	228.13	260.04	290.22	265.99	302.89

资料来源：长江经济带大数据平台与《长江经济带发展统计年鉴》。

第二，社会资本积极参与生态环境保护。长江经济带各省市在生态文明建设、长江大保护等实践中，创造性地提出了“三峡模式”①。“三峡模式”的亮点在于：一是联合当地政府，聚焦政企互利共赢，带动社会资本广泛参与，并创造性地探索和建立了与国家发改委、试点城市、社会资本等利益方共同组成的责任工作体系；②二是发展“资本＋”模式，推动行业参与，如与全国性龙头企业、地方政府平台等相关主体建立联系，为长江经济带生态文明建设赋能。除此之外，各省市为了引导各类资本积极参与生态文明建设，还采取了诸多措施。如江苏省为引导社会资本参与生态环境保护，主要从两方面做出努力：一是引导商业银行开展“环保贷”业务，以缓解环保企业融资难、融资贵等问题；二是实行奖补激励措施，如针对省级“绿岛”项目库中已完工的项目，省财政根据其环保设施投资情况给予一定比例的奖补，以带动社会资本参与生态环境治理。③

3.1.5 城市社区生态治理技术的现状

自 2016 年以来，长江经济带各省市为持续推进城市社区生态文明建设，坚持创新驱动绿色发展，通过提高绿色科技创新水平、生态环境治理数字化水平，发展城市社区生态治理技术。

第一是各省市提高绿色科技创新水平，为城市社区生态文明建设赋能。在绿色建筑方面，政府大力发展绿色建造与绿色建筑，提高绿色建筑技术水平，通过产能、节能等技术创新，对医院、学校、政府机关等重点公共机构进行节能诊断和优化改造，更大范围地使用和推广绿色建筑。如湖北省武汉市在 2021 年累计推广绿色建筑 17 854 万平方米，绿色建筑占新建建筑比例由 2013 年的 3.4%上升到 2021 年的 100%。④ 在绿色交通体系方面，加速交通绿色低碳转型，推动公共交通领域车辆实现新能源替代。如浙江省将绿色交通发展摆在突出位置，分别从交通基础设施、创建绿色交通省、治理交通拥堵等多方面发力，构建绿色交通体系，打造交通生态文明。该省目前已形成涵盖三个体

---

① 三峡模式指三峡集团在“长江大保护”中探索出的长江经济带城镇污水治理模式，其核心为“聚焦厂网一体的治理模式、聚焦价格机制的商业模式、聚焦政企互利共赢的合作模式、聚焦产业联盟的共建模式”。

② 饶恒. 深度报告——环保：三峡集团治水新经[EB/OL].（2019-10-16）. http://www.sasac.gov.cn/n2588025/n4423279/n4517386/n12348569/c12364809/content.html.

③ 王梦然. 财政“加码”，为美丽江苏“加分”[N]. 新华日报，2022-02-09(4).

④ 李晓琴，黎先才. 武汉“绿建”新规本月底实施　全面步入法治轨道，实行建筑全生命周期监管[N]. 楚天都市报，2022-03-04.

系、三项能力、六大载体的"336"绿色交通发展体系①。在绿色新兴能源开发方面，推动能源体系绿色转型，加大对风电、光伏发电、水能、地热能、海洋能、氢能和生物质能等清洁能源的开发利用。又如江苏省扬中市滨江零碳公园，该公园将可再生能源应用与日常生活紧密结合、与自然景观有机融合，在公园内建设安放了光伏桥、光伏路、光伏充电车棚、风光互补路灯、光伏充电座椅等光伏应用项目。

第二是长江经济带各省市提高生态环境治理数字化水平，加大力度促进"大数据＋生态环境"融合发展，创新城市社区生态治理技术，拓宽社会民众参与渠道，鼓励社区、环保社会组织、社区居民以及环保志愿者等多元主体积极参与城市社区生态治理。如贵州省依托大数据技术，已初步建成环境质量数据库、污染源数据库、生态环境数据中心，以及重点流域管理、污染源自动监控、环境应急等一批核心业务系统，这为生态环境编织了一张强大的防护网。② 美中不足的是，目前已建成的各类数据库、环境监测系统等使用主体仍然是政府、企业等单位，难以被社会民众或环保志愿者所采用。因此，为引导社会民众积极参与城市社区生态文明建设，智能技术应在使用便利化、应用广泛化等方面做出进一步努力。

在各省市推动城市社区生态治理信息化、便民化的过程中，"河湖随手拍"（以下简称"随手拍"）App 逐渐进入社会大众的视野。"随手拍"App 是应用智能手机定位、拍照等功能，结合信息后期管理，实现监督管理目的的信息化工具。在社会中广泛推广"随手拍"，首先可以充分发挥公众作用，畅通社会力量参与河湖管理与保护的渠道，形成政府与社会共同监管的合力。在此基础上，可以扩大"随手拍"的使用范围或增加其功能，将其推广到城市社区生态文明建设适用的场景中，如垃圾分类、污水排放、公园绿地保护等，以拓宽社会民众参与生态建设的渠道。除此之外，还有大量的社会群众，如果加以动员，他们均可以成为"随手拍"App 的使用者，成为推动城市社区生态文明建设的重要力量。其次，"随手拍"还具有实时监督的功能，不仅可以对企业、群众污染城市环境的相关行为进行监督，同时也能对政府落实生态建设相关工作进行监督，

---

① "336"绿色交通发展体系：覆盖车、船、路、港、城全方位的绿色交通项目体系、"特大城市—大城市—中小城市—县域"多级示范体系、智慧交通与绿色交通深度融合发展体系三个体系；绿色交通长效发展、高效管理、科技创新三项能力；宁波现代综合交通、嘉兴协同高效交通、湖州内河特色交通、绍兴和谐人文交通、舟山美丽海岛交通、杭州智慧公共交通六大载体。

② 高华，周梦真. 大数据大生态融合发展，守护贵州"黔"景无限[EB/OL]. (2021-05-18). http://gz.people.com.cn/n2/2021/0518/c344124-34730523.html.

以从环境治理和环境监督两方面出发，促进城市社区生态文明的建设。

基于“随手拍”的功能和作用，长江经济带各省市为推进城市社区生态文明建设，逐渐将“随手拍”与网格化社会服务管理模式相结合，鼓励网格管理员、网格助理员、网格督导员等对象参与到生态城市建设中；同时“随手拍”的使用范围也得到了扩大，将其延伸至环境问题上报、治理、监督等多方面，包括垃圾分类“随手拍”、环境整治“随手拍”等。浙江省嘉兴市围绕“随手拍”系统，以全体网格员、网格长和生态联络员为主要对象，打造生态环境整治信息化“联军”，全面提升生态环境问题整改效率。江西省上饶市持续开展环境卫生问题“市民随手拍”有奖活动，以进一步完善中心城区环境卫生监督考核机制，鼓励社会公众积极主动参与城市环境卫生管理工作。① 由此可见，随着生态环境保护与智能技术的融合发展，城市社区生态治理和监督愈加趋向信息化、数据化，同时为社会公众参与生态保护提供了新的渠道，有利于强化多元主体协同参与机制。

3.1.6 多元主体参与生态文明建设现状

生态文明建设多元主体协同治理反映的是政府、企业、社会组织和公众等治理主体在生态文明建设中的良性互动关系。在多元主体参与城市生态文明建设的进程中，政府通过法律、政策、行政管理、公共服务等手段进行生态文明建设的宏观指导、统筹与参与，社区、环保社会组织、企业、社区居民和环保志愿者等多元主体相互协同，共同推动城市社区生态文明建设。长江经济带各省市在生态文明建设过程中，也高度重视其他社会主体参与的积极效果，通过打造互动平台、组织相关活动、制定参与规则及政策等途径，调动各主体参与的积极性、主动性。

一是城市社区广泛参与生态文明建设。社区作为基层自治组织，是连接民众和政府的桥梁之一，在生态文明建设中扮演着重要角色，能够在环境教育、垃圾分类回收、低碳出行和能源节约、环境美化和生态系统保护等多方面，通过组织宣传实践活动、制定居民守则、落实政府政策、培育和协同环保社会组织与生态志愿者等形式参与到生态文明建设中。近年来，长江经济带各省市充分发挥社区作用，各地以多种形式举办“生态文明进社区”活动，进行生态

① 上饶市人民政府信息公开平台. 上饶市中心城区环境卫生问题有奖随手拍活动实施方案（试行）（饶城管委办发〔2018〕38 号）[EB/OL]. [2018-07-13]. http://www.zgsr.gov.cn/cgj/qtygwj/201807/25a09a1005e64babbae99c426238c825.shtml.

文明宣传工作。

二是城市环保社会组织积极参与生态文明建设。1996年国家发布《全国环境宣传教育行动纲要》,2010年国家出台《关于培育引导环保社会组织有序发展的指导意见》,2017年国家发布《关于加强对环保社会组织引导发展和规范管理的指导意见》。这些法律法规的出台进一步促进了环保社会组织健康有序地发展,更好地发挥了民间环保力量,广泛动员公众参与生态文明建设,推动绿色发展。长江经济带各省市重视培育生态与环保社会组织,并发挥其功能与作用。现有生态与环保社会组织参与生态文明建设主要有两种参与模式:一是针对环境、生态问题自发进行组织、宣传、实践等活动,例如环保社会组织针对城市环境问题,提起环境公益诉讼,推动环境问题的解决;二是通过政府购买服务的形式,参与生态环境保护,将政府的环保监督职能部分转移给环保社会组织,例如城市环保社会组织参与社区垃圾分类、城市内河治理等工作。

三是城市居民与环保志愿者积极参与生态文明事务。居民与环保志愿者既是生态文明建设的最大受益者,同时也是生态文明建设最基础、最庞大的力量。2006年以来,国家相继出台《环境影响评价公众参与暂行办法》《关于推进环境保护公众参与的指导意见》等政策文件,逐步加强生态文明建设中普通居民与志愿者的作用与地位。长江经济带各省市在调动居民、志愿者参与生态文明建设方面取得较好成果,主要成果集中于环保生态宣传、环保行动实践与环保生态问题监督上,例如开展垃圾分类主题活动,倡导广大志愿者做垃圾分类示范员、宣传员、劝导员。长江经济带多省市建立民众生态问题反馈平台,鼓励民众对生态问题进行监督和反馈。

3.2 城市社区生态文明建设的主要经验

长江经济带作为我国"生态文明建设的先行示范带",在城市社区生态文明建设中积累了许多经验。下面将从城市区域规划、城市社区治理、城市生态经济、公众参与以及城市流浪/野生动物管理等方面,对各省市生态文明建设经验进行梳理,这对长江经济带地区强化绿色发展、深入推进生态文明建设具有重要意义,也能为其他城市社区建设提供借鉴。

3.2.1 坚持因地制宜，强化生态城市区域规划

规划是城市发展的龙头，决定着城市建设的品质。城市特色是唯一性的标志，要深入研究、统一思想、拓宽视野、找准定位。因此，城市社区在生态文明建设中，必须重视区域特色，坚持因地制宜。如贵州省提出，城市规划建设要突出生态理念，注重显山露水、见林透气，通过山、水、林、城的有机结合，把城市镶嵌在绿地、森林、河流、湿地之间，实现组团式发展，彰显"城中有山、山中有城、城在林中、林在城中"的城市特色。该理念立足于贵州省多山的实际，体现"小而精、小而美、小而富、小而特"，走"蒸小笼、串珍珠"的组团式发展新路。[①]在实践中，贵州省充分发挥产业资源和自然禀赋的优势，积极推进业务培训和项目对接的落实，全力打造富有文化内涵和历史传承的区域品牌，为培育特色小镇提供了全方位的保障。

城市社区规划重视构建"三生空间"，即生产空间、生活空间与生态空间。优化城市的"三生空间"结构，不仅要有"绿壳""绿芯"，更要有"绿魂"。要将集约高效的生产空间、宜居适度的生活空间、山清水秀的生态空间融为一体。优化生产空间以实现资源集约高效使用，如四川省乐山市以国家级高新区总部经济示范区为龙头，加快五通桥循环经济示范区、犍为临港产业示范区、夹江军民融合产业示范区三个基地建设，积极运用新技术、新装备改造提升传统产业，推动节水节能降耗。[②] 四川省泸州市明确"退出去"与"引进来"两条路径，即对资源环境依赖较重的产业，必须逐步"退出去"，而对资源环境友好的新兴产业则要"引进来"，例如智能终端制造、大数据、新能源新材料等产业。[③]

优化生活空间以提升宜居水平。首先是明确划分生产、生活区域。如四川省乐山市对畜禽养殖禁养区进行重新划定，明确居住区、工业区、养殖区等区域，以保护生态环境、改善生活空间质量。其次是提高生活空间环境质量。如江苏省宿迁市启动生态河道建设，按照"控源截污、内源治理、疏浚活水、生态修复、长效管理"的技术路线，对 17 条市级骨干河道的黑臭水体开展整治，城区河道黑臭现象基本消除。最后是建设高质量生活空间。自 2016 年起，四川

---

① 杨林国. 贵州特色小镇，培育建设经验[N]. 贵阳晚报，2018-07-08(A4).

② 四川在线. 28 个项目 268 亿元投资花落乐山"一总部三基地"[EB/OL]. (2017-12-19). https://sichuan.scol.com.cn/lsxw/201712/56048746.html.

③ 四川省生态环境厅. 守护一江清水出川——泸州市践行长江大保护观察[EB/OL]. (2021-05-10). http://sthjt.sc.gov.cn/sthjt/c106027/2021/5/10/b92c0f91dc4c419883da05079c0e517a.shtml.

省达州市大竹县坚持大马力、快进度、高质量地推进城区绿地系统建设，开拓了城区基础生态、公共休闲、附属配套、生产防护“四向绽放”的绿色空间，打造了道路绿地、公园绿地、附属绿地、生产绿地、防护绿地“五地齐放”的绿色景观，基本实现了“300 米见绿、500 米见园”的目标。① 江西省吉安市以中心城区人行道公园绿地提升改造、“畅通微循环”、老旧小区改造等项目为载体辟地增绿，集中改造提升交通要道、公园广场、空闲绿地等重点区域，通过广植花卉、增加植物等举措，建设了 87 个街头绿地，总面积约 67 公顷。②

优化生态空间以实现山清水秀。在城市社区生态文明建设中，生态空间对于生态环境保护、生活空间构建具有重要作用。如重庆市巴南区为构建宜人生态空间，重点加强“管住岸上”“治好水下”两方面：“管住岸上”是指加强污水处理设施建设，强化生活污水治理；“治好水下”则是通过水环境整治、水生态工程、实时水质监测等多方面齐抓共管，加大力度改善河流水质。上海市为建设更健康美丽的河湖生态环境，将生态清洁小流域作为重点工作，计划到 2035 年建成覆盖全市的 151 个生态清洁小流域。③

3.2.2 强化四大支撑，提高城市社区治理能力

长江经济带各省市为全面提高城市社区建设能力与治理能力，加大力度强化“四大支撑”，即完善制度支撑、加大机制支撑、强化科技支撑和夯实责任支撑。

一是完善制度支撑，确保制度建设成为生态文明建设的基石。为持续推进长江经济带城市社区生态文明建设，实现水生态环境改善、自然生态保护修复等目标，国家陆续出台了《长江经济带生态环境保护规划》《长江保护修复攻坚战行动计划》等政策文件。同时，各省市为改善生态环境、加强生态文明建设，也因地制宜地制定了指导原则和建设、发展方案。如四川省乐山市为保护区域水资源、改善区域水环境，编制了《乐山市主要河流水资源保护规划》等方案，划定市境内 50 平方千米以上河流的水功能区，全市重要水功能区水质合格率均保持在 80%以上。

二是加大机制支撑，推动完善生态保护补偿机制与环境质量监督机制。

---

① 大竹县人民政府. 我县多措并举打造生态园林城市[EB/OL].（2021-12-23）. http://www.dazhu.gov.cn/news-show-31377.html.

② 胡斐，曾贤慧，黄河清. 江西吉安：多措并举打造生态园林城市[EB/OL].（2021-08-04）. http://jx.cnr.cn/dslb/20210804/t20210804_525552780.shtml.

③ 陈玺撼. 上海全面启动生态清洁小流域建设[N]. 解放日报，2021-03-23(2).

首先是大力推进生态补偿工作，建立健全生态保护补偿机制。目前已有上海市、江苏省、浙江省、安徽省、重庆市、四川省、贵州省7个省市实现了流域内生态保护补偿机制全覆盖。各省市也积极推进流域横向生态补偿机制。如云、贵、川三省签署了《赤水河流域横向生态补偿协议》，共同推动生态环境保护和治理。其次是完善生态环境质量监督机制，确保生态文明工作落实、落细。如云南省为确保生态功能区转移支付资金用活用好、用出最大绩效，加大力度推动县域生态环境质量考核监督机制与生态保护补偿机制紧密结合的政策。①

三是强化科技支撑，推动"大数据＋生态环境"融合发展。依托日益成熟的大数据技术和聚集的大数据产业，贵州省贵阳市的生态文明建设与环境保护也逐渐走向信息化，一系列以"数据"为核心的生态环境监督系统纷纷落地，各类数据实现"破圈"联动，共同在云端汇聚联合，为实现更好的生态环境贡献力量。截至2021年，贵州已初步建成环境质量数据库、污染源数据库、生态环境数据中心，以及重点流域管理、污染源自动监控、环境应急等一批核心业务系统，这为生态环境编织了一张强大的防护网。② 湖北省武汉市以科教资源优势助推创新发展，发挥武汉大学、华中科技大学等高校和众多高新技术企业人才集聚的优势，通过建立科技成果转化线上平台，实现新能源、新材料等绿色科技成果及时转化和应用，科技进步贡献率超过60％，高新技术产业增加值占GDP比重达到25.7％。③

四是夯实责任支撑，落实生态城市建设各主体的具体责任。如贵州省贵阳市为落实生态环保责任，经常通过市委常务委员会、市政府常务会议和各类专题会议安排部署环保督察问题整改等生态环境保护和生态文明建设工作，在环保督察问题整改和中央生态环境保护督察"回头看"期间，共问责或约谈545人。四川省雅安市严格落实"党政同责、一岗双责、失职追责"的要求，截至2019年底，对中央生态环境保护督察反馈的31项问题和细化整改措施130条，已完成整改问题15项，已完成整改措施110条，完成率为84.6％；中央生态环境保护督察交办的325个信访件，已整改完成322件，完成率99.1％；省生态环境保护督察移交的469项环境问题，已完成整改451项，完成率

① 蒋朝晖.生态转移支付让云南美得更有底气[N].中国环境报，2020-05-14(2).

② 高华，周梦真.大数据大生态融合发展，守护贵州"黔"景无限[EB/OL].(2021-05-18).http://gz.people.com.cn/n2/2021/0518/c344124-34730523.html.

③ 中华人民共和国中央人民政府.国家发展改革委就推动长江经济带发展五周年取得的成效举行专题新闻发布会[EB/OL].(2021-01-06).http://www.gov.cn/xinwen/2021-01/06/content_5577443.htm.

96.2%；长江生态环境自查问题6个，已完成4个，纳入动态更新的问题2个，已整改完成1个。[①]

3.2.3 挖掘生态资源，推动生态经济融合发展

发展“生态＋”模式，促进生态经济融合发展。各地区可以充分挖掘本地特色资源，利用“生态＋”模式发展“生态＋旅游”“生态＋农业”等，以促进本地区生态环境建设。如浙江省海宁市以特色旅游资源为中心，大力拓展生态旅游，打造美丽经济业态，坚持在保护中开发，实施钱塘江岸线保护与“百里钱塘”开发利用，同时依托老沪杭公路，将特色乡村、雕塑公园、房车营地串联成线，打造生态、运动、休闲类项目，[②]实现生态保护和旅游开发双赢。江西省依托大觉山、大余丫山等良好自然生态本底条件，积极发展生态旅游，有效挖掘了自然环境的经济效益。湖南省平江县以特色农业为基础，大力发展“生态＋农业”，建设标准油茶基地8万亩，绿色茶叶基地4.5万亩，有机茶基地7 000亩；广泛开展有机农产品、绿色产品认证，平江山桂花蜜、平江茶油、平江茶叶等绿色、有机农产品走俏市场。[③] 经济发展的红利反哺生态文明建设。又如浙江省湖州市吴兴区依托“绿色智造”为特色的产业体系，着力提升产业链现代化水平，以数字经济为引领的新模式、新经济、新业态不断集聚，推动绿色经济实现新赶超，进而推动生态文明、生态城市社区建设。[④]

除此之外，资源枯竭型城市也可以根据资源、产业等自身实际情况，充分利用市场、经济、政策等条件，因地制宜、有针对性地实现城市转型。如安徽省淮北市2009年被认定为国家第二批资源枯竭型城市，其因长期煤炭开采造成资源锐减和生态破坏，特别是采煤沉陷区面积大、分布广，成为城市最深的“伤疤”、发展最重的“难题”和民生最大的“痛点”。但淮北市充分利用“水”与“地”的自然优势，治理可利用土地，破解沉陷深浅不一、时间不一的治理和开发难

---

① 四川省生态环境厅.扎实抓好督察问题整改 坚决打赢污染防治攻坚战 助力雅安高质量绿色发展[EB/OL].(2019-12-16).http://sthjt.sc.gov.cn/sthjt/c103879/2019/12/16/59640e6aaf584f689e2959e7e1bb1e05.shtml.

② 浙江省生态环境厅.美丽浙江建设工作简报(2021年第7期)[EB/OL].(2021-03-02).http://sthjt.zj.gov.cn/art/2021/3/2/art_1229263469_2241125.html.

③ 湖南省生态环境厅.生态文明示范创建典型案例(17)——平江县[EB/OL].(2021-08-11).http://sthjt.hunan.gov.cn/sthjt/xxgk/zdly/stbh/stcj/202108/t20210811_20307312.html.

④ 浙江省生态环境厅.美丽浙江建设工作简报(2021年第7期)[EB/OL].(2021-03-02).http://sthjt.zj.gov.cn/art/2021/3/2/art_1229263469_2241125.html.

题，如对沉陷区进行深挖造湖，建设生态公园等。[①] 目前淮北市已成为国家园林城市和全国绿化模范城市。

3.2.4 学会理性包容，促进人与动物和谐相处

在社区动物治理过程中，不仅要科学治理，更应文明管理，以实现人与动物和谐共处。科学治理的关键在于制定切实可行的治理体系，文明管理的关键则在于在保证公共安全的前提下，尊重动物的生存福利。以流浪犬管理为例，江苏省无锡市城市管理局联合社会组织建立了以“文明捕捉、科学收容、合理分流”为核心的“一条龙”治理模式。首先通过制定捕捉流浪犬规范、培训专业的抓捕人员、提供标准的抓捕工具等措施，避免暴力捕捉行为的出现。其次，对捕捉的流浪犬实行公开管理，既消除了公众疑虑和抵触，也争取到了更多居民的理解、支持和对流浪犬治理工作的配合。对于流浪犬的公开管理，一是建立流浪犬档案，详细记录流浪犬信息；二是规范管理收容所，确保流浪犬的基本生存福利。最后，对流浪犬进行合理分类。因为收容所规模有限，流浪犬需通过不同渠道进行分流。对于符合一定条件的流浪犬推广领养；对于一些患病程度较重的流浪犬进行人道安乐死，避免流浪犬痛苦。城市社区通过“人道捕捉、科学收容、规范处置”的治理模式，既减少了流浪犬对居民生活环境的影响，也体现了一座城市的文明和包容。

流浪动物的治理并不能显著提高居民对动物的认知，也不能改善居民对流浪动物的态度。因此，还需将社区动物治理作为公共事务，纳入社区自治。上海市“文明养犬社区自治项目”便是以养犬管理作为切入口，依托养犬志愿者，以社区为单位，以志愿者为核心，居委会、物业多方配合，以社区养犬群为平台，发展部分居民成为救助人、管理工作人员。社区以号召科学文明依法养犬为起点，通过理念宣传、生态读书会等多种活动形式逐步引导大家关注社区里的流浪动物、野生动物，形成对待动物理性、包容的态度。总之，相较于以往针对社区流浪动物、整治伤害野生动物的项目，通过激发养宠群体的活力，推动社区居民自我管理，更有利于促进动物文明理念的传播，引导居民理性、包容地对待动物，学会与动物和谐相处。

3.2.5 发挥民众力量，建立健全公众参与机制

社会公众是促进城市社区生态文明建设的重要力量。为了发动全民参

---

① 常河. 深改湖，浅造田，不深不浅种藕莲——安徽淮北探索资源枯竭型城市转型之路[N]. 光明日报，2020-06-20(1).

与，形成生态文明共建共享的良好氛围，长江经济带各省市以两种方式进行创建生态文明建设示范区/县的广泛宣传，使广大人民群众普遍树立了节约意识、循环意识、绿色意识，营造了全民共创生态文明的氛围。一是多个省市设立了“生态日”，将“生态日”作为生态文明建设的创新载体，这对相关地方加强生态文明宣传教育、提高全民生态文明意识、形成生态文明新风尚发挥着重要的推动作用。二是各省市也逐渐加强生态环保教育，组织开展生态环境保护知识讲座。如湖南省平江县全县中小学全部开设了环保课程，广泛开展保护环境、绿色发展“小手牵大手”等活动；并建立环保教育基地 20 个。① 除此之外，城市社区生态文明建设还应以人民为中心，充分考虑居民的生产生活需求，使居民共享生态城市的红利，以推动他们主动参与到城市社区生态文明建设中来。成渝地区双城经济圈把人置于城市生态群落系统顶级，让生产生活在生态城市群落系统中的人能“住得原生、吃得生态、行得安全”，为高品质宜居地建设提供健康、幸福、快乐的生态城市示范。

提升民众生态素养，以此鼓励公众积极参与城市社区生态文明建设。如湖北省宜昌市围绕生态治理目标，全面实施生态公民建设，大力培养生态守护者、生态消费者、生态工作者、生态企业等，为生态治理提供良好的公民基础、人才基础、社会基础；②湖北省宜昌市还发布了《生态公民行为手册》、《政府生态公民建设方案》和《考核体系》，以提高公民生态素养，在全社会形成公众积极、主动参与生态城市建设的良好氛围。重庆市构建了全面行动体系，深化生态环境保护教育培训，共创建生态文明教育基地 15 个，同时推动环保设施向公众开放常态化，累计向市民开放 119 家环保设施。③

3.3　城市社区生态文明建设的难点分析

自 2016 年以来，长江经济带各省市虽然在城市社区生态文明建设领域取得了较大成效，但是也存在着一些问题，如生态城市相关理论研究和宣传滞后、生态城市建设社会监督机制不健全、城市流浪/野生动物管理存在困境、公众参与生态文明建设存在阻力等。这严重制约着长江经济带城市社区生态文

---

① 湖南省生态环境厅. 生态文明示范创建典型案例(17)——平江县[EB/OL]. (2021-08-11). http://sthjt.hunan.gov.cn/sthjt/xxgk/zdly/stbh/stcj/202108/t20210811_20307312.html.

② 陈俊. 生态宜昌演绎“保护长江”奏鸣曲[N]. 楚天都市报，2017-10-13.

③ 重庆市生态环境局. 2020 重庆市生态环境状况公报[R]. (2021-06-07).

明建设进程。

3.3.1 生态城市相关理论研究和宣传相对滞后

在生态城市研究领域，目前国内生态城市研究呈现多元化趋势，已经形成了以生态城市建设、生态城市规划与设计、生态城市与可持续发展、生态城市与生态环境、生态城市指标体系、生态城市的对策建议等议题为主的研究格局。中国生态城市研究仍以基础研究为主，侧重于对生态城市的科学机理、技术方法、理论体系等进行探讨，对生态城市的应用研究与综合研究尚有不足，实际发挥指导城市建设的作用有限。

在项目支撑方面，中国生态城市研究的支撑经费以国家自然科学基金、国家社会科学基金及各省市级项目为主。对于一些重点类项目的综合支撑力度仍略显不足。为进一步加强生态城市研究中的重大问题攻关、更好地支撑生态文明实践发展，需要以一批重大项目为平台，集聚城市学、地理学、生态学、管理学等方面的专家，进行协同创新研究。在生态城市理论科普与宣传方面，一方面由于部分房地产开发项目的无序炒作宣传，生态概念被用作私利炒作的名词，滥用生态的概念直接影响城市公众对“生态城市”的理解；另一方面，对于生态城市相关理念科普与宣传的缺失，导致公众难以理解其实际内涵，增加生态城市建设的难度。

3.3.2 生态城市建设的社会监督机制不健全

目前，长江经济带各省市正逐步完善环境质量考核监督等机制，但仍有部分地方监管部门存在执法不严、履职不到位的情况。企业违法成本低于守法成本，偷排、漏排现象屡禁不止。问题主要表现为两个方面。

第一，生态城市建设主体的监管机制不完善。在生态城市建设中，政府、企业、社会公众等都是生态城市的建设主体，其中政府作为主导者、引领者发挥作用，企业和社会公众作为主要参与者、实践者发挥作用。但是在生态城市发展过程中，部分地方政府、企业与社会公众没有发挥积极作用，使得生态城市建设困难重重。究其原因，主要有三点：一是对作为主导者的政府监督不力，使得部分地方政府不作为，或者基于对生态城市理念的曲解，导致生态城市建设偏离正确道路；二是对作为主要参与者的企业管理不当，部分企业仍然在利益驱使之下出现违法现象，偷排、漏排现象屡禁不止，导致生态城市建设前路漫漫；三是社会公众主体意识和环保意识薄弱，尚未形成良好的环保习惯，公众参与生态环保的社会监督机制不健全，使得公众参与环保监督的渠道不畅通，难以发挥更大作用。

第二，生态城市建设过程的监管机制不健全。一是针对道路交通、工业污染、扬尘污染、生活污染以及公园绿地建设等方面的监管机制不健全。如生态环境协同监管等相关机制不健全，使得部分地区仍大量出现工业污染、生活污染等环境问题，这加大了长江经济带各省市在生态城市建设中的困难。二是在城市生态环境保护方面的监管机制不健全。如生态环境保护监督执法制度不完善，使得部分城市生态环境破坏仍然严重，如湿地、湖泊萎缩，生物多样性减少；部分河道生态流量保障不足，水体自净能力减弱等。

3.3.3 环保社会组织的资金筹措困难

在城市社区生态文明建设中，环保社会组织是公众参与环境保护的核心力量，是连接政府、企业与公众的桥梁与纽带，发挥着中间层的作用。然而，我国环保社会组织在发展过程中也面临诸多挑战，经费不足是困扰环保社会组织生存和发展的主要问题之一。环保社会组织主要有三大资金来源：一是会费；二是组织成员和企业捐赠；三是政府及主管单位拨款。尽管环保社会组织资金筹措渠道较多，但由于环保社会组织缺少政府支持、组织公信力弱、缺乏公众认可等原因，资金筹集困难仍然是环保社会组织面临的一个问题。

首先是政府对环保社会组织缺乏必要的财政投入和政策支持。一方面政府对环保社会组织财政投入较少，没有提供强有力的资金支持。虽然政府通过购买服务支持环保社会组织发展，但扶持和购买力度较弱。另一方面政府对环保社会组织及其资金合法化监管的程度较弱，缺乏社会和公众的认可。其次是环保社会组织公信力不足。环保社会组织公信力缺乏不仅影响社会公众对环保社会组织的认知，导致公众参与热情不高，还直接影响环保社会组织的资金筹集。最后是公众对环保社会组织的地位与作用缺乏认识。由于公众环境意识较为薄弱，志愿服务精神不强，使得他们对环保社会组织缺乏必要的认知与了解，导致环保社会组织在资金筹集方面仍存在诸多困难和阻力。

3.3.4 城市流浪/野生动物管理存在困境

城市并非生物多样性的“荒漠”。随着生态城市建设的深入开展，越来越多的动物出现在城市社区。除野生动物外，城市社区伴侣动物遭遇遗弃，也导致流浪动物数量不断增加，从而直接影响城市生态系统的平衡，严重威胁社区公共卫生安全。由于居民缺乏对动物的适当认知，容易产生人与动物之间的冲突，导致严重的邻里矛盾。例如在上海市区，国家二级保护野生动物貉的数量逐渐增加，常常出现貉群打架惊扰居民、貉群冲撞居民等一系列“人貉冲突”的现象。再如居民对待流浪猫的态度分化，部分居民从动物福利视角强调流浪猫的生存权利，也有部分居民从环境伦理视角将流浪猫“害虫化”，这些秉持不同观念的居民因是否需要救助流浪猫的问题而经常产生矛盾，甚至引发了邻里冲突。

由此可见，城市社区居民与流浪动物、野生动物的矛盾较为突出，对流浪动物、野生动物需要进行科学动态管理。目前，城市社区流浪动物、野生动物管理存在多方面困境。首先是多部门管理体系。如野生动物由林业部门管理，流浪犬由城市管理部门或公安部门管理等。对于一个生态完整的城市社区而言，各种类别的动物都有可能存在。多部门管理往往导致部门间责权不清晰，缺少协调合作机制。其次是动物活动时间与地点并不固定。这决定了城市社区动物管理需要将动物救助、抓捕等任务落实到社区中的居民或物管公司。目前多数社区居民或物管公司缺乏相应的经验、工具，导致相关工作难以开展。最后是居民对于动物的态度分化严重，缺乏行动共识。流浪动物、野生动物与居民的居住环境、日常生活息息相关，因此社区动物治理涉及居民的自身权益。若社区居民缺少行动共识，将会导致秉持不同观念的居民通过投诉、抗议等形式抵制社区动物治理。这不仅不能实现人与动物和谐共处，反而可能激起新的邻里矛盾。

3.3.5 公众参与生态文明建设存在阻力

公众是建设生态城市社区的一支重要力量。公众拥有对生态城市规划、建设和管理的知情权、参与权、监督权。生态城市建设的最终受益者是社会公众。然而在生态城市实践中，政府、企业和开发建设单位是主要参与者和建设者，公众参与往往只是象征性的。究其原因，主要有四点：一是生态城市社区建设是一个漫长的过程，难以在短期内收到显著成效。现有激励措施与方法没有直接影响公众的收益。因此，公众在缺乏相关利益驱动的情况下，参与生态城市建设的积极性自然不高。二是公众参与存在信息不对称的情况。公众对生态城市建设的知晓程度不高或并不知晓，并且参与所需的智能技术与平台开发滞后，其积极力量并没有得到充分发挥。各省市、各地区的生态城市建设大多自上而下地推进，而较少采用自下而上的方式。三是环保社会组织没有发挥预期作用。环保社会组织对于调动公众参与热情、科普生态知识、培育环保意识等缺乏参与，虽然在培育生态志愿者队伍、生态问题关注与宣传等方面的建设有一定成果，但缺乏足够的动力和力度。四是公众的环保、生态意识并没有真正建立起来，较少参与甚至几乎不参与有关生态城市建设的活动。因此，如何建立和完善公众参与机制是建设生态城市社区的迫切需求，也是长江经济带各省市在生态城市建设中有待改进的地方之一。

3.4 城市社区生态文明建设的主要建议

生态城市社区的发展和建设是我国新型城市化背景下生态文明建设和城市发展战略的重要组成部分。近年来，长江经济带各省市生态城市社区建设取得了良好的成效，但在技术运用、文化建设、参与主体、政策制度等方面仍存在一定的不足或问题，可以从以下几个方面入手，加以提升巩固。

3.4.1 以生态科学为核心，推动生态城市基础建设

城市基础建设扮演着保障城市安全与提供生活便利的重要角色，加强城市基础建设是城市弹性适应自然、实现生态文明建设、生态城市社区建设的重要途径。以前沿生态科技与理念为核心开展城市基础建设，是生态城市社区发展的核心部分。

生态文明理念指导城市社区宏观规划与建设。生态文明理念强调将生态因素科学地纳入生态城市社区建设中。一方面，生态城市规划是一项系统工程，具有复杂性和艰巨性等特征。开展科学合理、因地制宜的生态城市社区规划与建设是一项涉及面广、综合性强的系统工程，需要开展广泛的生态科学相关的理论探索与实践检验。[①] 在生态文明理念指导下的生态城市社区规划与建设，需要摒弃一些传统的低成本、高污染、高效益手段，减少盲目追求技术的新、奇、特，脚踏实地，科学发展。另一方面，生态城市社区规划涉及社会发展的方方面面，不可避免地与各类规划紧密相关。生态城市社区规划的技术体系如何与传统规划进行衔接，需要生态文明理论指导以及相关的中国化改造。目前已有城市在推行“海绵城市”“宜居生态城市”的建设。也有城市提出“生态＋景观”规划，建设“山清水秀、环境优美、生态安全、人与自然和谐相处”的新型生态园林城市，试图使生态环境向城市生活空间渗透，形成山水生态城市框架。这些都是生态文明理论指导下的生态城市社区发展的重要实践。

---

① 李迅，李冰，石悦．从价值理念到实施路径的系统设计——生态城市规划技术导则编制的思考[J]．城市发展研究，2017，24(10)：94-103.

生态技术将生态理念从设想变为可能。当前材料学、建筑学等学科在生态领域的技术创新和发展可以将生态理念具象化，为生态城市发展提供无限可能。例如在能源方面，生态城市社区在生态技术方面的体现主要为降低消耗、减少排放和增加供给三个方向。降低消耗是指降低采暖、空调和照明能耗，同时降低电力能耗与自来水的消耗。减少排放是指通过对自然资源的完全循环利用，减少对大气、水体和土壤进行有害物质排放，通过低影响开发理念对雨水排放和水质进行控制。增加供给是指通过光伏或光热系统获得能量而实现自给自足，使用高效生态处理设备产生电力、热力等供应使用，通过循环再利用手段加强自身循环来增加供给。建筑方面，新兴生态技术支持下的绿色建筑和生态建筑成为生态城市居所生态化改造的关键。绿色建筑是在全寿命期内，节约资源、保护环境、减少污染，为人们提供健康、适用、高效的居住空间，最大限度地实现人与自然和谐共生的高质量建筑。生态建筑是在绿色建筑基础上，考虑经济生态、自然生态、人文生态的和谐统一，以达到建筑单体及其周边环境的融合，是人们解决建筑与自然生态环境之间矛盾的努力方向。诸如此类的生态技术为生态城市基础建设提供了坚实基础。

3.4.2 以生态文化为抓手，构建居民生态认同意识

居民是参与生态城市建设的关键力量。而居民对于生态城市营造、发展的自主参与和积极维护，直接取决于居民自身的生态认同与生态意识。在居民生态观念上，国家提出“把培育生态文化作为重要支撑”并对生态文明建设做出了顶层设计。因此生态城市社区发展应抓住生态文化培育工作，积极构建居民的高度生态认同与生态意识。

城市生态文化建设的关键是提高居民对于生态文明的认同感，加强社区居民的主人翁意识，提升居民对于生态城市社区发展的参与度。相关管理人员和文化工作者应该多方寻找突破口和意见领袖，使其投入生态文化建设的工作中。“绿色学校”可以使公众掌握环境法规与科普知识。相关管理部门每周发布固定区域的空气污染指数，使公众直接感受“环保就在身边”，完善公共交通体系，引导居民树立低碳环保意识，倡导绿色出行。相关部门也可以提供一些文化塑造的场所，鼓励居民及社会团体多尝试、多创新，挖掘城市生态景观，打造城市社区专属的生态文化氛围，从而培育城市居民生态认同，寻找适应本地的路径。城市生态文化建设不仅仅只是举办一些简单的活动，而是需要将其与生活方式结合，形成一种长效机制。例如“plogging”运动，是指将日常的散步、慢跑等健身活动同捡拾垃圾的环保行为结合起来，在个人运动中植

入趣味性的“寻宝”活动，形成一种长期流行的趋势，既满足了个人锻炼身体的需求，也满足了保护社区环境的需求。另外，城市社区也可与学校、第三方机构合作，加强生态文明的传播工作。例如，学校可以对学生进行低碳教育，通过孩子对低碳的认知从而影响其家庭加入城市社区的生态建设。通过正向文化、环境的引导，使得生态理念融入居民的日常生活中，使城市社区生态文明建设工作能够更好地进行。良好的人与自然、人与人的关系不仅有利于提高人们的物质生活质量，也有利于人们认同自然生态之美的精神境界的形成。

3.4.3 以共同参与为目标，强化多元主体协同参与

生态城市社区发展本身是一个结构复杂、内涵丰富、意蕴深刻的综合性过程，涉及自然、社会、文化、经济等多个维度，其跨部门、跨领域的复合系统需要政府、居民、社会组织、居委会等多元主体共同参与。政府组织、社会组织、居民自治组织以及个人等共同参与的生态城市发展，在应对涉及日常居民生活的环境问题时，发挥着巨大力量和独特优势。多元主体共同完成和实现诸如生活垃圾分类、环境综合治理、河道整治、绿化保护、绿色空间营造、能源节约和环境教育等环保公共事务。目前该模式存在一些共性上的不足，如主体的分散性、缺乏共治性，难以实现善治的效果，因而需要创新合作理念，挖掘潜在资源，激活现有资源，共同推进生态城市社区发展。

以共同参与为目标的生态城市发展，需要建立与完善公众环境参与机制。在可持续社区营造过程中，相关部门可利用新闻媒介、社区活动、公益讲座等形式加大宣传，建立健全公众参与环境监督制度，重视居民间的交流，使居民广泛、深入地参与生态城市社区规划和建设；积极推行政策奖励机制，激励公众参与；定期举办座谈会，鼓励居民为生态城市发展献策建言。

多元主体参与需要平衡各方力量，重视并发挥各主体力量与优势。在生态城市建设和发展中，应当将公众、政府、社会组织等多元主体视为存在复杂网络关系的系统。在生态城市发展过程中，管理机构可以通过和谐党群关系打造多元主体间信任的基础空间。从政府角度看，要尽可能避免生态城市管理的“行政化”“官僚化”。政府在管理过程中，应坚持“有所为，有所不为”的原则，发挥政府的宏观调控功能，可以把相关事务的落实交给居委会或社会组织执行。地方政府应明确认识生态城市发展的意义，并明确规划生态城市建设目标与方向。当前的公众对于生态城市的认识还比较薄弱，对生态城市系统的认识更为薄弱。因此，应当加强生态文明宣传，积极与民众形成良好的沟通与互动，促进多方位形成城市生态文明共识。

3.4.4 以政策制度为手段,保障生态城市稳定发展

生态城市建设与发展是一项复杂的系统工程,需要完善生态城市发展中各阶段、各方面的战略规划及政策法规。生态城市发展离不开城市公共政策的保障和支持。当前对生态城市发展起促进和保障作用的法规政策体系尚不完善。生态城市规划建设涉及的土地、环境保护、能源、资源、水、经济等方面的法律法规还需要进一步衔接;同时需要进一步健全地方有关法规与政策规章,通过建立生态城市建设目标责任制,设立生态城市建设基金等措施,保障生态规划的实施效果。生态城市社区规划也应制定并实施相关的财税、产业政策,以城市公共政策的形式从制度上引导和保障生态城市发展。根据中国特色社会主义发展要求,结合当地风俗习惯,因地制宜地设计具有地方特色的阶段性目标和制定建设实施措施,构建符合生态城市发展要求的政策法规保障体系。

生态城市的有序发展还需要及时评估。推进生态城市发展是城市规划建设领域落实国家生态文明建设战略的重要抓手。生态城市规划体系已在实践探索过程中取得了一定的成效,但评估机制和体系的建立尚显不足。发展过程有必要通过建立和完善监管评估,引入信息监测、公众监督以及评估与反馈等技术手段来辅助规划管理,及时发现问题并进行总结推广。现有生态城市客观评价指标主要内容包括规划布局、设施建设、资源节约、环境卫生、文化教育和生活保障等。政府作为主导者,可以召集不同学科的专家,开展有针对性的分析与判断,明确在不同的领域中应选择哪些指标,并权衡评判指标在生态城市建设中的重要程度,进而构建起科学合理的评估制度。结合新发展理念,综合考虑创新、协调、绿色、开放、共享方面的各项指标,做到因地制宜地选取科学、灵敏的指标因子来开展评价,并着重完善民众需求的反馈制度。

04

第四章

社区生态文明建设的实践案例

无论是城市社区还是乡村社区，均面临资源短缺、环境污染、生物多样性锐减等生态危机。同时，社区居民及社会组织并不是束手无策，而是可以通过应用绿色新能源技术、创新组织与制度以及重构生态联系等方式，参与生态社区建设的具体实践。本章选择屋顶光伏项目、积分兑换项目、社区动物文明建设三个案例来展示长江经济带社区在生态文明建设中的实践。“屋顶光伏”项目旨在通过普及光伏发电设备，解决资源短缺问题，实现生态效益与经济效益，提高居民的生活质量。案例地点选择作为国家“整县推进”试点地区的江苏省南京市溧水区。“积分兑换”项目是围绕村民自治开展的社区活动，通过环境评分、奖品兑换的方式引导村民参与社区环境治理，实现村民自治。积分兑换项目不仅改变了以往村民乱丢垃圾、散养家禽等不良习惯，还形成了良好的人居环境氛围，提高了村民参与社区自治的幸福感和积极性，该项目选择的案例地点是安徽省全椒县的大山新村。“社区动物文明建设”针对居民与社区动物关系冲突问题，通过开展动物文明宣传日活动、流浪动物科学文明管理活动，举办生态读书会等，实现居民与动物的和谐共处，推进动物文明建设，该项目选择的案例地点是浙江省杭州市的HT社区。

4.1 低碳社区建设中的“屋顶光伏”实践——以南京市溧水区为例

太阳能是一种“取之不尽、用之不竭”的可再生能源。随着光伏组件设备技术逐渐成熟，将太阳能直接转换为电能的光伏电站系统应运而生。中国的光伏发电自20世纪80年代起步，伴随2001年“光明工程计划”、2009年“金太阳示范工程”①以及2013年广泛实行的电价补贴②等多项政策的实施，国内的光伏发电项目快速走向市场化。早期光伏发电项目以集中式安装为主，该模

① 中华人民共和国财政部、科技部，国家能源局. 关于实施金太阳示范工程的通知（财建〔2009〕397号）[EB/OL].（2009-07-21）. https://www.gov.cn/zwgk/2009-07/21/content_1370811.htm.

② 中华人民共和国国家发展和改革委员会. 国家发展改革委关于发挥价格杠杆作用 促进光伏产业健康发展的通知[EB/OL].（2013-08-30）. https://www.ndrc.gov.cn/xxgk/zcfb/tz/201308/t20130830_963934.html? code=&state=123.

式投资规模大，安装需占用大范围土地并存在一定技术缺陷。① 面对集中式光伏发电项目困境，分布式光伏发电项目应运而生。分布式光伏电站充分利用分散式资源，采用装机规模较小、布置在用户附近的发电系统，具有门槛低、投资小、建设快、占地面积小，就近发电、并网、转换，利用闲置屋顶资源等优点。② 据国家能源局统计，从2016年开始我国分布式光伏装机容量逐年增长。截至2020年6月达到6 707万千瓦，分布式光伏装机在全国光伏发电装机容量中占比达到31.08%。2021年6月20日，国家能源局发布《关于报送整县(市、区)屋顶分布式光伏开发试点方案的通知》。在国家的重视下，屋顶光伏项目发展达到新的高度，将在社区生态文明建设中发挥更大功效。

4.1.1 区域屋顶光伏项目概况

江苏省作为中国经济强省，在可再生能源发展方面位于全国前列，是世界光伏产业重要的研发制造基地，也是产业链最完备、企业聚集度相对较高的省份。根据江苏省光伏产业协会资料，截至2021年8月底，全省共有分布式光伏用户16.5万户，其中居民用户14.8万户，非居民用户1.7万户；总装机容量897.1万千瓦，居民用户装机容量142.5万千瓦，占比15.88%；非居民用户装机容量754.6万千瓦，占比84.12%。居民用户的平均规模为9.63千瓦，非居民用户平均规模为443.88千瓦，江苏省申请并网用户数量逐年增长。③ 国家计划整县推进的屋顶分布式项目中，江苏省有59个县(市、区)在列，溧水区包含在其中。

屋顶光伏项目是生态社区建设的重要抓手。社区安装屋顶光伏设备相当于建设了一座座小型发电站，可减少因传统能源发电而产生的二氧化碳等温室气体排放，降低社区内部环境污染，打造生态社区。为了对溧水区屋顶光伏项目获得切实了解，项目组实地调查了江苏省光伏产业协会、溧水区光伏公司与已经安装了屋顶光伏项目的用户，调查了溧水区晶桥镇孔家社区小庄里甘戴小学、小庄里用户、溧水区工业新村用户与溧水区和凤镇用户屋顶光伏项目

---

① 大容量的光伏电站由多台变换装置组合实现，这些设备的协同工作需要进行统一管理，目前这方面技术尚不成熟。为保证电网安全，大容量的集中式光伏接入需要有LVRT(Low Voltage Ride Through，低电压穿越)等新的功能，这一技术往往与孤岛效应(Islanding Effect，电网失压时并网光伏发电系统保持对邻近线路供电的效应)存在冲突。

② 王文静，王斯成. 我国分布式光伏发电的现状与展望[J]. 中国科学院院刊，2016，31(2)：165-172.

③ 数据从江苏省光伏产业协会网站公布内容整理得出。

使用的具体情况。甘戴小学屋顶光伏项目由孔家社区自主出资安装建设，属于集体项目范畴，其余 3 个案例均由用户自主选择安装。

4.1.2 屋顶光伏项目的安装和运维

（一）屋顶光伏项目的安装

在屋顶光伏项目安装过程中，安装企业需要考虑以下指标体系：安装区域的地理指数，如当地的日照指数、自然灾害频率等；外在屋顶的建筑特性指数，如屋顶结构、承载能力、面板朝向、屋顶平整度、屋顶遮蔽度以及可利用面积等；屋顶权属指数，房屋屋主为普通居民还是企业用户；运营难度指数，安装难度与运维难度，最后根据屋顶建筑的勘探结果出具详细电站安装方案。在实际的安装过程中，安装企业将会承办用户的大部分手续，如用户申请安装、并网等程序（见图 4-1），在一定程度上为用户简化了安装程序。

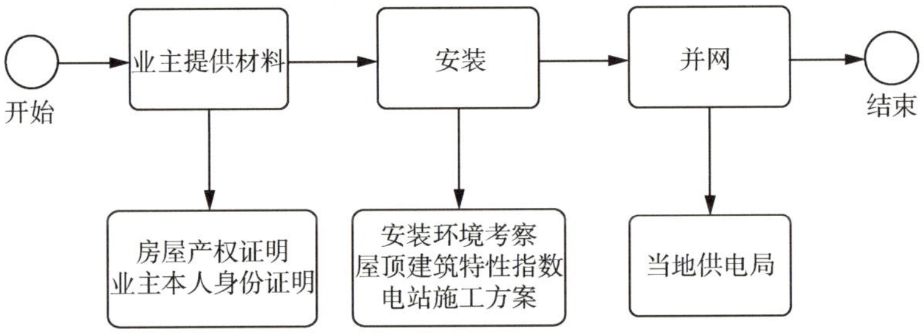

图 4-1 自有产权房屋屋顶光伏项目安装流程图

（二）屋顶光伏项目的运维

屋顶光伏项目的运维是光伏全生命周期中必不可少的重要环节，定期的运维将有利于降低光伏的自然性损耗、减少意外风险事故。屋顶光伏所有设备材料的质保期从并网运行之日起计算。原则上光伏发电系统以及线缆、配电箱的质保期不应低于 3 年；光伏组件质保期不应低于 10 年，功率有限质保期不应低于 25 年；并网逆变器质保期不应低于 10 年。实地调查发现，部分光伏公司为增加市场竞争力而适当延长逆变器或者光伏组件的质保期，一定程度上可减轻用户自身所承担风险。从用户角度出发，如果在质保期内产品各配件，如逆变器、光伏组件等出现质量问题，光伏安装企业将会与光伏厂家对接，为用户免费更换相关配件。如非质量问题造成损坏，如因自然风险事故产生产品损坏问题，用户可选择与保险公司对接或者自己承担风险。产品的清洗、定期检查等项目将会收取一定的运维费用。

屋顶光伏项目的运维面临诸多挑战。首先，居民自身对光伏产品技术成熟度持信任态度，同时他们希望节省运维费用，节约使用成本，所以对屋顶光伏项目的运维抱着可有可无的心态。其次，在客观条件上，居民用户分布式光伏安装瓦数较少、安装范围较分散，对光伏项目运维产生一定难度。参考浙江省的相关政策，为推动屋顶光伏项目运维的正常运作，浙江省制定并实施《浙江省整县(市、区)推进屋顶分布式光伏开发工作导则》，推广供电部门“绿电碳效码”应用，基于该应用开展发电效能监测分析。江苏省也可以通过政府主导、企业搭台，畅通渠道，协助项目业主开展效能分析和运行分析，解决异常故障问题，构建光伏全生命周期运维服务保障体系，有效提升发电效率与低碳效能。政府主管部门应每年组织至少 2 次分布式光伏安装和运维公益培训，组织企业学习安装、验收和运维等工程服务标准，做好当地分布式光伏安装和运维人才队伍建设。① 预防屋顶光伏项目运维中可能出现的问题，间接减少因运维问题产生的后续社会矛盾。

4.1.3 屋顶光伏的效益分析

屋顶光伏项目在社会环境的实际运行中，其效益可划分为经济效益与生态效益。经济效益涉及屋顶光伏的安装成本与收益；生态效益是屋顶光伏项目在实际运行中，作为绿色清洁可再生能源所展现的可持续发展效果。效益分析依托南京市溧水区安装屋顶光伏个案实际数据进行测算(见表 4-1)。

(一) 经济效益

经济效益主要依据屋顶光伏项目的安装成本与收益进行计算。项目成本包括设备价格、安装费用、运维费用以及保险费用等，如果用户选择贷款安装，那么还涉及财务成本，如贷款利息等。随着光伏产业技术的成熟，光伏项目的成本也在逐渐下降。屋顶光伏发电的收益包括自用电量所节省的电力费用与对阶梯电价费用的缓解和余电上网进行售卖的费用。影响收益的因素有安装功率、气候状况、光伏组件质量、家庭用电量等。对于 2022 年之前安装屋顶光伏项目的用户，政府按光伏所发电量给予一定的财政补贴，这也构成了总收益的一部分。中华人民共和国国家发展和改革委员会(以下简称发改委)有关光伏补贴的政策显示，在 2017 年之前，分布式光伏补贴为 0.42 元/千瓦；2017 年

---

① 浙江省发展和改革委员会. 关于公开征求《浙江省整县(市、区)推进屋顶分布式光伏开发工作导则》意见的通知[EB/OL]. (2021-09-22). http://fzggw.zj.gov.cn/art/2021/9/22/art_1599567_58931015.html.

之后补贴逐年下降，从 2019 年开始，实行工商业与户用的分类型补贴政策；2021 年工商业进入零补贴时代，户用补贴费用为 0.03 元/千瓦；2022 年，光伏正式进入全民平价上网时代，保留年限从安装并网之日起持续 20 年。

类型一：作为村集体经济的屋顶光伏

溧水区晶桥镇孔家社区于 2017 年自主投资建设甘戴小学光伏发电项目，作为村集体经济组成部分，采用模式为全额上网，总投资 79 万元，安装面积 1 800 平方米。2021 年统计了 10 个月的发电瓦数以及收益，总计发电量 172 122千瓦时，总计收入金额 67 270.38 元，每月平均收益 6 727.04 元。

类型二：作为个人理财产品的屋顶光伏

溧水区已经安装屋顶光伏用户所采用模式均为“自发自用，余电上网”，光伏补贴及收益统一由国网江苏省电力有限公司南京供电分公司发放。散户 1：溧水区晶桥镇孔家社区 54 岁用户，建筑工程承包商，安装屋顶光伏的房屋日常几乎无人居住，2019 年 6 月份安装，总功率 8 千瓦，安装以及产品总费用 4 万元，光伏安装企业与此用户签订了一份每年收益不得低于 5 424 元的合同，用户 2021 年下半年收益计算总额为 3 252.38 元，已经超过合同约定最低收益的一半。散户 2：溧水区工业新村 85 岁用户，北京林业大学毕业，高校退休教师，家中日常居住 2 口人，同时房屋出租 2 间，安装总功率 12 千瓦，安装以及产品总费用 9.6 万元，2018 年安装至今已约 6 年，如果光伏产品接下来的每月平均收益与现阶段收益差异不大，并在后续光伏运作期间没有发生意外风险事故，那么十年总收益预计为 108 000 元，用户能在光伏安装企业宣传的十年限期内收回安装成本。散户 3：溧水区和凤镇 32 岁用户，光伏从业者，2019 年 10 月份安装光伏，安装功率 8 千瓦，总费用 4 万元。

屋顶光伏电站的特点是用户以家庭为单位进行并网，从而降低配电费，提高投资回报率。屋顶光伏电站最大的优点是建立规模灵活、不需要远距离输送、节约成本。2022 年之前，屋顶光伏发电上网电价比地面电站发电上网回收价高，国家根据规模大小补贴费用，光伏产品针对户用这一群体，在市场中宣传可将其视为一种投资理财产品或者“光伏养老产品”。对溧水区域内调研个案进行的光伏成本与收益分析显示，上述个案的屋顶光伏项目运营时长都已达两年以上，每月收益较为稳定。据光伏安装企业的宣传，光伏发电设备的运行生命周期比较长，在一定年限内收回成本后，产品的后续发电收益属于纯收入。对于用电量较大的屋顶光伏用户，所缴纳电费明显减少，经济效益更加突出。与此同时，用户对光伏的定位，与市场上所宣传的“投资理财产品”“光伏养老产品”基本一致。在实际调研中，不止一位用户通过对比方式表达安装光伏的动机：把一万元钱存入银行，一年的收益没有相同价位下安装屋顶光伏板收益高，10 年左右收回成本还能持续使用，同时，安装屋顶光伏响应了国家加大新能源使用的号召。用户对光伏的经济效益认知，主要为节约电费、每月获取光伏收益和可持续性收益产品。

表 4-1 溧水区屋顶光伏项目经济效益

安装地址	安装时间	安装功率（千瓦）	安装费用（万元）	收益统计月份	共计时长（月）	总计金额（元）	平均月收益（元）
溧水区晶桥镇孔家社区小庄里甘戴小学	2017 年	90	79	2021 年 2 月—2021 年 11 月	10	67 270.38	6 727.04
溧水区工业新村用户	2018 年 8 月	12	9.6	2020 年 10 月—2022 年 1 月	16	16 116.29	1 007.27
溧水区晶桥镇孔家社区用户	2019 年 6 月	8	4	2021 年 7 月—2021 年 12 月	6	3 252.38	542.06
溧水区和凤镇用户	2019 年 10 月	8	4	2021 年 3 月—2022 年 1 月	11	5 886.42	535.13

（二）生态效益

我国屋顶建筑资源丰富、分布广泛，开发建设屋顶分布式光伏潜力巨大。光伏作为绿色能源，能够明显减少温室气体二氧化碳排放。根据碳交易所发布的信息，光伏发电安装 1 兆瓦每年大概可以减排 1 000 吨二氧化碳。① 已有学者通过梳理江苏省某县域范围内现有党政机关、学校、医院和村委会等公共建筑，工商业厂房和农村居民建筑等主体屋顶可安装屋顶分布式光伏的装机规模，研究得出 BAPV 建筑②光伏与地面光伏电站建设相比，能够节约近 467 公顷土地。该规模项目每年可减少大量二氧化碳、二氧化硫以及氮氧化物等的排放，屋顶光伏的生态环境效益得以体现。③ 屋顶光伏在无运作故障及外在自然意外损坏情况下，其生态效益分析在光伏安装企业宣传中的理想值，以 8 千瓦产品全生命周期 25 年为界限，总发电量 186 699 千瓦时减耗标准煤 65 345 千克，减排二氧化碳 162 802 千克，减排二氧化硫 4 910 千克，减排碳粉

① 易碳家. 光伏发电碳交易能给企业带来多少收益? [EB/OL]. (2022-04-28). http://m.tanpaifang.com/article/85527.html.

② BAPV 即 Building Attached Photovoltaic，是分布式光伏建筑的一种类型，指在现有建筑上安装的太阳能光伏发电系统。

③ 张敏，刘进，林江刚，等."双碳"背景下屋顶分布式光伏开发环境效益分析[J]. 能源研究与利用，2021(6):37-41.

尘 44 434 千克，等效植树 8 897 棵。

依据 BP 中国碳排放计算器提供的资料，光伏发电 1 千瓦能替代标准煤 0.4 千克或节约柴油 0.379 升，同时减少温室气体二氧化碳排放量 0.997 千克，减少污染气体二氧化硫排放量 0.03 千克、氮氧化物排放量 0.015 千克、碳粉尘排放量 0.272 千克，节约净水 4 升。据中华人民共和国国家林业和草原局的研究，植一棵树每年固碳 4 至 18 千克，在 20 年(计入期)里可吸收固定二氧化碳 80 至 360 千克。

用户屋顶光伏项目生态效益具体值计算见表 4-2。安装光伏同时需要安装一台逆变器和一个光伏电表，光伏所产生的全部电量都体现在光伏电表的正向有功总电量上；余电上网的电量等于户用电表的反向有功总电量；自发自用的电量等于光伏电表的正向有功总电量减去户用电表的反向有功总电量。

表 4-2　溧水区屋顶光伏项目生态效益

安装地址	安装功率（千瓦）	安装及并网时间	已发电量（千瓦时）	替代标准煤（千克）	减排二氧化碳（千克）	减排二氧化硫（千克）	减排氮氧化物（千克）	减排碳粉尘（千克）	等效植树（棵）
溧水区晶桥镇孔家社区小庄里甘戴小学	90	2017 年	172 122	68 849	171 606	5 164	2 582	46 817	43 031
溧水区工业新村用户	12	2018 年 8 月	44 860	17 944	44 726	1 346	673	12 202	11 215
溧水区晶桥镇孔家社区用户	8	2019 年 6 月	20 460	8 184	20 399	614	307	5 565	5 115
溧水区和凤镇用户	8	2019 年 10 月	23 534	9 413	23 463	706	353	6 401	5 883

本研究通过对已经安装屋顶光伏的个案实际发电量进行生态效益计算，清晰地展现出屋顶光伏对于生态可持续发展的贡献。

4.1.4　案例总结

光伏作为绿色能源系统，是对屋顶闲置空间的再利用。屋顶光伏作为一个多方行动者合作项目，不仅涉及产品制造的上中游各个厂家，也涉及下游应用端的产品销售、设备安装以及终端用户本身。围绕光伏产品，人们之间展开相应的合作交流，这对于单一市场经济行为而言，将会加强非单一经济上的社会联系，显示出光伏产品的社会效益。对屋顶光伏用户的经济效益与生态效益进行分析可知，屋顶光伏是一种长期性收益产品，可减少社区温室气体排放，有利于打造生态社区。目前，光伏产品本身技术较为成熟，在用户选择可信赖品牌厂家光伏组件的前提下，产品在生命周期内会持续提供收益。但是现阶段，屋顶光伏的运维在用户、安装企业眼中并没有得到重视，如针对光伏板的定期清洗、日常电路检查等后续基础服务尚未形成程序化行为。当前的设备维护以用户自发为主，企业仅提供有偿维护服务。户用屋顶光伏安装区域较为分散，安装企业的运维也存在一定难度，这需要政府主体在光伏运维的公共服务中发挥效用。

2020 年 12 月 12 日，习近平主席在联合国气候雄心峰会上发表题为“继往开来，开启全球应对气候变化新征程”[①]的重要讲话并宣布：到 2030 年，中国单位国内生产总值二氧化碳排放将比 2005 年下降 65%以上，非化石能源占一次能源消费比重将达到 25%左右，风电、太阳能发电总装机容量将达到 12 亿千瓦以上。宏观政策给光伏产业发展带来了崭新的重要推动力量。与此同时，随着光伏市场的逐渐成熟，政府部门逐渐退出光伏补贴，光伏产业全面进入无补贴时代，这为光伏产业的独立发展提供了条件。2022 年是光伏产业发展进入平价上网新时代的第一年，江苏省作为中国光伏产业优势集聚的省份，将在屋顶光伏项目中发挥更加积极的作用，推进低碳社区可持续发展，进一步促进城市社区生态文明建设。

4.2 社区环境治理中的“积分兑换”实践——以全椒县大山新村为例

中共中央办公厅、国务院办公厅于 2018 年印发《农村人居环境整治三年行动方案》，安徽省全面贯彻人居环境工作目标，实施乡村人居环境改造，顺应农民心声，统筹生产、生活，坚持“农村垃圾、污水处理，村容村貌提升”齐步发力，发挥农村优势，补齐人居环境短板，更好地建设宜居家园。围绕“美丽乡村”的建设目标，安徽省全椒县大力推进农村改革，加强农村环境整治，放大乡村生

① 习近平. 继往开来，开启全球应对气候变化新征程——在气候雄心峰会上的讲话[EB/OL]. (2020-12-12). http://www.gov.cn/gongbao/content/2020/content_5570055.htm.

态环境的优点。大山新村借助“积分兑换”项目推动“产业兴旺、生态宜居、乡风文明、治理有效、生活富裕”美丽乡村的建设。

4.2.1 社区概况及项目背景

本案例所在社区为大山新村，地处安徽省全椒县西北部。该村建设用地面积200亩，耕地面积15 000亩，林地面积5 000余亩，水域面积600余亩。基于自然环境特点，社区经济以水稻、蔬菜、苗木种植为主，有稻虾连作项目4 000余亩，薄壳山核桃产业5 000余亩。2020年底，依靠资源发包、公墓出租和到村项目，社区实现集体收入约23万元。大山新村交通便利，距京沪高铁滁州站27千米，距312国道出口仅10千米，属“南京一小时都市圈”。

2018至2019年大山新村完成32个村民组整体拆迁，新建住房300多套，异地安置400多户村民，就地安置300余户村民。大山新村现有15个村民组，总户数为362户，常住户数量216户，低保户数量34户，村下设2个支部，6个党小组。全村现有人口1 600人，其中党员80人，退伍军人41人，现役军人6人，常住人口435人，常年在外打工的人口1 165人。

大山新村2019年3月18日获批“2019年度省级美丽乡村建设点”。大山新村建设过程历经10年，在2019年通过省级美丽乡村验收后正式结束。新村最终建成住房362处，其中楼房72处，老年房290处，新村的基础设施、公共服务也逐步完善。自2017年以来，大山新村依托全椒县美丽乡村建设规划，改善人居环境，获得美丽乡村建设资金915万元，大力推进农村改革。为更好地建设新村，调动村民参与新村建设的积极性，2021年1月，村“两委”（即村党支部委员会和村民自治委员会）多次征集党员代表、村民代表和退休干部意见，多次商讨后决定开展积分兑换项目，基于村民自治来推动人居环境建设。该制度由村党支部书记带头发起，经村“两委”共同讨论，一致同意在村内开展积分兑换项目，并注重发挥党员模范作用。

4.2.2 积分兑换项目概况

积分制管理通过“积分”的模式把用户、员工等管理客体和管理主体的目标紧密捆绑，全方位调动管理客体的积极性，从而实现管理主体的目标。① 大山新村积分兑换项目是围绕村民自治开展的社区活动。在大山新村216户常

① 余和剑，林婷，张晋鹤. 图书馆积分制管理模式[M]. 长春：吉林出版集团股份有限公司，2019.

住村民中，共有214户村民参与积分兑换项目，参与率高达99.1%。从组织框架、资金筹措、运行规范和操作流程四个方面介绍大山新村积分兑换项目。

（一）组织框架

为更好地进行村庄管理，顺利开展积分兑换项目，大山新村实行村民理事会和片长管理制度。一方面是成立村民理事会，解决群众问题。经村“两委”和村民代表共同推荐，大山新村在2021年1月成立大山新村村民理事会。村民理事会由五名党性强、威望高、有责任心和有奉献精神的退休村干部担任主要成员。村民理事会设有一名会长、一名副会长及三名理事负责村民理事会的日常工作。工作职责包括五个方面：一是协助村委会工作；二是管理本村公共事务；三是推动本村公益事业建设；四是组织开展精神文明创建活动；五是做好治安防范工作、做好村民纠纷的调解。另一方面是划分管理片区，细化管理范围。为细化管理，大山新村将全社区化整为零，把住户划为12个片区，每个片区包含约30户。每片区由各户主推选一名党员作为片长，负责宣传环境卫生、乡风文明等社区人居环境建设，管理本片区乱搭乱建、乱摆乱放现象，呼吁群众爱护绿化和公共设施，督促村民主动打扫自家房前屋后卫生，保证片区干净整洁。

（二）资金筹措

积分兑换项目资金来源包括三个部分。一是村民上交保证金。积分兑换项目的收费规则由村委会根据村民的实际收入状况制定，确定村民可以接受的收费标准。收费标准是一天一角，一年36元环境保证金。村民缴费秉持自愿原则，村民缴纳36元环境保证金，意味着自愿参与积分兑换项目。环境保证金由片长收取，交由理事会保管。保证金是象征性收取，最后会返还村民，216户村民共收取环境保证金7 776元。二是社区集体收入补贴。积分兑换项目进行后，仅靠村民缴纳的保证金远远不足以维持项目运行，为确保积分兑换的持续性，经过商讨后，村委会从集体收入中分配一万元作为积分兑换的运行资金。三是镇政府的资金补贴。镇政府为深化村民自我管理、自我教育、自我约束意识，确保积分兑换能够常态化并起到示范性作用，下拨一万元资金充实积分兑换项目的起始资金。

（三）运行规范

积分兑换的评比规则主要分为两个部分：一是室内环境卫生；二是室外环境卫生。如表4-3所示，检查主要分室内卫生和室外卫生两大块，满分10分。室内卫生主要包括厨房、卫生间、庭院三个部分；室外卫生主要包括家禽家畜是否散养、房前屋后整洁程度、杂草是否清理、墙体是否乱涂乱画等内容，检查人员按照整洁程度给分或者扣分。评分细则的公布，能够让村民了解检查的内容，引导村民打扫家庭卫生，同时对于理事会和片长的卫生检查也能起到监督作用，以免出现不公正现象。根据评分标准进行相对应分值的加减，积分排名分为三个档次，从高到低依次为一档 34 分、二档 33 分和三档 32 分。

表 4-3　大山新村居家环境卫生积分评比细则

<table>
<tr><th>项目</th><th>评分标准</th><th>得分</th><th>评分说明</th></tr>
<tr><td rowspan="3">室内卫生</td><td>1. 室内厨房干净、整洁，得 1 分</td><td></td><td rowspan="7">1. 每月对所有片区住户进行一次评比
2. 由理事会成员及所有片长共同评比，专人发放积分卡
3. 每季度可凭积分卡至积分兑换大会兑换一次物品
4. 每季度对 12 个片区进行总积分评比，设流动红旗，每季度积分第一名的片区，每户都给予物品奖励</td></tr>
<tr><td>2. 室内卫生间干净、卫生、整洁、无异味，得 1 分</td><td></td></tr>
<tr><td>3. 庭院内干净、卫生，物品摆放整齐有序，整体美观，得 1 分</td><td></td></tr>
<tr><td rowspan="4">室外卫生</td><td>1. 不散养家禽家畜，不养猫狗（如有养猫狗必须管理好），所有垃圾必须放入垃圾桶，得 1 分</td><td></td></tr>
<tr><td>2. 房前屋后没有摆放任何杂物，墙根、地面干净整洁，衣服在规定衣架晾晒有序，得 4 分（如用大油桶在外烧饭扣 1 分，如房前屋后摆放杂物扣 1 分，衣服不在指定位置上晾晒扣 1 分）</td><td></td></tr>
<tr><td>3. 房前屋后、绿化带、小菜园无垃圾、无杂草，种植有序，无高秆藤类植物，得 1 分</td><td></td></tr>
<tr><td>4. 房屋墙体外面无乱涂乱画，无小广告，得 1 分</td><td></td></tr>
</table>

（四）操作流程

积分兑换的程序有着固定的操作流程。如图 4-2 所示，主要有四个步骤，首先是确定检查时间。理事会成员经讨论后共同确定每月的环境检查日，当天理事会成员会同片长前往村民家中进行卫生检查。其次是入户检查卫生。为提高理事会成员评分的公正性，每户由两人组成检查团队进行入户检查。理事会成员根据评分细则检查完卫生之后对村民家的卫生情况进行打分，并发放积分卡，分值区间为 1～10 分，并叮嘱村民应注意的事项。再次是积分登记。理事会成员完成评比打分之后，将分数单上报村委会，村委会成员做好数据整理，将季度得分加以统计，为积分兑换大会的开展做好前期准备工作。最后是积分兑换。村中每季度都会召开积分兑换大会，村委会成员在会上总结此次积分兑换存在的问题和经验，村民凭借积分卡兑换相应等级的物品。积分的兑换规则按照一分兑一元的比值进行，积分兑换的物品通常为村民日常生活用品，一档奖品价值 20 元，物品有热水瓶、毛巾、洗衣粉、香皂、牙膏、牙刷；二档奖品价值 15 元，物品有热水瓶、洗衣粉、香皂、牙刷、牙膏、盆；三档奖品价值 10 元，物品有热水瓶、洗衣粉、牙刷、盆。村委会领导干部负责采购物品，理事会成员负责发放物品。积分兑换大会结束后，未领取物品的村民可到值班室，用手中的积分卡补兑换相应分值的物品。

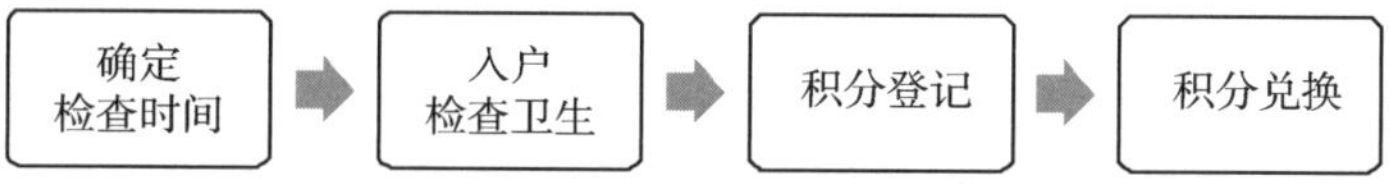

图 4-2　操作流程

4.2.3　积分兑换项目的效果评估

积分兑换项目在村民、理事会成员以及村委会成员的配合与努力下，取得了理想的效果。村民形成了良好的环境卫生习惯，社区参与的氛围更加浓厚，社区村容村貌得到改善，积分兑换项目的运作为大山新村人居环境带来明显改善。

（一）村民形成良好的环境卫生习惯

通过积分兑换项目的实施，村民养成了健康良好的卫生习惯。在家禽饲养方面，村民在积分兑换项目实施之前习惯将家禽放养，不仅影响自家卫生，而且影响村内环境。在项目实施之后，村民不再放养家禽，使居住环境得到改善。在种菜肥料的使用方面，之前村民习惯将肥料放在房前屋后的开阔地带，影响村庄空气质量。在项目实施之后，村民更加注重空气质量，将肥料密封存放，减少对空气的污染。项目在一定程度上规范了村民的习惯，如一些村民习惯随手乱扔垃圾，而项目实施规则明确指出乱扔垃圾的行为是错误的，这使村民认识到自己的不良行为习惯，在生活中逐渐养成了将垃圾扔在垃圾桶的习惯。在垃圾处理方面，以往村民习惯将垃圾堆积长存，在公共场所乱扔乱放垃圾。而在积分兑换项目实施后，村内重视垃圾处理，村民也意识到垃圾堆积的危害，村民逐渐改变乱丢乱放、长时间不处理垃圾的习惯，养成勤扔垃圾的良好习惯。在家庭卫生打扫方面，过去许多村民没有定期打扫家庭卫生的习惯，在积分兑换项目实行之后，村民逐渐养成定期打扫家庭卫生的习惯。

（二）村民积极参与社区事务

积分兑换项目的实施调动了村民参与社区活动的积极性。在积分兑换项目实施过程中，村民开始关注社区内的环境状况，不仅自我约束爱护环境，也开始关注并监督他人的不良习惯，保护社区环境卫生。在村民互助方面，积分兑换项目的实施，促进村民在环境卫生方面相互帮助，彼此照应。在社区维护方面，村民在积分兑换项目实施之后，更加关注社区基础设施的情况，如村民房前屋后的道路是否卫生、路灯是否正常照明以及垃圾桶是否定期清理等。

（三）村民环保观念和习惯得以改善

积分兑换项目的实施促使村民形成环保卫生观念，并让村民在参与的过程中，提升对社区的认同感。在村民社区责任感方面，积分兑换项目的实施，使村民认识到自己是社区的一分子，自己的行为对社区具有重要作用，村民对社区的责任感得到提升。在村民对社区的认识方面，在积分兑换项目运行之前，村民很少意识到自身行为对社区的影响，但项目运行之后，村民意识到自己的行为也受他人监督，并对社区负责，村民逐渐改变不良生活习惯。总之，在积分兑换项目运作之后，村民对于社区环境的满意程度明显提高，村民投诉率降低，村民环境意识有所提高。

（四）社区村容村貌明显改观

积分兑换项目实行后，整个村庄对于环境卫生更加重视。在绿化方面，在项目开展之前，村庄绿化带主要是村委会雇人打扫，每年需要花费大量集体资金。在积分兑换项目实施之后，村民以小组为单位自发打扫绿化带，既节省了集体资金，也使村庄美化程度得到提升。在村庄违建方面，积分兑换项目实施之前，村民乱搭乱建现象较多，严重影响村容村貌。积分兑换项目要求村民合理利用室内空间，拆除违章建筑，改善了村容村貌。在农具摆放方面，积分兑换项目要求村民将农具放在家中，屋外严禁摆放农具，减少了公共空间乱摆乱放的现象，村内环境更加整洁卫生。在菜地规划方面，积分兑换项目允许村民在房前屋后种植蔬菜，但要求村民保证环境卫生，村民可以收获蔬菜，整个村庄的整洁度也得到提升。积分兑换项目的实施，促使村民更好地参与社区环境建设。

4.2.4 案例总结

积分兑换项目的成功运行离不开村民以及村委会成员的支持与协作，项目成功的原因主要包括以下几部分：一是积分兑换项目组织架构清晰，成员分工明确，各司其职。二是物质与精神双重奖励，调动村民的参与积极性。三是卫生评价客观公平，维护村民合法权益。四是积极营造社区参与氛围，为村民社区参与创造条件。五是坚持项目稳定运行，保证效果常态化。

（一）组织架构清晰合理

大山新村积分兑换项目的成功运作，离不开清晰合理的组织架构。清晰的组织架构能够对积分兑换项目的各个环节进行科学规范的管理，也有利于项目目标的实现。村民、理事会成员以及村委会根据组织架构，明确自身的权利和义务，保障积分兑换项目的顺利运作。组织架构的制定使理事会成员了解自身的工作范围，提高自身工作责任感。村民也可以根据组织架构了解积分兑换项目各个负责人之间的关系，准确找到项目负责人，提高村民办事效率。

（二）物质与精神双重奖励

村民参与积分兑换项目的最初目的是获得物质利益。在参与过程中，村委会不仅利用物质激励鼓励村民参与，也重视精神激励对村民的作用。通过设置流动红旗对村民实行精神上的激励和鼓舞，提高村民对社区的认同感。对于村民来说，参与积分兑换项目不仅可使自家卫生情况得到改善，而且也能获得村委会奖励的生活必需品。对于村委会来说，不仅节省村内清洁开支，也能调动村民参与社区治理的积极性，因此积分兑换项目的成功实施对于村民和村委会来说是双赢。

（三）卫生评价客观公平

村民在积分兑换参与过程中的切身感受会直接影响村民所采取的行动。村民认可理事会成员的工作，村委会成员的认真工作使村民愿意继续参与项目。理事会成员在检查卫生时严格按照客观公平的原则，对每一户村民负责，对自己的工作负责，这有利于积分兑换项目的持续进行。理事会成员工作认真公平、村民积极参与、村委会公正监督，三方协调配合，共同推动积分兑换项目的实施，促进村内环境卫生的改善。

（四）积极营造社区参与氛围

村委会为提高村民参与感，在村中设置宣传标语以及宣传栏，吸引村民的注意，营造良好社区氛围。通过积分兑换大会引导村民参与社区治理，并向村民宣传积分兑换项目对村庄的重要意义，以及村民自治对于社区的作用，鼓励村民参与社区活动。村庄设置“美德银行”，村民可使用积分兑换日常生活用品。积分兑换项目注重物质和精神双重激励，为村民参与社区治理提供支持，在全村形成鼓励社区参与的良好氛围。

（五）坚持项目稳定运行

村委会积分兑换项目的推进属于长期计划，目的是使村民养成良好的卫生习惯。大山新村环境整治和村民社区参与积极性提升是个长期过程，因此积分兑换项目的实施需要坚持常态化运行。积分兑换项目的常态化运行既可保障项目效果的持续性，又可以确保村民养成良好卫生习惯。稳步推进项目运作，从村民生活习惯着手，提高村民对社区环境、社区事务的关注。

经费有限，有关社区动物治理并不是社区工作重点。因此，社区最初仅采取最为简单的宣传策略，即通过展板宣传文明养犬等。但这仅仅将文明养犬理念停留在文本层面，大量居民依旧处于“知行分离”的状态，并不将文明养犬理念转换为实际行动，更不必说积极参与到社区的流浪动物治理过程中。而流浪动物治理是一个系统性工程，需要联合社区、物业管理公司、居民、民间救助团体以及政府相关部门进行社会化合作才能形成流浪动物的闭环治理。

由此可见，社区居民委员会与物业管理公司不能完全承担起引导居民文明饲养伴侣动物、治理流浪动物的责任。面对这种情况，浙江理工大学法政学院钱叶芳教授开始探索社区动物文明建设自治模式，以 2019 年 4 月的“救助被困在电井的流浪猫”①事件为契机，将社区内关心流浪动物的居民组织起来，成立线上交流群，号召各位居民关爱与救助流浪动物。随着业主对流浪动物、不文明饲养伴侣动物的投诉增加，2019 年 12 月，在钱教授的协助下，业主委员会和物业管理公司邀请杭州动物保护专家到社区内进行流浪动物管理讲座，宣传如何科学、文明管理流浪动物。同时，计划来年春季对社区内的流浪动物进行绝育。但由于疫情的影响，该计划一度搁浅。直到 2020 年 12 月，抓捕绝育计划重新启动。

为进一步缓解居民与动物的冲突，钱教授将关注的焦点从流浪动物扩展到社区内的伴侣动物、野生动物，提出“动物文明”理念。② 在结合“社区社会组织”基层治理新形式基础上，开始筹备 HT 社区动物文明建设协会。2021 年 1 月 1 日，“HT 社区动物文明建设协会”正式备案，其工作内容主要为：监督居民饲养伴侣动物行为、调解因动物导致的邻里纠纷、建立社区动物档案、防止遗弃或虐待伴侣动物、救助社区野生动物、科学文明管理流浪动物、宣传动物文明理念、实现居民在动物文明建设中的自我管理与监督。

“HT 社区动物文明建设协会”作为备案的社区社会组织，其拥有的资源非常有限，对上述活动的开展造成了阻碍。街道在了解具体情况后，为 HT 社区搭建起以“HT 社区动物文明建设协会”为行动中心的四方共管治理体系。这一体系明确各方职责，能够充分利用各方的优势资源，实现资源整合。2021 年

① 2019 年 4 月 17 日，HT 社区居民发现三只小奶猫被困在电井后协力将其救出。居民和物业开始合作救助流浪动物，并制订了帮助流浪动物绝育计划，试图控制流浪猫数量，缓解其发情扰民的现象。

② “动物文明”是指人类遵循人、动物、社会和谐发展这一客观规律而取得的物质与精神成果的总和，是在动物保护、管理、利用方面，以人与动物和谐共生、持续发展为基本宗旨的文化伦理、意识形态、生活方式、社会结构、法律制度等要素的总和。

10 月,《HT 社区居民动物文明建设公约》正式生效,内容主要包括:文明饲养伴侣动物,维护邻里和睦,科学文明管理流浪动物,维护社区善良风俗。同时,上述各方开始致力于发动社区居民力量,鼓励居民参与流浪动物的科学文明管理。主要采取"抓捕、绝育、放归"策略,并设立固定的投喂点,规范爱心居民的投喂行为,避免污染环境和乱投喂现象。对于可能造成较大居住安全威胁的动物,如流浪狗等,协会主要联合物管、社区工作人员进行抓捕治理。同时协会大力提倡"领养代替购买",以解决流浪动物现有存量问题。此外,各方相互配合,先后开展不文明养犬监督活动、狂犬病和流浪动物常识宣传活动、生态文明读书活动以及推广伴侣动物档案建设、召开学术研讨会等项目。实践结果表明,HT 社区动物治理工作成果显著,遛犬不牵绳的现象基本消失,流浪猫发情扰民现象得以缓解,流浪猫管理在防疫、环境卫生、文明进步等方面的意义得到普及,居民文明饲养动物的意识得到提高。

4.3.3 HT 社区动物治理体系

面对城市居民与动物关系紧张的现状,如何将居民与动物关系治理提升至公共事务议题,成为当前城市社区亟须破解的困境。HT 社区通过"上下联动,职责分担"的"四方协同共管"治理体系(见图 4-3),以社区社会组织作为行动中心,明确各方职责,实现资源整合,打破了这个困境。具体而言,自下而上的民间力量与自上而下的政府力量形成合力。自下而上的民间力量具有较高的积极性,能够充分投入社区治理行动。由于作为民间力量的"HT 社区动物文明建设协会"仅在社区备案,无法进行募捐等活动,无力保证长期的经费来源。在街道办事处的倡议下,HT 社区与街道达成合作协议,打造出街道办事处及社区居民委员会、业主委员会(业委会)、社区社会组织、物业管理公司"四方协同"的共管平台,形成养犬和流浪动物管理"四方协同共管"新模式。通过"上下联动"的形式使民间组织承担部分政府的公共职责,实现居民与政府共同参与社区动物治理。

(一) 社区社会组织

由社区居民组成的社区社会组织,作为社区的内生力量融入社区,既能调动居民参与社区治理的意愿,增强居民对社区的归属感,也有利于将社区动物治理落实到居民个体层面。在"四方协同共管"治理体系中,"HT 社区动物文明建设协会"承担了部分管理社区动物的公共职责,协助物业管理公司建立养犬群,有利于促进养犬群体之间对不文明养犬行为的自主监督与约束。

除了上述职责外,该组织还负责动物文明理念宣传、召开生态文明读书会

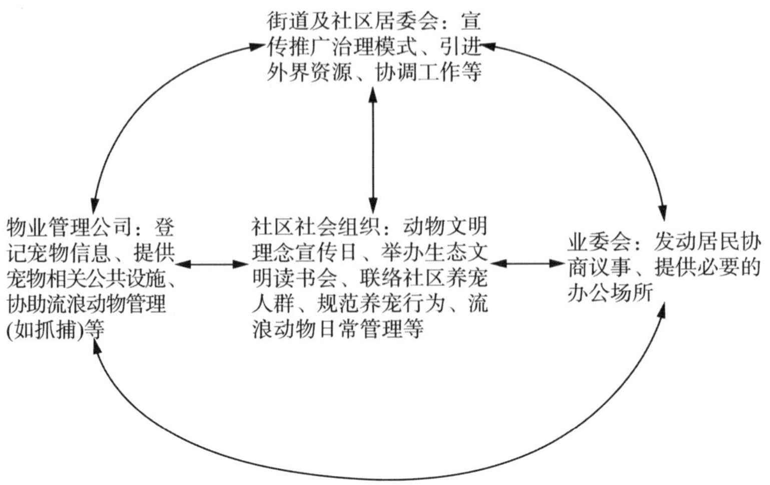

图 4-3　HT 社区四方协同共管体系

等社区活动。“生态文明读书会”主要由领读人在阅读相关书籍的基础上，向社区居民介绍与生态保护相关的社会活动、生活技能以及文学故事。生态文明读书会为社区居民提供了相互沟通、学习的机会，有利于形成社区共同体。每月一次的动物文明宣传日旨在宣传“动物文明”理念，进行犬只芯片和疫苗注射登记，以倡导文明养宠，防止伴侣动物被遗弃，共建人与动物和谐共处的美好家园。动物文明宣传日还鼓励“小手牵大手”，成立了动物文明建设少年志愿队，其意义在于既能锻炼小朋友的表达能力、思考能力、社交能力，也能让他们充分学习动物文明，学会关爱身边的小生命，特别是学会正确面对动物，保护自身安全等。

（二）物业管理公司

长期以来，物业管理公司收到诸多居民对流浪动物泛滥、伴侣动物饲养不文明行为的投诉。物业管理公司作为住宅小区的服务管理方，本应是社区动物治理的重要主体。但由于缺乏治理经验，往往难以切实解决社区动物扰民问题。在“四方协同共管”治理体系中，物业管理公司的人力资源、信息优势、公共设施管理能力得到充分发挥。首先，流浪动物出现时间、地点并不固定。相比于城市管理部门，物管人员能够更迅速地对流浪动物进行科学抓捕。其次，物业管理公司对社区居民了解程度高，掌握大量的居民养宠信息，有利于建立 HT 社区伴侣动物档案。弃养伴侣动物行为是流浪动物不断产生的根源，只有进行源头治理，方可杜绝流浪动物的持续产生。HT 社区建立伴侣动物档案能够对养宠人信息进行统计，方便进行管理，有利于杜绝随意遗弃、私自繁殖伴侣动物等现象。最后，物业管理公司能够对小区内的公共设施进行管理，增加有关文明养犬和流浪动物管理宣传和相关便利设施，如伴侣动物粪便收集设施、遛狗设施等。

（三）业委会

业委会是经小区业主民主选举成立的自治组织，能够充分引导居民商议社区议题。通过开展居民协商议事，既提升了居民的公共意识，也有利于居民将社区动物治理视作公共事务。借助社区对居民参与议事的鼓励，小区业委会、“HT社区动物文明建设协会”发动社区居民商议“如何规范与监督伴侣动物饲养”“如何科学文明管理流浪动物”等议题。结合居民建议与经验材料，制定了全国首份《HT社区居民动物文明建设公约》，并经过社区居民决议通过，由社区居民委员会、业委会、物业管理公司联合发布。该公约旨在规范伴侣动物饲养行为，提高居民保护动物意识。

（四）街道及社区居委会

在社区动物治理中，街道及社区居委会既具有培育发展社区社会组织的责任，也负责对物业管理公司、业委会的工作开展进行指导。因此，街道及社区居委会能够在社区动物治理中起到协调工作、引进资源的重要作用。一方面，街道与多个社区进行协商，为动物文明宣传活动提供场所。街道或社区居委会定期举办会议或活动，为物业管理公司、业委会、社区社会组织三方沟通动物治理相关问题提供渠道。另一方面，街道将HT社区动物治理作为治理模版，在各个社区进行试点推广，并将“HT社区动物文明建设协会”作为街道特色品牌，积极推荐给各大公益平台，为HT社区动物治理赢得社会关注与资金支持。

4.3.4 案例总结

实践证明，以社区社会组织为行动中心的四方共管治理体系适合社区动物治理，其优势在于培育社区社会组织作为行动主体，其余各方提供资源或平台，实现优势资源互补。传统的社区自治方式不能治理社区动物问题，原因在于社区的人口流动性较高，部分居民只是短暂居住，难以形成高认同度的社区共同体；社区资源有限，动物治理并不是社区治理的重要议题。社区居民往往将伴侣动物管理、流浪动物治理的责任全推给社区或物业管理公司，期待通过投诉解决问题，缺乏参与自治的意识。社区社会组织由社区居民组成，能够更好地对由伴侣动物饲养引起的邻里纠纷进行调解，同时激发养宠群体的相互监督与约束，特别是可以将流浪动物管理社区化，降低政府管理流浪动物的财政负担等。但社区社会组织资源有限，因此还需与业委会、物业管理公司、街道积极合作，实现资源整合。总之，HT社区动物治理之所以能取得较好的成效，其原因在于该社区通过居民议事、公约制定充分激活居民自治力量；通过营造养宠文化，将养宠人组织成趣味群体，发挥集体道德压力的监督作用，实现养宠人相互监督；充分利用高校、行业资源，以解决流浪动物管理资源不足的困境。

首先，HT社区通过居民议事、公约制定促使居民对于伴侣动物、流浪动物的观念达成一致。过去，不同居民对于伴侣动物、流浪动物的观念严重分化。部分居民将动物视作“伙伴”，愿意与动物共同分享生活空间，维持与动物的友好关系。另有部分居民出于如害怕烈犬、对动物毛发过敏等本能的心理、生理反应，对动物有些排斥。同时也有部分居民对动物本身并不反感，他们反感的是养宠人的不文明饲养行为，如不牵狗绳、散养伴侣动物等。因此，如何达成社区动物治理的共识尤为重要。HT社区通过社区社会组织活动，充分发挥居民议事的作用。通过参与社区议事，社区居民对社区动物问题达成一致，意识到文明饲养伴侣动物、管理流浪动物对构建人与动物和谐关系，缓解邻里矛盾的重要性。总之，社区居民与动物的关系治理是一件公共事务，需要通过不断协商促成社区居民的行动共识，确保每一位居民的合法权益。

其次，通过营造养宠文化，将养宠人组织成趣味群体，鼓励养宠人相互监督。伴侣动物是被人们赋予了情感属性，满足精神需求的动物。养宠已成为部分居民的兴趣和爱好。HT社区充分利用围绕伴侣动物饲养形成的养宠文化，将养宠群体组织成一个能够相互交流的趣味群体。该社区成立“HT养犬线上交流群”，既方便各位养宠人在群里相互分享养宠故事，也有利于社区对养宠行为进行管理，引导大家相互监督与约束，对不文明养宠行为进行及时的提醒与纠正，避免邻里矛盾的进一步激化。

最后，充分利用高校、行业资源，以解决流浪动物管理资源不足的困境。社区动物治理需要一定的公共资源保障。流浪动物治理、养犬文明宣传需要一定的经费或人力资源，但社区层面资源有限。为解决资源有限的困境，HT社区成功探索出一条“资源整合，优势互补”的路径，整合了高校、基金会、企业、伴侣动物医院等资源，充分利用各方优势。HT社区地处大学城，紧邻多所高校，能够获取丰富的学生资源。通过吸引学生参与“动物文明宣传”“犬只芯片注射登记”等志愿活动，既解决了社区人手紧张的问题，也能将动物文明理念传播至学校，加强对学生的生态教育。该社区以学术交流的形式进行理念宣传，并为社区动物治理提供理论指导。如 2021 年 9 月，HT 社区联合高校、学术机构举办“社区动物文明建设经验推广会”。除此之外，HT 社区还通过联系多家媒体宣传“HT 社区动物文明建设协会”，成功吸引各公益基金会或企业对该社区的流浪动物管理进行捐赠，解决了流浪动物管理的物资紧缺问题。HT 社区考虑到整个伴侣动物行业生态，充分调动相关企业的积极性，与伴侣动物医院、伴侣动物用品生产企业达成合作协议，为社区动物治理提供优惠或经费支持。

总之，正如习近平主席在联合国生物多样性峰会上的讲话：共建万物和谐的美丽世界！[①]动物是青山绿水、生态系统、生物多样性的重要构成元素。实现人与动物的和谐共处，与人类未来的命运、社会和经济的发展息息相关。处理好城市社区居民与动物的紧张关系，不仅有利于缓解邻里矛盾，构建和谐社区，也能提升居民的生态意识水平，促进生态文明建设在个体层面的落实。

4.4　总结

生态社区是人类居住区与自然生态之间和谐相处的理想人居模式，是我国生态文明建设的重要内容。根据对上述三个案例的分析，可以看出通过生态社区建设，首先能够促进清洁能源发展，让生态技术得以在社区层面实施，如屋顶光伏项目充分利用太阳能，满足当地社区的日常能源使用需求。其次，生态社区建设能够提高社区居民的生态意识，实现生态社区中广泛的公众参与，如积分兑换项目促进村民形成了良好的卫生习惯，使村民积极参与社区环境治理活动。最后，生态社区建设能够实现多主体协调合作的生态社区管理体系，如在城市社区动物治理过程中，形成了以社区社会组织为行动中心的四方共管治理体系。总之，我国生态社区建设尚处在快速发展阶段，无论是理论层面还是实践领域都还算不上成熟。对于生态社区建设，不管是在农村地区还是在城市地区，应首先明确该社区所遇到的生态问题，并从生态社区的构成要素“物质环境”“非物质环境”“居民活动”入手对问题进行分析，谋划解决路径。

---

① 习近平. 在联合国生物多样性峰会上的讲话[N]. 人民日报，2020-10-01(3).

05

第五章

长江流域民间环保组织的产生与发展

民间环保组织以整体环境利益保护为宗旨，致力于通过公民之间的互相联结，以第三方的力量参与环境监督、推动环境保护。长江流域绿色发展应当挖掘民间环保组织在环境协同治理方面的经验，走环境治理和绿色发展的社会化道路。2016 年，在推动长江经济带发展座谈会上，习近平总书记指出长江经济带发展应当遵循“共抓大保护，不搞大开发”的理念，走“生态优先、绿色发展”之路。① 习近平总书记的指示为长江流域的发展指明了方向，即绿色应当是区域发展的底色。值得注意的是，长江流域在早期的发展阶段存在着不合理的开发问题，导致该区域在相当长的一段时间内陷入严峻的生态困境，面临着诸如水土流失、水污染加剧以及生物多样性减少等环境问题。环境危机倒逼着环境治理的升级，也孕育出一批致力于保护长江流域生态环境的民间环保组织。在长江流域多年的环境保护活动中，民间环保组织在珍稀动植物保护、水污染防治、环境教育以及环境公益诉讼等领域开展了积极行动，推动了长江流域的环境治理进程。本章选取了部分活跃于长江流域境内的民间环保组织，对其产生、类型以及特征进行了总体性描绘，以便更好地总结民间环保组织参与生态环境治理的经验，推动我国环境协同治理体系的发展。

5.1 长江流域民间环保组织的产生

长江流域民间环保组织的发轫与保护区域内的珍稀动植物资源、推动水污染防治以及开展环境教育这三个主题有关。首先，保护珍稀动植物资源的迫切要求催生出一批致力于物种保护的民间环保组织。在保护珍稀动植物的实践中，自然之友、绿色江河以及世界自然基金会(境外)等民间环保组织聚焦于保护滇金丝猴、藏羚羊、大熊猫以及原始森林等珍稀动植物，开始活跃于中国环境治理的舞台。其次，推动水污染防治的现实需求驱动了长江流域民间环保组织，尤其是活跃于长江流域中下游区域的民间环保组织的诞生。在部分区域陷入“有水皆污”的困局时，绿色潇湘、绿色江城以及绿色浙江等民间环保组织积极开展水污染防治的环境保护实践，推动了区域内江河湖泊的污染治理与河湖清洁。最后，环境教育是长江流域民间环保组织一以贯之的实践活动，在环境教育的发展过程中，民间环保组织催动着环保理念的传播，部分民间环保人士以及环保精英在环境教育中逐渐觉醒，成为推动长江流域民间

① 走生态优先绿色发展之路 让中华民族母亲河永葆生机活力[J]. 紫光阁，2016(2)：8.

环保组织发展与壮大的重要力量。

5.1.1 珍稀动植物保护中催生的民间环保组织

珍稀动植物保护的现实呼吁，催生出一批活跃于长江流域上游的民间环保组织。20 世纪 90 年代开始，由于长江流域上游的过度开发，该区域内的一批珍稀野生动植物资源受到人为破坏，藏羚羊、滇金丝猴等珍稀物种陷入濒临灭绝的境遇。因而，在珍稀动植物保护的呼吁声中，一批本土民间环保人士以保护珍稀动植物为缘起，创建了我国最早的一批民间环保组织，并开始与一些境外民间环保组织一同参与到长江流域的环境保护运动之中(见表 5-1)，推动了藏羚羊、滇金丝猴、大熊猫以及原始森林等珍稀动植物的保护工作。

表 5-1 长江流域部分民间环保组织的创建缘起/最初工作

创建时间(年)	民间环保组织名称(简称)	创建/入境后的最初工作
1951	大自然保护协会(境外)	滇金丝猴及其栖息地保护
1961	世界自然基金会(境外)	大熊猫及其栖息地保护
1994	自然之友	滇金丝猴及其栖息地保护
1995	绿色江河	可可西里藏羚羊保护
1995	重庆市绿色志愿者联合会	川西天然林保护
2001	三江源生态环境保护协会	可可西里藏羚羊保护

资料来源：根据相关新闻报道以及民间环保组织官网资料汇总。

改革开放初期，长江流域上游原始森林破坏以及偷猎珍稀保护动物的现象屡禁不止，致使该区域的珍稀动植物生存面临严峻的挑战。为此，1994 年，我国最早的本土民间环保组织——自然之友，在珍稀动植物亟须保护的关键背景下应运而生。自然之友最初的工作就是保护受到破坏的珍稀动植物，如滇金丝猴以及藏羚羊等。1995 年，由于我国西南边陲部分地区商业性开发和境内的原始森林破坏，该区域内的国家一级保护动物滇金丝猴生存陷入困境。为保护滇金丝猴及其栖息地，自然之友随即开展环保行动并得到媒体以及相关部门的重视，滇西北金丝猴及其栖息地保护问题逐步得以解决。[①] 此后，青藏高原藏羚羊因偷猎猖獗而面临濒危的困境，自然之友开始参与到保护藏羚羊的活动之中，通过呼吁取消藏羚羊绒交易以及支持反偷猎组织来开展保护行动。1998 年 10 月，时任英国首相的布莱尔访华，时任自然之友会长的梁从

① 赵秀梅. 中国 NGO 对政府的策略：一个初步考察[J]. 开放时代，2004(6)：5-23.

诚写信请求他设法制止英国的藏羚羊绒非法贸易并得到回信支持。此外，1998年底，为保护藏羚羊，自然之友开始支持反偷猎组织“西部野牦牛队”（以下简称“野牦牛队”），为保护藏羚羊的“野牦牛队”筹款40万元，以支持反偷猎藏羚羊的工作。[①] 在世纪之交，保护珍稀动植物资源成为本土民间环保组织的主要活动，相应地，这也推动了民间环保组织的发展。比如，绿色江河以及三江源生态环境保护协会在成立之始就将主要活动聚焦于藏羚羊保护，重庆市绿色志愿者联合会最初则聚焦于川西天然林保护。总体而言，依托于这些民间环保组织，长江流域内由民间发起的环境保护运动不断增加，环保组织的影响力不断强化，推动了区域内乃至全国范围的环境保护运动的发展。

境外民间环保组织进入中国后的最初工作同本土民间环保组织的活动轨迹有着一致性，即基本遵循珍稀动植物保护这一现实环保需求。相较本土民间环保组织，境外民间环保组织在长江流域的环境保护活动起步较早，其中最具影响力的当属世界自然基金会、大自然保护协会，两家环保组织在国内从事珍稀动植物保护活动，促进了流域内的环境保护工作。世界自然基金会进入中国工作后，就将核心行动聚焦于大熊猫及其栖息地保护，并致力于将陕西、甘肃以及四川的大熊猫栖息地进行有效连通。例如，世界自然基金会“在中国卧龙自然保护区开展了第一个大熊猫保护研究项目，并出版了世界上第一本有关大熊猫的专著《卧龙的大熊猫》，引起了全世界对这一中国特有珍稀物种的广泛关注”。随后，世界自然基金会与中华人民共和国国家林业局（现中华人民共和国国家林业和草原局）“合作开展了两次全国大熊猫种群和生存状况调查，为大熊猫保护和自然保护区规划与建设提供了完整的资料”，并协助中华人民共和国国家林业局建设了“中国保护大熊猫及其栖息地工程”。[②] 大自然保护协会则于1998年进入中国工作，最初工作为保护滇金丝猴及其栖息地。2004年11月，大自然保护协会启动了滇金丝猴全境保护项目，制定了滇金丝猴物种保护战略，并针对直接威胁滇金丝猴种群繁育的因素实施保护行动，推动了滇金丝猴的生存与繁衍。境外民间环保组织在进行珍稀动植物保护的过程中，致力于探索栖息地内人与自然和谐相处的模式，倾向于通过资金支持栖息地保护与地方经济发展相协调来推进环境保护工作。相较本土民间环保组织，境外民间环保组织开展的环保项目更为全面。例如，世界自然基金会探索

---

① 自然之友. 创始会长[EB/OL]. [2022-05-02]. http://www.fon.org.cn/about/president.

② 世界自然基金会. 大熊猫保护[EB/OL]. [2022-05-02]. https://www.wwfchina.org/work?id=8.

大熊猫栖息地内人与被保护动物之间的和谐相处，在大熊猫栖息地通过认证“大熊猫友好型产品”以及推广节柴灶等方式，意图在保护栖息地与维持地方经济发展中实现绿色平衡。又如，大自然保护协会在探索滇金丝猴栖息地保护的过程中，致力于推动当地人保护滇金丝猴，组织当地居民巡护栖息地，并为保护滇金丝猴提供资金和进行培训。针对保护栖息地与发展经济之间的潜在冲突，大自然保护协会组织专家，培训当地居民种植特色作物和药材。不仅如此，针对薪柴消耗森林等问题，大自然保护协会启动可再生能源与能源利用效率改进项目，在当地推广节能炉灶、太阳能热水器、沼气、微型水力发电机等，以多种方式推动了栖息地的生态环境保护。①

总体而言，境内外民间环保组织在长江流域珍稀动植物保护方面的探索取得积极成效：一方面，推动了我国珍稀动植物及其栖息地的保护，为我国生物多样性保护作出了突出的贡献；另一方面，在保护珍稀动植物的呼吁中进一步孕育了致力于环保事业的骨干力量，推动了民间环保组织滚雪球式的发展。此外，在参与保护珍稀动植物的过程中，民间环保组织自身得到积极发展并作为一个崭新的力量开始活跃于中国的环境保护舞台之上。

5.1.2 水污染防治中根植的民间环保组织

长江流域民间环保组织的另一起源主线则是为了推动区域内的水污染防治。工业化开始之后，特别是 20 世纪 90 年代中后期以来，由于粗放型工业化的发展以及污染得不到及时治理，我国环境危机逐渐加深。在工业相对发达的长江流域，水域污染情况更为严峻，太湖、巢湖等湖泊长期面临着水污染久治不愈的困境。在这一水污染由点到面、全面发散的危机下，涌现出一批致力于水污染防治的民间环保组织。长江流域的部分民间环保人士积极组建环保组织，通过河湖污染源调查以及环境清洁等工作来推动区域内的水域环境保护。其中，典型的民间环保组织有绿色汉江、绿色潇湘以及绿色江城等，这些民间环保组织根植于水污染防治，在水环境保护的系列行动中，推动了区域内的环境保护事业的发展（见表 5-2）。

---

① 大自然保护协会. 滇金丝猴保护[EB/OL]. [2022-05-02]. http://www.tnc.org.cn/home/richproject?cid=3.

表 5-2　长江流域部分民间环保组织的创建缘起/最初工作

创建时间(年)	环保组织名称(简称)	创建缘起/最初工作
2000	绿色浙江	钱塘江护水者项目
2002	绿色汉江	保护汉江流域水域环境
2007	莫愁环保协会	莫愁湖生态调查与保护
2008	绿色江城	江河湖泊水资源保护行动
2011	绿色潇湘	湘江守望者项目
2012	"绿水"	太湖流域水污染监督与治理

资料来源:根据相关新闻报道以及民间环保组织官网资料汇总。其中,"绿水"做了匿名处理。

21 世纪初,由于工业污染迅速增加且得不到有效治理,长江流域大部分水域生态环境受到严峻挑战,面临着水污染加剧、生物多样性减少以及生态功能退化等环境问题。在此背景之下,一批民间环保人士以保护区域内的水域生态环境为由,创办民间环保协会并积极组织参与各项水污染防治活动,推动了长江流域的河湖保护。其中,影响力较为突出的有绿色汉江、绿色江城以及绿色潇湘等环保组织。绿色汉江为长江流域民间环保组织在水污染防治领域的先驱之一,该组织创立于 2002 年,创立初衷即为保护受到污染的长江支流——汉江,特别是汉江中游襄阳段的水域生态环境。绿色汉江成立后,始终聚焦于汉江"可饮、可渔、可游"的目标,先后开展了汉江及其支流沿岸的污染源头调查,并在长期开展调研监测的基础上,以污染问题的调研报告向地方政府反映该流域的水环境污染情况。例如,绿色汉江通过向中国共产党中央委员会及有关省、市反映,呼吁加大跨界水污染治理的力度,推动了汉江支流唐白河跨界污染问题的逐步解决,使得唐白河污染治理成为公众参与跨界污染治理的成功案例。①

除了绿色汉江之外,还有不少民间环保组织纷纷创立,并在水污染防治领域积极活动。例如,创立于湖南省的绿色潇湘也是践行水污染防治的民间环保组织典型,其自创立以来,主张本地人解决本地环境问题,并围绕当地水污染防治开展了一系列活动。自 2011 年开始,绿色潇湘打造了"河流守望者"这一旨在保护水环境的志愿者网络,这一志愿者网络围绕流域水环境的污染源调查、水质监测以及河流保护,率先在湘江流域 6 条一级支流及两大污染重灾区建立志愿者监测站点,并招募环保志愿者定期监测所在流域的生态环境状况。此后,"河流守望者"这一保护水环境的民间网络迅速拓展,在湖南省建立

① 顾兆农.运建立和她的"绿色汉江"[N].人民日报,2014-07-26.

起一张覆盖当地饮用水源地取水口、污水处理厂排污口、本地重要企业排污口的民间观察与行动网络，由此构建起了一个由湖南环保志愿者组成的“河流守望者”行动网络。①随后，“河流守望者”这一环保模式逐渐拓展至全国，带动了长江流域以及全国的水污染防治进程中的民间参与。

长江流域民间环保组织的水污染防治探索典型还包括绿色江城，该组织创立于2008年，其成立的最初目的是推动武汉市水环境保护。在绿色江城成立前，武汉市面临工业污染加剧导致多数河流湖泊陷入污染的态势。因此，绿色江城创立后，开展了一系列环保活动，推动了区域内水污染防治。

自成立至今，武汉绿色江城组织环保志愿者开展了“行走江湖”“东湖排污口大调查”“汉江（武汉段）排污口大调查”“保卫府河大调查”“武汉河流调查”“长江大保护”“湖泊每月清洁日”等一系列江河湖泊水资源保护行动。成功制止了污染和破坏塔子湖、龙阳湖、东湖、沙湖、郭家湖、桂子湖、府河、巡司河、金水河、举水河等的违规行为。为武汉市生态环境的保护、绿色发展，发挥了积极的监督、推动作用。②

归根结底，长江流域的环境恶化态势，尤其是工业污染导致的水环境遭受破坏，这一现实因素驱动了致力于水污染防治的民间环保组织的诞生。这批民间环保组织扎根于水污染危机的实践背景，依托污染源调查、水质监测以及河湖清洁等方式，协同地方政府治理流域内水域生态环境，推动了长江流域水污染防治进程。

5.1.3 环境教育中孕育的民间环保组织

环境教育是长江流域民间环保组织长期践行的环保项目，在环境教育的开展过程中，一批批民间环保组织依托学校教育以及流动教育等形式，推动着环保理念的传播，助推了公民环境意识的觉醒（见表5-3）。

表5-3 长江流域部分民间环保组织的代表性环境教育项目

开始时间	环保组织名称（简称）	环境教育项目名称
1997	世界自然基金会（境外）	中国中小学绿色教育行动
2000	自然之友	流动环境教学车“羚羊车”
2000	自然之友	绿色希望行动

① 绿色潇湘. 绿色潇湘发展历程[EB/OL]. [2022-05-02]. http://www.greenhunan.org.cn/aboutus/history.

② 绿色江城. 机构简介[EB/OL]. [2022-05-02]. http://tt65org.com/jgjj.

续表

开始时间	环保组织名称(简称)	环境教育项目名称
2001	绿色江河	青藏公路沿线环保宣传
2002	大自然保护协会(境外)	丽江市师生校园环境教育

资料来源:根据相关新闻报道以及民间环保组织官网资料汇总。

长江流域民间环保组织在创立之始,就依托珍稀动植物保护以及水污染防治等环保活动,以环保知识进校园、向游客宣传环保理念等方式来从事环境教育工作。其中,较为典型的环境教育项目由绿色江河、重庆市绿色志愿者联合会以及自然之友等组织开创,推动了环保理念的扩散。绿色江河自1995年成立以来,始终致力于以科学考察、学校教育以及发动群众实践等方式来推进环境教育工作。首先,从1996年起,绿色江河先后组织科考队伍、人类学者调查长江源生态环境状况以及区域内人与自然关系,以科学考察的方式向外界推介长江流域上游,尤其是长江源地区的生态环境现状。其次,绿色江河先后在全国上百所学校组织关于长江源生态环境保护的专题讲座,并带动区域内部分学校建立环保分队,借此助力环保理念在青年学生群体内的传播。最后,绿色江河将环境教育的核心工作聚焦于发动群众实践这一主题上,依托于建立在青藏公路沿线的自然保护站,积极引导环保志愿者队伍向过往游客宣传环境保护知识,并以志愿者为主体推动公路沿线牧民、游客践行回收垃圾、清洁青藏线的倡议,以宣传、实践等方式推动了环境教育融入沿线游客以及牧民的日常生活中。①

绿色志愿者联合会、自然之友以及绿色汉江等民间环保组织,均在沿袭传统学校教育的基础上探索新的环境教育模式来推动环保理念的宣传。1999年底,“重庆市绿色志愿者联合会组织志愿者徒步嘉陵江”,前后“历时45天,行程1 170多千米”,借此传播环保理念。此外,重庆市绿色志愿者联合会先后举办了8期“重庆市中小学环境教育教师培训班”,对600多名教师进行了环境教育培训。② 自然之友在环境教育方面的实践也颇具特色,2000年,自然之友以“羚羊车”为载体宣传环境保护相关知识,“开辟了绿色流动教学新模式”。同年,自然之友携手中国青少年发展基金会启动“绿色希望行动”项目,在农村的小学进行环境教育,通过环保志愿者带领希望小学学生进行参与式体验的教育方

① 绿色江河. 绿色江河简介[EB/OL]. [2022-05-02]. http://www.green-river.org/list-7-1.html.

② 中华环保联合会. 中国环保民间组织发展状况报告[J]. 环境保护,2006(10):60-69.

式激活学生的环保意识。[①] 绿色汉江的环境教育突出的特点则为流动教学模式。2007 年，绿色汉江购买并维修了一艘二手船，打造了我国第一艘民间水质监测船——“绿色汉江号”，将其打造成襄阳市水上流动环境教育基地。绿色汉江借此契机，以独特的环境教育模式推动了环保宣传工作。[②]

境外民间环保组织进入中国工作不久，就已开始探索环境教育。1997 年，世界自然基金会联合中华人民共和国教育部（以下简称教育部）以及英国石油公司启动“中国中小学绿色教育行动”十年计划项目，力图将环境教育融入中国教育系统之中，该项目的主要成果即为 2003 年发布的《中小学环境教育实施指南（试行）》。此后，世界自然基金会同环保部（现生态环境部，下同）宣教中心以及林业局、湿地保护与管理中心等展开合作，发布了《生机湿地——WWF 环境教育课程：湿地篇》及教具包，启动 WWF 环境教育系统并编写了《国家湿地公园宣教指南》。[③] 世界自然基金会的环境教育聚焦于系统性的学校教育，相比之下，大自然保护协会的环境教育则更注重对实践层面的探索。大自然保护协会在开展滇金丝猴保护活动期间便已经开始探索环境教育。从 2002 年起，大自然保护协会即开始在丽江市开展针对教师和学生的校园环境教育。2005 年，协会组建丽江数字博物馆，宣传滇西北生物多样性以及民族文化多样性，构建以游客为主体的环境教育。

总体而言，长江流域民间环保组织的产生，植根于珍稀动植物以及长江流域水环境亟须得到保护的情境，在此基础上，催生出一批致力于上述工作主题的民间环保精英以及环保组织。伴随着早期民间环保组织环境教育项目的开展，环保理念的宣传孕育了一批“绿色公民”，并推动了更多环保组织的诞生，使得长江流域民间环保组织在此后的发展历程中，数量逐渐增多、规模逐渐增大、力量逐渐增强，进而推动了长江流域的环境治理进程。

5.2 长江流域民间环保组织的类型

长江流域民间环保组织历经多年的发展，在组织活动领域、组织数量等方

---

① 赵秀梅. 中国 NGO 对政府的策略：一个初步考察[J]. 开放时代，2004(6)：5-23.

② 伍迪，冉小平，李溪. “环保奶奶”心系汉江母亲河[EB/OL]. (2020-03-08). https://h2o-china.com/news/86900.html.

③ 世界自然基金会. 项目发展历程[EB/OL]. [2022-05-02]. https://www.wwfchina.org/about?id=35.

面有了显著的拓展和增长，民间环保组织也呈现出较为多样的类型。在发展早期阶段，由于组织活动区域以及活动特征等方面的差异不显著，长江流域的民间环保组织在组织分类中的辨识度较低。随着民间环保组织的发展，长江流域环保组织在身份标签、发展规模以及工作主题等方面已然呈现出明显差异，民间环保组织浮现出多样的类型。

5.2.1 民间环保组织的身份属性分类

按照环保组织的身份属性，在长江流域活跃的民间环保组织类型可以分为境内民间环保组织和境外民间环保组织。改革开放后，境外民间环保组织于20世纪八九十年代逐步进入中国开展环保活动，典型的境外民间环保组织有大自然保护协会、绿色和平以及世界自然基金会等。境内民间环保组织大都在20世纪末到21世纪前10年这个时间段成立，主要类型分为民间人士创办的环保组织、半官方性质的环保组织以及大学生环保社团。其中，典型的境内民间环保组织为自然之友、绿色潇湘以及中华环保联合会等。经过长期的发展，境内外民间环保组织在组织活动领域、组织影响力以及民众亲和度等方面显示出明显差异。

其一，相较于境内民间环保组织，境外民间环保组织的活动领域更广。长江流域活跃的境外民间环保组织进入中国工作后，聚焦于多领域的环保参与。例如，世界自然基金会聚焦于物种保护，淡水资源保护，气候变化以及森林、海洋保护等领域；大自然保护协会聚焦的领域同世界自然基金会的活动范围较为接近，其活动领域呈现出宽领域的特征。相比之下，境内民间环保组织的活动领域相对较窄。例如，绿色潇湘致力于水环境保护，自成立之始，绿色潇湘就聚焦于以水源地为核心的河流保护议题，探索“本地人解决本地环境问题”的环保模式，联合公众、公益组织与政府的力量，开展了“河流守望者”网络、2020安全水源计划、“上游一公里”及“绿行家”等水环境保护项目。[①] 绿色汉江、绿色江城等境内民间环保组织同样专注于区域内的水污染防治。同时，绿色江河致力于青藏高原的珍稀物种保护，绿水致力于线上以及线下相结合的环境污染监督，等等。可见，相较于境外民间环保组织，境内民间环保组织的环保活动领域较为狭窄，出现这种现象的本质原因为境内民间环保组织在组织资源以及组织活动能力方面的欠缺，导致组织发展需要集中资源聚焦于某

---

① 绿色潇湘. 机构简介[EB/OL]. [2022-05-02]. http://www.greenhunan.org.cn/aboutus/introduction.

一特定领域，方有可能在特定领域内取得成功。而境外民间环保组织由于在组织资源以及组织影响力方面的优势，能够在多个环保领域内开展保护项目。

其二，相较于境内民间环保组织，境外民间环保组织的社会影响力更大。由于境外民间环保组织的国际属性，它们更具行政方面的影响力以及社会层面的关注度，因而在影响政府环境决策等方面，境外民间环保组织更具政策推动力，更易同政府在环境治理项目方面达成合作。例如，绿色和平依靠其境外环保组织的影响力，以发布调查报告的方式就能引起国家相关部门以及社会公众的高度关注，进而可以更为有力地推动地方的环境治理工作。相对而言，我国民间环保组织大多由社会人士所创办，难以有接近境外民间环保组织的社会影响力来影响政府决策。

其三，相较于境外民间环保组织，境内民间环保组织同国内民众的亲和度更高。由于境内民间环保组织大多从草根起步，在文化属性以及支持者方面均具有境外民间环保组织所不享有的优势。因而，境内民间环保组织与公众有着天然的联系，在国内开展环保活动时更具民众亲和度和组织认可度，在环保项目的开展过程中能够更好地调动本地民众的参与积极性。例如，绿色江城十分重视公众力量，在河湖清洁等环保活动中能够调动社会群体的积极性。再如，绿色潇湘利用其同民众的亲和度，依托“河流守望者”这一项目，推动了众多本土环保志愿者成为河流守望者，加入本地人解决本地环境问题的环保队伍之中。相比而言，境外民间环保组织由于其身份属性，较为缺乏同国内民众的接触，而更愿意选择同各级政府进行合作来推动环保项目的落地，在民众亲和度方面显著落后于境内民间环保组织。

5.2.2 民间环保组织的活动空间分类

按照民间环保组织的活动地域进行分类，在长江流域活跃的环保组织类型可以划分为基层民间环保组织、区域性民间环保组织和全国民间环保组织。在民间环保组织发展的早期阶段，长江流域境内的环保组织主要聚焦于该区域内的珍稀动植物保护与水污染防治，彼此之间的类型、特点较相似而差异较为模糊。随着环境态势的演变以及各个民间环保组织发展方向的调整，在长江流域活跃的民间环保组织逐渐出现分化：一部分民间环保组织选择坚守在基层县市地域活动。例如，绿色汉江以及绿色江城等民间环保组织聚焦于本地域境内的环境保护，而不选择对外“扩张”。一部分民间环保组织选择在省域等较大区域内活动，成为区域性民间环保组织。例如，绿色江河坚持在青藏高原开展环境保护行动，属于典型的区域性民间环保组织。一部分民间环保组织选择拓展活动范围，将其活动空间由长江流域拓展至全国，成为全国性民间环保组织。例如，自然之友逐渐将组织活动空间从长江流域拓展至全国，推动了全国环境治理的进程。

长江流域的基层民间环保组织多扎根于普通地级市、县城或者乡镇，组织署名一般以城市名字后缀环保组织，其活动空间尚未走出地域限制范围。由于基层民间环保组织在组织资源以及影响力等方面的局限性，这类环保组织仅能在区域内开展环保活动。在基层民间环保组织多年的发展过程中，组织发展呈现出一些典型特征。首先，基层民间环保组织一般由地方政府出资供其维持基本运转，因此其同地方政府的关系较为密切，在环保宣传以及配合地方政府的环境治理工作等方面，作出了较大贡献。其次，由于基层民间环保组织大多由本地的环保精英人士所创办，再加上其活动范围有限，因而在本区域的民众亲和度以及组织影响力等方面，它们往往具有区域性以及全国民间环保组织所无法比拟的优势。最后，由于环保视野以及资源吸取能力的限制，基层民间环保组织在组织的可持续发展方面会受到制约。

较基层民间环保组织而言，区域性民间环保组织活动空间更为广阔。区域性民间环保组织的活动地域已经不拘泥于地级市的限制范围，往往在一个较大的区域内进行环保活动。例如，绿色江河的主要活动范围为青藏高原区域，在该区域内从事藏羚羊与斑头雁等珍稀野生动物的保护活动。绿色浙江以及绿色潇湘等民间环保组织的活动范围主要集中在省域范围内，致力于在全省的空间范围内开展环境治理项目。相较于基层民间环保组织，区域性民间环保组织有着更多的组织资源与更强的活动能力，能够支持环保项目在全省推广。但是，这类民间环保组织在发展过程中，往往不能通过组织自身扩散到全省域，而需要地方环保组织的配合。因而，区域性民间环保组织的一个典型特点是积极通过环保培训的方式为地方培养环保精英，并助力地方建立环保协会，以此来达到区域性民间环保组织的影响力在全省域的扩张。

长江流域的全国民间环保组织的核心特点为组织活动空间遍布全国。相较于前两种类型，全国民间环保组织在组织活动能力、组织资源以及组织活动领域等方面更为全面，能够在全国范围内以及多领域内开展环境保护行动。典型的全国民间环保组织为自然之友，自然之友自1994年成立后，其组织活动范围逐渐由长江流域扩展至全国，环保活动的领域也逐渐扩散至珍稀动植物保护、环境教育、环境公益诉讼以及气候变化等，成长为具有全国影响力的民间环保组织。此外，多数境外民间环保组织也为全国民间环保组织，其整体活动范围遍及中国全境，活动覆盖的领域也较为全面，具有与区域性民间环保组织不同的地域特征。

5.2.3 民间环保组织的工作主题分类

长江流域的民间环保组织在历经多年的发展后，其环保工作已然形成了比较核心的工作范围，成为组织发展的聚焦领域。按照环保组织的主要工作主题划分，在长江流域的民间环保组织可以划分为珍稀物种保护型、水污染防治型、环境污染监督型、环境公益诉讼型等不同类型，这些民间环保组织通过在各自聚焦领域的持续工作，形成了组织自身的品牌与特征，推动了我国环境治理进程的发展。

其一，珍稀物种保护型民间环保组织，主要聚焦于珍稀动植物保护领域。此类环保组织主要聚焦于长江流域内特有物种的保护，尤其以长江流域上游的濒危动物为主。其中，世界自然基金会以及绿色江河为珍稀物种保护型民间环保组织的典型代表。世界自然基金会将其注意力长期放置于大熊猫及其栖息地保护上，在大熊猫栖息地拓展以及栖息地人与自然和谐相处方面做了诸多工作。绿色江河环保组织则长期坚守于青藏高原，致力于藏羚羊以及斑头雁的保护工作。2001 年开始，绿色江河便着手对青藏公路、青藏铁路沿线藏羚羊种群数量进行调查，提出了多项加强野生动物保护的建议。这些建议几乎全部被政府和青藏铁路建设单位采纳，成为中国民间环保组织影响中国大型工程环保决策的成功案例，推动了对藏羚羊的保护。此外，绿色江河从 2012 年开始便致力于对长江源的斑头雁进行保护，推动了对斑头雁种群的繁衍与保护工作。

2012 年，班德湖斑头雁数量只有 1 172 只。绿色江河实施斑头雁守护行动，促进当地政府出台了《关于禁止捕猎的通知》；帮助当地牧民建立“长江第一野生动物巡护队”。截至 2017 年，当地斑头雁种群数量已连续三年维持在 3 000 只左右，考虑到班德湖的生态环境承载力，初步判断 3 000 只可能是调查区域对斑头雁种群的最适承载量，但仍需后续的持续观测以进一步验证此结论。六年间，绿色江河守护斑头雁繁殖；保护栖息地并进行鸟类、植物等生物多样性本底调查；对当地居民和外来人员开展保护斑头雁的宣传；向公众传播生态环保知识；指导当地牧民和居民捡拾到受伤野生动物送至保护站救治。①

其二，水污染防治型民间环保组织，主要聚焦于江河湖泊等水域污染治理。

① 绿色江河. 机构简介[EB/OL]. [2022-05-02]. https://www.green-river.org/list-7-1.html.

此类环保组织常以污染源排查、环境卫生清洁等为主题开展环保活动。其中，典型的水污染防治型民间环保组织为绿色江城，绿色江城自成立之始，就聚焦于武汉市江河湖泊的污染防治开展活动，并将每月的第三个周末确定为“湖泊每月清洁日”，每期活动组织志愿者团队在选定的湖泊开展垃圾清理、水草打捞以及水质检测等自然科普教育活动。[①] 类似的民间环保组织还有绿色汉江、绿色潇湘等，这类环保组织专注于水污染防治，通过线下调查污染情况、开展河湖清洁等行动，推动了区域内水污染防治进程。

其三，环境污染监督型民间环保组织，主要聚焦于环境监测及治理，常以线上与线下相结合的监督模式为主要手段。其中，比较典型的环保组织为绿水、绿色浙江等。环保组织绿水利用国家重点污染源自动监控平台和蔚蓝地图环境数据平台中的监测数据，进行线上监测企业环境污染，并通过对污染源以及工业园区的实地调查实现了线上与线下监督的结合。绿色浙江的环境污染监督聚焦于钱塘江水质监测，借助钱塘江水地图公众互动型网络平台，绿色浙江聘请具有专业素质的护水者和数据审核员，对钱塘江全流域的水保护区的水质进行不间断监控。[②] 绿色和平倾向于通过发布对环境问题的专题调查报告来揭露环境污染现象，进而引起政府以及社会的关注，这也属于典型的环境监督组织。

其四，环境公益诉讼型民间环保组织，主要聚焦于以环境公益诉讼的形式推动环境问题的解决。其中，自然之友、贵阳公众环境教育中心、重庆市绿色志愿者联合会等民间环保组织为这类环保组织的典型。在多次的环境公益诉讼中，长江流域的民间环保组织积极以法律手段来推动多项污染事故的解决以及珍稀物种的保护，推动了区域内环境治理进程（见表 5-4）。

表 5-4　长江流域部分民间环保组织发起的代表性环境公益诉讼案

开始时间（年）	主要民间环保组织/原告	诉讼案件	最终结果
2010	贵阳公众环境教育中心、中华环保联合会	贵阳市污染环境公益诉讼案	胜诉
2011	自然之友、重庆市绿色志愿者联合会	云南省曲靖市铬渣污染案	调解结案
2015	自然之友、福建省绿家园	福建省南平市毁林生态破坏案	胜诉
2016	自然之友、中国绿发会	常州市毒地案	最高法提审

① 绿色江城. 河湖巡护[EB/OL].[2022-05-02]. http://tt65org.com/xmhd.

② 刘国翰，郅玉玲. 生态文明建设中的社会共治：结构、机制与实现路径——以“绿色浙江”为例[J]. 中国环境管理，2014，6(4)：38-43.

续表

开始时间(年)	主要民间环保组织/原告	诉讼案件	最终结果
2017	重庆市绿色志愿者联合会	外卖平台环境污染责任纠纷案	—
2018	自然之友	绿孔雀栖息地保护案	胜诉
2018	自然之友	回龙山水电站公益诉讼案	调解结案

资料来源:根据相关新闻报道以及民间环保组织官网资料汇总。

我国民间环保组织对环境公益诉讼的探索已经持续多年。早在《中华人民共和国环境保护法》(以下简称《环保法》)修订之前,我国已有民间环保组织对环境污染案件提出民事公益诉讼。2010 年,贵阳公众环境教育中心和中华环保联合会联合起诉贵阳市××造纸厂污染环境公益诉讼案,2010 年 12 月,清镇市人民法院下发民事裁定书,裁定造纸厂"立即停止向南明河排放工业废水并立即执行",成为我国第一个"完整的环境民事公益诉讼"判决案例。① 2011 年,云南省曲靖市因铬渣污染导致当地土壤和水源均受到威胁,1 个月后,自然之友和重庆市绿色志愿者联合会向曲靖市中级人民法院提起公益诉讼,该案被称为"中国第一起由民间环保组织提起的环境民事公益诉讼案"。② 此后该案历经 9 年,从起诉到立案,从立案到两次调解破裂,再到重回谈判,最终以调解结案,推动了我国环境公益诉讼、环境损害司法鉴定管理等环境事务的进步。③《环保法》修订后,由于我国的环境法规日益健全以及早期民间环保组织的积极探索,长江流域的民间环保组织开始积极利用环境公益诉讼这一维权途径,推动了我国环境治理整体进程。尤其是 2016 年自然之友、中国生物多样性保护与绿色发展基金会联合起诉的"常州毒地案",该案一审判决"驳回环保组织的全部诉讼请求,要求两原告负担 189 万余元的诉讼费",进而引起舆论的轩然大波。此后,二审虽然撤销了"天价诉讼费",并"改判 3 家污染企业道歉,但继续驳回环保公益组织关于消除污染影响、恢复生态的核心诉讼请求"。2020 年,最高人民法院决定提审"常州毒地案"。④ 民间环保组织发起的"常州毒地案"公益诉讼历经多审,对完善环境公益诉讼规则有着重要的推动作用。此外,由自然之友等民间环保组织发起的福建省南平市毁林生态破坏案,成为自《环保法》修订以来第一起环保公益诉讼案件,入选了《人民日报》"中国改革

---

① 郄建荣. 环境公益诉讼 从艰难破冰到长足发展[N]. 法制日报,2012-10-25(4).

② 事实上,我国第一起环境公益诉讼案件并非曲靖铬渣污染案,但由于云南曲靖铬渣污染案影响较为深远,故也被称为环保公益诉讼第一案。

③ 于平. 环境公益诉讼第一案带来新启示[N]. 光明日报,2020-08-10.

④ 井泉. 最高法提审"常州毒地案",污染企业不能道歉了事[N]. 新京报,2020-05-07.

开放40年·40个'第一'",极大地推动了我国环保公益诉讼的发展。2018年由自然之友提起的××水电站公益诉讼案,则是民间环保组织利用环境公益诉讼的维权途径来反对因水电站建设而导致珍稀动植物以及其栖息地遭受破坏的典型案例,该案以因水电站建设导致珍稀淡水鱼类的洄游通道被阻隔以及淹没西双版纳国家级自然保护区部分区域等为由提起诉讼,最终以被告投入一千七百余万补偿性恢复费用结案。[①] 2018年,因云南省××水电站建设会导致云南域内绿孔雀及其栖息地受到破坏,自然之友提起诉讼并请求暂停水电项目开发,成为全国首例珍稀野生动植物保护预防性环境民事公益诉讼案件,该案件历经二审,最后以暂停水电项目开发为终。[②]

5.3 长江流域民间环保组织的特征

长江流域的民间环保组织在多年的发展过程中,组织整体呈现出较为稳定的行为特征,形成了与其他区域的民间环保组织不同的属性。其中,长江流域的民间环保组织活动聚焦于水环境保护,以"水"为主的组织活动表征了这一区域的特色。此外,长江流域的民间环保组织风格倾向于污染监督,线上与线下相结合的方式成为该区域民间环保组织的主要手段。不仅如此,长江流域的民间环保组织倾向于同政府进行合作,并致力于达成协同治理关系来推动环境治理。长江流域民间环保组织在发展过程中,上述特征正逐步强化,成为长江流域民间环保组织区别于其他区域民间环保组织的异质点。

5.3.1 组织活动亲水特征显著

长江流域民间环保组织的特征之一是亲水特征显著,爱水、护水的亲水特征驱动了环保组织围绕着长江流域水生态保护开展了一系列具有影响力的环保活动。由于前述水污染防治以及环境污染监督内容中存在部分民间环保组织在水环境保护方面的探索,为避免内容重复,本小节选取长江流域民间环保组织在水电开发博弈期间的一系列水环境保护行动进行叙述,以此佐证长江流域民间环保组织的这一特征。

① 王万春,王若涵.回龙山水电站公益诉讼达成调解:被告投入补偿性恢复费用1 714万[N].澎湃新闻,2021-04-08.

② 自然之友.大事记[EB/OL].[2022-05-02].http://www.fon.org.cn/story/history.

从21世纪初开始，长江流域民间环保组织以呼吁取消无序的水电开发为活动主题，一定程度上避免了长江及其支流的水域生态环境被各类水电项目破坏现象的发生（见表5-5）。同时，长江流域民间环保组织在水电开发艰难的博弈过程中，拓展了民间环保组织的影响力，形成了长江流域民间环保组织亲水的这一特征。

表5-5 长江流域部分民间环保组织涉入的水电开发博弈事件

时间（年）	水电开发事件	环保组织	结果
2003	怒江十三级水电工程	绿色流域、自然之友等	2004年暂缓建设
2003	四川杨柳湖大坝	绿家园、绿岛等	否决该项目
2009	重庆小南海水电站	自然之友等	否决该项目
2015	烟瘴挂（牙哥）水电站	绿色江河	否决该项目

资料来源：根据相关新闻报道以及民间环保组织官网资料汇总。

21世纪初，围绕怒江水电开发争议，民间环保组织开始涉足水电开发博弈，并致力于取消不合理的水电项目，以保护长江流域部分区域的水生态完整性。怒江中下游水资源丰富，蕴藏着丰富的水电资源，但该区域位于三江并流区域，建坝开发水电会导致生态系统受到威胁，十三级水电开发会导致连片的高峡平湖，致使长江流域的自流区消耗殆尽。因而，在怒江三江并流区建设两库十三级水电工程的项目成为争议的开端。2003年，以云南绿色流域以及绿家园等为主的民间环保组织开始介入怒江水电开发，致力于通过阻止水电开发，保护流域内自然保护区的完整性。为同主张水电开发的利益主体进行博弈，绿色流域等民间环保组织开展了一系列活动进行呼吁。例如，2003年，绿色流域在昆明市举办名为“怒江对话”的水之声论坛，引起社会关注怒江水电开发。此后，绿色流域、绿家园和自然之友共同在泰国“世界河流与人民”反坝大会上呼吁保护怒江。2004年，云南“两会”期间，绿色流域协助云南政协委员正式提交保护怒江以及开发怒江要审慎的提案。① 此外，为协助因水电开发而涉及搬迁的怒江流域原住民，绿色流域在国际会议上发声，呼吁停止怒江水电开发。从成效来看，绿色流域等民间环保组织的行动推动了国家对开发怒江十三级水电站工程的审慎考虑。经过我国民间环保组织等群体的呼吁，2004年，时任国务院总理的温家宝在国家发改委报送的《怒江中下游流域水电规划报告》上作出批示：“对这类引起社会高度关注，且有环保方面不同意见的大型水电工程，应慎重研究、科学

① 曲奇，建刚. 守护怒江的力量[N]. 21世纪经济报道，2004-07-19.

决策。”怒江水电开发被按下暂停键。[①] 此后，有关怒江水电开发的环保组织行动使得针对怒江的水电开发一停再停。

2009 年，重庆市小南海水电站开发陷入争议，自然之友等民间环保组织掀起了保卫该水域保护区的环保运动。小南海水电站项目会导致长江珍稀特有鱼类资源受到损害，致使区域内鱼类保护区域大幅缩减。南京环科院的一份报告也认为：“小南海和其他梯级电站开发的累积效应将对特有鱼类造成毁灭性影响。”故该开发项目一经提出，自然之友等民间环保组织便已开展行动来阻滞项目建设。比如，六家环保组织给国家级自然保护区评审委员会的专家写了一封公开信，“吁请每一位专家慎重对待，坚守学术良心，投下经得起历史检验的一票”。绿家园志愿者负责人汪永晨建议公开专家们的姓名，以接受社会监督。[②] 在民间环保组织的推动下，2015 年，环境保护部(现生态环境部)最终对该项目予以否决。

绿色江河在水环境保护方面的主要作为是通过科学调查研究推动地方政府否决了不科学的水电项目开发。比如，在烟瘴挂(牙哥)水电站开发项目中，绿色江河通过科学调查的方式，揭示出区域内生态系统的重要性，为地方政府否决该水电开发项目提供了科学依据：

绿色江河于 2014 年正式启动“长江第一峡谷生物多样性调查”项目，多位植物学家、动物学家、人类学专家组建科学考察队，用了三年时间，对烟瘴挂峡谷进行全方位调查。在中华环境保护基金会、玉树州政府、曲麻河乡政府、三江源生态保护协会及措池村牧民的支持和协助下，科考队对烟瘴挂的生物和文化多样性进行了全面调查，完成了《烟瘴挂植物和植被调查报告》、《烟瘴挂峡谷哺乳动物物种多样性调查报告》、《烟瘴挂水生生物调查报告》和《烟瘴挂：人类学视角的生态环保调查报告》。以中国科学院孙鸿烈院士为组长的项目评审专家组高度评价了此次科考成果。调查结果使青海省政府明确表示不会批准烟瘴挂(牙哥)水电站建设项目。[③]

在与涉及重大环境风险的水电开发项目的博弈中，长江流域民间环保组织联合各界力量阻止了一些项目的建设。在西部水电开发的热潮中，减少了长江流域部分地区高坝直立的现象。同时，民间环保组织的影响力以及组织能力在水电开发博弈的长时间过程中得到提高，水环境保护这一主题也成为

---

① 程必忠. 怒江困境[N]. 21 世纪经济报道，2004-07-19.

② 孟登科. 先掐头，再去尾，长江鱼儿哪里游？——小南海水电站最后一搏[N]. 南方周末，2009-10-29.

③ 绿色江河. 绿色江河简介[EB/OL]. [2004-11-16]. https://www.green-river.org/list-7-1.html.

长江流域民间环保组织的特征之一。需要注意的是，在环境污染监督中，长江流域民间环保组织的亲水特征也贯穿其中。

5.3.2 环境污染监督的能力日益提升

长江流域民间环保组织在长期发展的历程中，呈现出环境污染监督能力日益提升的组织特征。这一特征表现为长江流域民间环保组织着力于以实地调查以及线上监督等方式来推动环境治理。其中，偏向于环境污染监督的组织为绿色汉江、绿水以及绿色和平，这些民间环保组织通过线上与线下相结合的环境污染监督方式，推动了区域内环境治理进程。

随着环境治理态势的演变，地方政府对环境污染的治理力度逐步加强，民间环保组织开始以环境污染监督的方式来推动地方政府对环境污染的关注。例如，自绿色汉江环保组织成立以来，该机构成员围绕汉江流域环境治理先后撰写了《汉江襄阳段水污染调查报告》、《水污染治理刻不容缓》以及《汉水三千年生态变化》等多份水环境调查报告，引起了市政府和有关部门的重视，推动了区域环境治理。[①] 此外，这种环境污染监督方式体现在通过民间力量对污染源的实地调查，来助推地方政府关注污染。例如，2017 年，绿色江城面向社会公开招募 15 位“民间河长”，针对武汉市江河湖泊的黑臭水体、超标排污、非法采砂等问题进行巡查与监督，同时将河流与湖泊的真实情况向政府部门举报，向媒体曝光。[②] 民间环保组织绿水则致力于通过线上监督以及发布调查报告的形式来推动污染治理，依托国家重点污染源自动监控平台和蔚蓝地图环境数据平台中的监测数据，对监控数据出现问题的企业进行举报，推动了企业环境污染问题的发现以及治理。[③] 此外，绿水还聚焦于污染源的实地调查，通过发布相应的调查报告来推动地方政府对环境污染问题的重视。

环境污染监督过程中，境外的环保组织以其特殊的身份属性推动了政府对环境污染问题的解决。其中，较为典型的环保组织为绿色和平，其在入境工作后将环保工作聚焦于环境污染监督，致力于发布关于某一议题的调查报告来推动国家和公众关注，并以此推进环境问题的解决(见表 5-6)。

---

① 顾兆农. 运建立和她的“绿色汉江”[N]. 人民日报，2014-07-26.

② 张希为. 武汉民间环保组织“绿色江城”招募 15 名“民间河长”[N]. 武汉晚报，2017-06-04.

③ 陈涛，郭雪萍. 共情式营销与专业化嵌入——民间环保组织重构多元关系的实践策略[J]. 中国行政管理，2021(2)：59-67.

表 5-6　绿色和平部分环境监督调查报告

时间(年)	地点	项目
2004	云南省	××集团云南圈地毁林事件调查报告
2005	黄河源	黄河源之危调查报告
2011	青海省	青海省祁连山区黄河水源地内的企业违法采矿问题报告
2015	云南省	云南血铅村调查报告
2015	四川省	四川省雅安市大熊猫栖息地遭破坏调查报告
2016	云南省	矿业开发破坏原始森林资源问题调查报告

资料来源:根据绿色和平官网信息进行的资料汇总。

绿色和平对中国环境污染的监督由来已久,主要以调查报告的形式向公众展示区域内的环境问题,并利用其影响力推动国家相关部门进行介入。从2004年开始,绿色和平就以调查报告的形式关注长江流域的环境污染问题。2004年,绿色和平发布《××集团云南圈地毁林事件调查报告》,将××集团在云南的毁林行动概括为"借中国的钱""圈中国的地""砍中国的树""违中国的法""毁中国的环境",①这一调查报告借助绿色和平的影响力,推动了国家和社会公众关心云南省天然林保护,助力了环境问题的解决。2011年,绿色和平发布《云南省曲靖市的铬渣污染调查报告》,这一调查报告发布后,引起社会剧烈反响,环境保护部(现生态环境部)介入这一事件,并明确表示铬污染整改完成前暂不批复该市所有环评影响文件。此后,2015年绿色和平发布《"铅锌"万苦:云南省兰坪铅锌矿污染调查报告》后,先后收到云南省林业厅以及香格里拉市政府的回函并表示加强保护,禁止开发。同年,《世界自然遗产——四川大熊猫栖息地毁林调查报告》发布后,该问题得到国家林业局的重视,推动了环境问题的解决。

总体而言,长江流域民间环保组织环境污染监督的能力日益提升,组织偏向于以环境污染监督的方式推动地方环境治理。事实上,该环保方式也是民间环保组织参与环境治理的重要途径。一方面,源自民间的监督力量推动了地方政府以及污染企业加大治理的力度,推动了整体环境治理进程。另一方面,环境污染监督以社会公众作为依托,借助公众在环境污染问题方面的关注,推动了问题的解决,为社会力量参与多元共治做出了新的探索。

① 绿色和平. ××集团云南圈地毁林违法[EB/OL]. [2004-11-16]. https://www.greenpeace.org.cn/app-illegal/.

5.3.3 同地方政府合作的倾向性日益增强

长江流域民间环保组织的又一典型特征为同地方政府合作的倾向性日益增强。在中国的发展环境之下，同地方政府合作成为推进环境协同治理、拓展组织治理参与空间的典型手段。因此，长江流域的民间环保组织在发展过程中，表现出倾向于同地方政府合作的组织特征，并探索出一批同地方政府合作的典型案例，推动了区域内环境协同治理机制的建构。

同政府进行合作最初是具有政府背景的民间环保组织的常见行动。这类民间环保组织的典型代表为绿色汉江，该环保组织依托组织创立者运建立的湖北省政协委员、襄阳市政协常委身份，通过议案的形式带动了区域内环境问题的解决。此外，自然之友在早期的环保活动参与中，借助其组织创立者梁从诫的全国政协委员身份，扩大了组织影响力，借此得以加强与政府的合作，助推环境问题的解决。贵阳公众环境教育中心由贵州省政协委员、贵阳市政协常委、贵阳日报传媒集团高级记者黄成德创建，基于组织创建者的身份背景，该环保组织积极配合省、市政府生态文明建设的大政方针，在环境治理中同地方政府形成了较为亲密的合作关系，等等。借助于组织创立者的特殊身份，长江流域的部分民间环保组织自创立之始，便积极投身于同政府合作，在推动环境协同治理方面，发挥了重要的建设作用。

一些不具备政府背景的民间环保组织，便积极借助巧妙的实践策略和话语艺术，获取了地方政府的信赖，使得同地方政府的合作得以建构与维持。其中，绿水为借助特殊的话语艺术与实践策略来获取同政府合作的典型民间环保组织。民间环保组织绿水高度重视与地方政府关系的融合，借助于"共情式营销"的手段，避免让自己沦为"烦恼的制造者"，以此获取了地方政府的信任，绿水得以拓展组织在环境协同治理中的参与空间。

"绿水"近年来不断重塑话语理念，强调以助手身份为地方政府提供专业性的环境服务，将自身定位为善意的监督者与服务者。在此过程中，"绿水"主要以两种方式"走近地方政府"：一是向地方政府提交调研报告，反映环境问题，并提出建设性的政策建议；二是到访属地环保部门，就相关问题与其进行面对面的协商与沟通。①

长江流域民间环保组织在环境治理行动中，积极主动配合政府的环境治

① 陈涛，郭雪萍. 共情式营销与专业化嵌入——民间环保组织重构多元关系的实践策略[J]. 中国行政管理，2021(2)：59-67.

理行动，双方的合作形成了一批合作共治的典型案例，凸显了同政府合作这一典型特征。为响应浙江省委省政府提出的“五水共治”，2014 年绿色浙江发起“吾水共治”圆桌会议，通过与浙江电视台钱江都市频道合作，录制了“‘吾水共治’圆桌会”节目，在浙江省 11 个地级市各选一条河，召集管辖该河道的政府相关负责人、污染涉事企业负责人、流域内的公众代表、相关治水专家和法律专家及媒体等利益相关者来共商对策，现场解决治水中的矛盾冲突。[①] 绿色浙江以圆桌会的形式，联动地方政府，推动了环境协同治理的实现。自然之友在近些年的环境公益诉讼探索中，积极将地方环保局列为共同原告，推动了环境公益诉讼在取证等方面的进步。例如，云南省曲靖市铬渣污染案中，自然之友将曲靖市环保局列为共同原告，对推动诉讼的立案与辅助调查起到巨大作用，[②] 这也成为自然之友在环境公益诉讼方面同地方政府的首次合作。此后，在自然之友开展的环境公益诉讼案件之中，自然之友携手地方环保局，推动了环境污染问题的解决。

总之，民间环保组织在长江流域绿色发展方面发挥着重要作用。早在 20 世纪末，民间环保组织就已参与到珍稀动植物保护以及水污染防治等工作中，推动着流域内的环境保护与治理进程。进入 21 世纪后，长江流域的民间环保组织活动逐渐拓展至环境教育、水电开发博弈、环境污染监督以及环境公益诉讼等领域，推动着我国环境保护事业的进步。可见，民间环保组织证明了其在长江流域环境治理中的积极作用。步入新时代，长江流域走“生态优先、绿色发展”的道路应当更加注重发挥民间环保组织的独特作用。

① 蒋惠琴，俞银华，张潇，等. 利益相关者视角下非政府组织参与环境治理的模式创新研究——以绿色浙江“吾水共治”圆桌会为例[J]. 环境污染与防治，2020，42(7)：874-878，883.

② 上官兰雪. 曲靖铬渣污染续：环保组织诉讼代理被扣化工厂[N]. 南方周末，2011-09-21.

06

第六章

长江保护的探索与实践

2016年初，习近平总书记在重庆召开的推动长江经济带发展座谈会上强调“当前和今后相当长一个时期，要把修复长江生态环境摆在压倒性位置，共抓大保护，不搞大开发”。由此，长江大保护被提上日程，成为一项重要的任务。保护长江不能仅靠政府力量，还须积极发挥社会力量。民间环保组织作为组织化的社会力量，在长江大保护中发挥着不可替代的作用。国家针对民间环保组织出台了相关政策，有直接政策，也有间接政策。已有的政策能在一定程度上对民间环保组织的行为起到引导作用，为其更好地在保护长江方面发挥作用提供了重要支撑。

6.1 长江保护的政策历程

“我住长江头，君住长江尾。日日思君不见君，共饮长江水。”①“滚滚长江东逝水，浪花淘尽英雄。”②长江作为一个精神符号根植于中国人的脑海。保护长江不仅是出于生态的考量，更是为了守护我们的精神家园。保护长江需要依靠政策，政策为其提供奋斗目标、行动原则、基本任务和具体措施。民间环保组织作为我国环保事业中不可或缺的力量，深受国家政策影响。总的来看，国家政策深刻地影响着民间环保组织的行动原则、实践内容和发展走向。梳理长江保护的政策历程可以勾勒出民间环保组织保护长江的画像。

总的来看，长江保护行动包括三个时期。1973至2013年是长江保护1.0时期。自1973年第一次全国环境保护会议召开，正式语境的环境保护概念问世，这一年是中国政府层面环境保护事业的元年，有关长江保护的政策逐渐萌芽与起步。不过，2010年以前，鲜有直接针对长江的专门性保护政策，但一些普遍性的政策法规为保护长江提供了遵循规范，例如《中华人民共和国水污染防治法》《中华人民共和国环境保护法》《中华人民共和国水法》等。民间环保组织的数量在20世纪90年代和21世纪初期迅速增多，为保护长江提供了坚实的社会支持。2013至2016年是长江保护2.0时期。2013年是我国环境保护进入攻坚克难阶段的关键转折年，2013年以后，生态文明上升为国家战略，其实践深度、推进力度前所未有。2.0时期的长江保护政策侧重于指导和规范保护长江的实践活动，民间环保组织保护长江的活动有了约束和参照。2016年，

① 引自李之仪《卜算子・我住长江头》。
② 引自杨慎《临江仙・滚滚长江东逝水》。

随着“长江大保护”这一政策话语的问世，长江保护进入 3.0 时期，这一时期的政策在前两个时期的基础之上，内涵进一步深化，制度化程度更加鲜明，长江保护法律与制度建设更加有力。

6.1.1 长江保护 1.0(1973—2013 年)

清道光十九年(1839)，清政府在云阳县刻关塘碑，碑文的内容为“禁止塘水，不准污秽”。据考证，该碑是三峡库区发现的最早的饮用水源保护石碑，也是迄今为止发现的保护长江水环境资源的最早记录。① 时移世易，1972 年，我国派代表团出席斯德哥尔摩人类环境会议，由此，中国开始意识到环境问题的严重性，于次年召开了全国第一次环境保护会议，中国的环境保护事业正式开启，此后，一系列关于环保的政策应运而生。

1979 年通过的《中华人民共和国环境保护法(试行)》第十一条规定：“保护江、河、湖、海、水库等水域，维持水质良好状态。”②该条例在 1984 年通过的《中华人民共和国水污染防治法》中被细化，内容涵盖水环境质量标准和污染物排放标准的制定、水污染防治的监督管理、防止地表水污染、防止地下水污染及法律责任等。③ 该法律将水环境纳入法律范畴，开启了水体污染防治的序幕。随着改革开放步伐的加快，长江经济带各省市沿岸重工业、乡村工业以及农业实现较快发展，长江经济带进入高速发展时期，长江水污染现象加剧。1996 年印发的《国务院关于环境保护若干问题的决定》④要求“实行环境质量行政领导负责制”，对环境问题“严格把关，坚决控制新污染”。2002 年起施行的《中华人民共和国水法》⑤中规定了水资源的规划、开发利用、保护、配置、纠纷处理、执法监督检查和责任等。在《中华人民共和国水法》的基础上，地方政府结合当地实际制定了保护长江的相关政策法规。比如，2004 年修订的《四川省长江水源涵养

① 刘太兴，胡小刘，刘荣，等. 一篇 200 年前的“河长日志”写满保护长江的历史使命[N]. 江津日报，2022-02-28.

② 全国人民代表大会常务委员会. 中华人民共和国环境保护法(试行)[EB/OL]. [2022-03-01]. http://www.law-lib.com/law/law_view.asp? id=44003.

③ 全国人民代表大会常务委员会. 中华人民共和国水污染防治法[EB/OL]. [2022-03-01]. http://www.law168.com.cn/doc/view? id=157262.

④ 中华人民共和国国务院. 国务院关于环境保护若干问题的决定(国发〔1996〕31 号)[EB/OL]. [2022-03-01]. http://ihb65.com/post-1105.html.

⑤ 全国人民代表大会常务委员会. 中华人民共和国水法(修订)[EB/OL]. [2022-03-01]. http://www.npc.gov.cn/zgrdw/npc/zt/qt/2014zhhbsjx/2013-12/04/content_1865443.htm.

保护条例》[①]规定了四川省境内长江流域的江河发源地和集水区对植被、土壤、水源的保护细则，它规定“水源涵养保护必须全面规划，统筹安排，因地制宜，防治并重，治管结合”；“长江流域各江河的开发利用，必须符合水源涵养保护的要求”等。2011 年出台的《长江中下游流域水污染防治规划（2011—2015 年）》[②]则规定了长江中下游流域各省市水污染防治以分区控制、突出重点、统筹规划、综合治理、海陆兼顾、河海统筹、政府引导、明确责任为原则，推动长江流域内各地加快转变经济发展方式，改善流域环境质量，提升流域生态安全水平。这是国家首次以五年规划的形式开展长江水污染的防治工作。同年，重庆市和苏州市分别颁布了最新修订的《重庆市长江三峡水库库区及流域水污染防治条例》[③]，和《苏州市长江防洪工程管理条例》[④]，诸如此类的地方性政策条例能更加精准地起到保护长江水环境的作用。

长江水污染的防治不能仅靠政府的行政力量，只有激活社会的环保力量才能在更深远的意义上实现人与自然和谐发展。20 世纪 90 年代，民间环保组织如雨后春笋般涌现，诸如自然之友、绿色江河等。截至 2005 年底，我国共有各类民间环保组织 2 768 家，[⑤]民间环保组织成为除政府之外保护长江的一股重要力量。2005 年，中华环保联合会获得了一笔 129 万元的中央财政资助，“这是我国政府第一次资助民间环境维权组织，也是中央财政预算编制首次出现维护环境权益这一科目”[⑥]。2010 年，环境保护部（现生态环境部）下发《关于培育引导环保社会组织有序发展的指导意见》（以下简称《意见》），这是国家首次以指导意见的形式培育和引导环保社会组织的发展。该《意见》明确了培育引导环保组织的三项基本原则，即：积极扶持，加快发展；加强沟通，深化合作；依法管理，规范引

---

① 四川省人民代表大会常务委员会. 四川省长江水源涵养保护条例[EB/OL]. [2022-03-01]. https://flk. npc. gov. cn/detail2. html? NDAyOGFiY2M2MTI3Nzc5MzAxNjEyODgwMDY-xMzM5ZTc%3D.

② 中华人民共和国环境保护部（现生态环境部），国家发展和改革委员会，中华人民共和国财政部，中华人民共和国住房和城乡建设部，中华人民共和国水利部. 长江中下游流域水污染防治规划（2011—2015 年）[EB/OL]. [2022-03-01]. https://www. mee. gov. cn/gkml/hbb/bwj/201109/t20110920_217490. htm.

③ 重庆市人民代表大会常务委员会. 重庆市长江三峡水库库区及流域水污染防治条例[EB/OL]. [2022-03-01]. https://flk. npc. gov. cn/detail2. html? NDAyOGFiY2M2MTI3Nzc5MzAx-NjEyODY1ZjE4MjI0Yzc%3D.

④ 苏州市人民代表大会常务委员会. 苏州市长江防洪工程管理条例[EB/OL]. [2022-03-01]. https://flk. npc. gov. cn/detail2. html? NDAyOGFiY2M2MTI3Nzc5MzAxNjEyN2M2Zjlj-MzA3Y2Y%3D.

⑤ 中华环保联合会. 中国环保民间组织发展报告[R]. (2006-04-22).

⑥ 中央财政第一次资助民间环保组织[J]. 乡镇经济，2005(5)：6.

导。同时,《意见》指出要"加强政策扶持力度,改善环保社会组织发展的外部环境";"加强能力建设,引导环保社会组织健康、有序发展"。① 长江保护中的民间环保组织从此有了方向上的指引、政策上的支持和规则上的约束,朝着规范化、健康化发展。

表 6-1 长江保护 1.0 阶段的政策文件

发展阶段	政策颁布时间(年)	政策文件名称
长江保护 1.0 (1973—2013 年)	1979	《中华人民共和国环境保护法(试行)》
	1984	《中华人民共和国水污染防治法》
	1996	《国务院关于环境保护若干问题的决定》
	2002	《中华人民共和国水法》
	2004	《四川省长江水源涵养保护条例》
	2010	《关于培育引导环保社会组织有序发展的指导意见》
	2011	《长江中下游流域水污染防治规划(2011—2015 年)》
	2011	《重庆市长江三峡水库库区及流域水污染防治条例》
	2011	《苏州市长江防洪工程管理条例》

6.1.2 长江保护 2.0(2013—2016 年)

党的十八大提出,要把生态文明建设放在突出地位,建设美丽中国。2013 年之后,一场场环保问责风暴在各地兴起,中国的环境保护事业进入更深、更广、更激烈的发展时期。2014 年最新修订的《中华人民共和国环境保护法》② (以下简称《环保法》)堪称"史上最严环保法",其对污染环境的涉事主体的处罚力度更为严厉,对公众参与和监督环境保护的规定更为全面,对政府的环保责任要求更为严格。《环保法》的修订为保护长江提供了坚实的法律依托,让污染长江成为企业、个人不可触碰的"高压线";为民间环保组织提供了法律武器,让污染监督、举证有法可依。2015 年,《关于加快推进生态文明建设的意见》③发布,并鼓励公众积极参与,明确指出要发挥民间组织和志愿者的积极作

① 中华人民共和国环境保护部. 关于培育引导环保社会组织有序发展的指导意见[J]. 环境科学研究,2011,24(2):123-124.

② 中华人民共和国生态环境部. 中华人民共和国环境保护法[EB/OL]. [2022-03-05]. http://www.mee.gov.cn/ywgz/fgbz/fl/201404/t20140425_271040.shtml.

③ 中国共产党中央委员会,中华人民共和国国务院. 关于加快推进生态文明建设的意见[EB/OL]. [2022-03-05]. http://www.wenming.cn/syjj/sp_syjj/201505/t20150505_2596370.shtml? from=androidqq.

用。民间环保组织能够在及时披露环境信息，维护公众环境权益，提起环境公益诉讼，监督、举证污染企业等方面大有可为。同年，环境保护部（现生态环境部）部务会议通过《环境保护公众参与办法》，[①]为公众参与环境保护提供了规范化的引导，鼓励更多的社会力量参与环境保护事业。这两部文件的出台激励了民间环保组织开展环保工作的热情，并为组织自身的发展规划指明了道路。公众、组织等社会面的参与开始融入长江环境政策的工具体系，这不仅优化了我国环境治理的主体格局，也为民间环保组织的壮大构建了良好的政策环境。

长江保护 1.0 时期主要是政府对长江环境的重视、监管，民间环保组织的作用相对而言比较有限，因此，保护长江的主体较为单一。长江保护 2.0 时期相较于 1.0 时期，更加强调公众和社会组织的重要性，民间环保组织在开展保护长江活动时拥有了政策依据。由此，民间环保组织能在保护长江的事宜上大施拳脚，这既与中国政府简政放权、激活市场主体、创造社会活力的政治体制改革有关，也是出于环境治理阶段的现实性考量，因为环境的改善在根本上取决于社会层面的保护。民间环保组织作为重要的社会力量，在污染预防、环境监督、环境美化、环境维权方面发挥着不可替代的作用。但是，由于针对民间环保组织的法规制度建设还比较滞后、管理体制还不够健全、培育引导力度不够以及其自身建设不足等，民间环保组织依然存在缺乏管理规范、质量参差不齐、作用发挥有限等问题，与我国建设生态文明和绿色发展的要求相比还有较大差距。[②]

表 6-2　长江保护 2.0 阶段的政策文件

发展阶段	政策颁布时间（年）	政策文件名称
长江保护 2.0 （2013—2016 年）	2014	《中华人民共和国环境保护法》
	2015	《关于加快推进生态文明建设的意见》
	2015	《环境保护公众参与办法》

6.1.3　长江保护 3.0（2016 年至今）

2016 年以来，国家对长江的生态环境提出了更高的要求，对长江的保护下

① 中华人民共和国环境保护部（现生态环境部）. 环境保护公众参与办法[EB/OL]. [2022-03-05]. http://www.mee.gov.cn/gkml/hbb/bl/201507/t20150720_306928.htm.

② 中华人民共和国环境保护部（现生态环境部），中华人民共和国民政部. 关于加强对环保社会组织引导发展和规范管理的指导意见[EB/OL]. [2022-03-10]. http://www.mee.gov.cn/gkml/hbb/bwj/201703/t20170324_408754.htm.

定了更大的决心，长江保护上升至国家战略层面。2016 年 2 月，中华人民共和国最高人民法院（以下简称最高人民法院）印发《关于为长江经济带发展提供司法服务和保障的意见》，这体现出司法服务在长江经济带中的重要作用。2016 年 3 月，《长江经济带发展规划纲要》审议通过并强调"长江经济带发展的战略定位必须坚持生态优先、绿色发展，共抓大保护，不搞大开发"①，这标志着长江保护进入 3.0 时期，即长江大保护阶段。2016 年 9 月，《长江岸线保护和开发利用总体规划》《长江经济带沿江取水口、排污口和应急水源布局规划》印发，这对长江进行总体管理规划发挥着重要作用。

2016 年，中共中央办公厅、国务院办公厅印发的《关于改革社会组织管理制度促进社会组织健康有序发展的意见》（以下简称《意见》）②中指出要"大力培育发展社区社会组织""完善扶持社会组织发展政策措施"，其中包括"支持社会组织提供公共服务""完善财政税收支持政策""完善人才政策""发挥社会组织积极作用"，并且要"依法做好社会组织登记审查""严格管理和监督"。该《意见》针对社会组织发展规范提出了指导意见，这是国家首次参与社会组织内部制度的规范工作。民间环保组织是社会组织的重要组成部分，完善社会组织的管理制度，使其健康有序发展，有助于民间环保组织的规范化和制度化。在该《意见》的基础上，次年，环境保护部（现生态环境部）和民政部下发的《关于加强对环保社会组织引导发展和规范管理的指导意见》③（以下简称《指导意见》）聚焦社会组织中的环保社会组织，针对其进行了专门的规范化指导。《指导意见》提出"到 2020 年，在全国范围内建立健全环保社会组织有序参与环保事务的管理体制""基本建立政社分开、权责明确、依法自治的社会组织制度，基本形成与绿色发展战略相适应的定位准确、功能完善、充满活力、有序发展、诚信自律的环保社会组织发展格局"。此总体目标是对民间环保组织管理体制的根本性变革，有助于改变民间环保组织管理混乱、无序生长的野蛮状态。为了实现总体目标，《指导意见》提出四项主要任务：做好环保社会组织登记审查；完善环保社会组织扶持政策；加强环保社会组织规范管理；推进环保社会组织自身能力建设。《指导意见》明确了环保部门、民政部门的职责，并要

---

① 人民网. 长江大保护"时间表"[EB/OL]. [2022-03-10]. https://baijiahao.baidu.com/s?id=1713636138117962123&wfr=spider&for=pc.

② 中共中央办公厅，国务院办公厅. 关于改革社会组织管理制度促进社会组织健康有序发展的意见[EB/OL]. [2022-03-10]. http://cpc.people.com.cn/n1/2016/0822/c64387-28653324-2.html.

③ 环境保护部（现生态环境部），民政部. 关于加强对环保社会组织引导发展和规范管理的指导意见[EB/OL]. [2022-03-10]. http://www.mee.gov.cn/gkml/hbb/bwj/201703/t20170324_408754.htm.

求通过建立工作机制、规范服务管理、加强宣传引导的方式做好《指导意见》的组织实施。该《指导意见》是对"创新、协调、绿色、开放、共享"发展理念的贯彻，是推进国家治理体系和治理能力现代化的重要举措。《指导意见》为民间环保组织发挥环境治理的协同作用释放了政策空间，提供了政策工具。从 2010 年的《关于培育引导环保社会组织有序发展的指导意见》到 2016 年的《关于改革社会组织管理制度促进社会组织健康有序发展的意见》，再到 2017 年的《关于加强对环保社会组织引导发展和规范管理的指导意见》，国家对社会组织的重视程度逐渐加深，其中，尤其重视环保社会组织。由此，民间环保组织内部的管理逐渐有了更为具象的指导，其发展更为有序、规范。

2019 年发布的《长江保护修复攻坚战行动计划》，要求坚定不移地以实际行动改善长江生态环境质量。2020 年审议通过的《中华人民共和国长江保护法》[①]（以下简称《长江保护法》）对长江流域的生态保护做了全面系统的规定，涵盖了规划与管控、资源保护、水污染防治、生态环境修复、绿色发展等方面的内容，针对长江流域这一特定区域的生态环境，采取最严格的标准和最严厉的处罚，体现出生态优先、绿色发展的理念。法律是具有最高效力的政策文件，《长江保护法》使得长江保护上升为国家意志，保护长江有法可依。《长江保护法》第六十三条指出："国家按照政策支持、企业和社会参与、市场化运作的原则，鼓励社会资本投入长江流域生态环境修复。"可见，这是以法律条文的形式鼓励民间力量参与长江保护工作，民间环保组织开展保护长江的活动从此得到法律支持，社会组织参与的多元共治新格局将为长江生态可持续发展提供不竭动力。

长江保护 3.0 主要侧重于制度层面建设，即长江保护的法律与社会组织的管理制度。长江保护 1.0 时期是对长江环境和民间环保组织重要性认识的萌芽与起步阶段，政策停留在意识层面；长江保护 2.0 时期的政策将认识转化为实践，一系列保护长江的方针政策以及指导民间环保组织参与环境保护的规范体系相继出台；长江保护 3.0 时期在认识和实践的基础之上，将实践制度化，尤其是法制化。长江保护经历了政策萌芽的 1.0 时期，政策探索的 2.0 时期，正在经历政策成熟的 3.0 时期，其内涵更加丰富，制度更加完善，公众参与的渠道更加通畅。政策的精进不休，为民间环保组织参与长江保护提供了愈加广阔的政策和行动空间，塑造着民间环保组织的发展势态，也建构着民间环保组

① 全国人民代表大会常务委员会. 中华人民共和国长江保护法[EB/OL]. [2022-04-03]. https://www.mee.gov.cn/ywgz/fgbz/fl/202012/t20201227_814985.shtml.

织的发展格局。

表 6-3　长江保护 3.0 阶段的政策文件

发展阶段	政策颁布时间(年)	政策文件名称
长江保护 3.0(2016 年至今)	2016	《关于为长江经济带发展提供司法服务和保障的意见》
	2016	《长江经济带发展规划纲要》
	2016	《长江岸线保护和开发利用总体规划》
	2016	《长江经济带沿江取水口、排污口和应急水源布局规划》
	2016	《关于改革社会组织管理制度促进社会组织健康有序发展的意见》
	2017	《关于加强对环保社会组织引导发展和规范管理的指导意见》
	2019	《长江保护修复攻坚战行动计划》
	2020	《中华人民共和国长江保护法》

6.2　民间环保组织保护长江的实践

“远似银藤挂果瓜，近如烈马啸天发。雄浑壮阔七千里，通络润滋亿万家”，[①]雄浑壮阔的长江恩泽着沿岸的人们。位于长江三峡库区的白鹤梁题刻记录了自唐以来 1 200 多年间长江中上游 72 个年份的枯水年水文资料以及众多文人墨客的诗文。千百年来，古代先民长期观测长江水位变化，以在石梁上刻鱼为标的独特方式，记录了长江历代枯水年水位的基本情况，形成了 108 段具有水文价值的枯水题刻。[②] 由此可见，关心和爱护长江的民间精神生生不息，观察和保护长江的实践活动源远流长。民间环保组织是推动长江保护的重要力量，其保护长江的实践活动丰富，活动的主要内容可以大致分为五类：保护长江的宣传教育活动；与长江生态环境有关的科研调查活动；解决具体问题的环卫活动；进行环境维权的公益活动；从顶层设计层面出发的立法推动活动。

6.2.1　环境教育

环境教育是民间环保组织贯穿始终的主题，也是民间环保组织创始人的

① 引自左河水《长江》一诗。

② 蒋锐. 白鹤梁题刻：传承水利文化精神[N]. 中国水利报，2021-02-04.

初心。宣传保护长江、教育公众保护长江是许多民间环保组织的基础性工作。学校、社区是民间环保组织开展保护长江宣传教育活动的主要场所，制作宣传册、书籍、音视频，举办环境展览、论坛等是其宣传教育的主要方式。

与教科书式的环保说教不同，民间环保组织寓教于乐，依托丰富多彩的娱乐活动向公众传达环保理念。1996 年，绿色江河的创始人杨欣带领绿色江河冰川考察队在长江源冰川前（海拔 5 400 米）举办了以“共同的责任、共同的未来”为主题的大地装置艺术作品展；同年，杨欣还组织培训了全国 13 所高校的 25 名相关大学生，带领他们到雪山进行实地考察，举办了“青年应对气候变化之未来”论坛。[①] 绿色汉江于 2004 年 4 月，发起并组织了“徒步唐白河环保行”活动，以此活动向公众宣传保护长江。[②] 青海省三江源生态环境保护协会开展了致力于推动青少年生态道德教育的“绿色希望计划”。[③] 2019 年 10 月，绿色江城在天兴洲开展了“长江大保护，我们在行动”环保公益活动，对长江进行生态巡查；次月，该组织开展了“长江天兴洲野外环保科普课堂”活动，通过科普的形式普及长江保护相关知识。岳阳市江豚保护协会举办全国首届“江豚文化节”，开展多种形式的演讲、宣传活动，营造江豚保护的社会氛围。[④]

民间环保组织的教育功能决定了其始于精英和面向大众的特性，其创始人大致可以分为教育精英、政治精英和经济精英等类型。世界自然基金会的创始人之一朱利安·赫胥黎是英国著名的生物学家，也是联合国教科文组织在东非地区的野生动物保护活动顾问，他具备丰富且专业的环境科学知识，享有较高的社会声望；[⑤]绿色江河的创始人杨欣是 20 世纪 80 年代的大学生；重庆市绿色志愿者联合会的创始人吴登明则是高校教职工；《湖南日报》记者徐亚平利用媒体人的专业素养和媒介高效的传播力成立了我国首个江豚保护机构——岳阳市江豚保护协会。他们四人都具有丰富的知识储备和较强的学习能力，这种学识和能力可迁移到民间环保组织的创立和运作上。运建立在成

---

① 汪永晨，王爱军. 守望：中国环保 NGO 媒体调查[M]. 北京：中国环境科学出版社，2012：65-85.

② 陈霜，刘艳，陈春林，等. 唐白河 我的眼泪是一条浊河——“徒步唐白河”环保行记事[J]. 今日湖北，2004(7)：9-11.

③ 汪永晨，王爱军. 守望：中国环保 NGO 媒体调查[M]. 北京：中国环境科学出版社，2012：280-293.

④ 陈传伟. 新社会组织参与社会管理引导研究——以长江江豚保护协会为例[J]. 岳阳职业技术学院学报，2013，28(6)：33-37.

⑤ 李宁. 大熊猫成为全球自然保护运动的偶像标志——六十年代的 WWF[J]. 森林与人类，2002(7)：29-30.

立绿色汉江的时候，担任襄樊市（现襄阳市）政协委员，拥有丰富的社会资源。绿色江城的创始人柯志强曾是一名广告公司老板，他为创办环保组织绿色江城，放弃了许多经济利益。① 简而言之，这些民间环保组织大多是由各类教育精英、政治精英和经济精英发起或推动而成。他们知识储备丰富，对环境敏感，具有一定的社会资源和经济资本，个人综合素质强，环境教育依赖于这样的环保精英。

6.2.2 科学研究

科学研究是通过调查、验证、推论、分析来探究问题本质的一系列活动，为解决问题提供理论前提和科学方法。长江流域面积广阔，水系构成复杂，水文特征丰富，开展长江科学研究不仅能在本质上对水污染追根溯源，也能够丰富关于长江的理论知识。

民间环保组织凭借其自发性、群众性的优势开展长江科学研究，是对官方科研的有益补充。2003 年 1 月，重庆市绿色志愿者联合会组织 19 名中外志愿者赴长江三峡进行科学考察活动，并举办了由 150 多位中外环保人士到会交流和研讨的首届长江健康论坛。② 在世界自然基金会（WWF）的建议和资助下，中国环境与发展国际合作委员会流域综合管理课题组于 2004 年成立，③推动了长江流域新一轮的综合规划研究工作。2005 年，WWF 推动创建了“长江论坛”这一平台，邀请来自中华人民共和国水利部、国家环境保护总局（现中华人民共和国生态环境部）等 27 家单位高层代表共商长江流域保护与发展大计，为政府部门、国际组织、学术机构提供了一个共同研讨长江保护与发展的平台。④ 2014 年，湖南绿色发展研究院与民间环保组织绿色潇湘签订战略合作备忘录，这是科研机构与民间环保组织在数据共享方面的合作。⑤ 2016 年，绿色江河开展长江源区冰川考察及生物多样性调查，为长江的生态保护提供了理论支撑。⑥ 2018 年，众多民间环保组织参与了“长江生物资源保护论坛”，如阿拉善 SEE 生态协会、湖北省长江生态保护基金会（简称 CCF）。CCF 发起了社会化

---

① 荆楚网. 武汉老板为环保事业放弃开公司 调查东湖排污口险被暴打[EB/OL]. [2022-05-03]. http://news.cnhubei.com/xw/sh/201407/t2995415.shtml.

② 史云锋. 重庆市绿色志愿者联合会[J]. 世界环境，2013(2)：91.

③ 赵设. 流域水资源综合管理体制研究——以伊通河为例[D]. 长春：东北师范大学，2013.

④ 王资峰. 中国流域水环境管理机构演变论析[J]. 云南行政学院学报，2012，14(6)：85-89.

⑤ 科学网. 湖南科研机构与民间环保组织首度合作[EB/OL]. [2022-04-07]. https://news.sciencenet.cn/sbhtmlnews/2014/3/284432.shtm.

⑥ 汪永晨，王爱军. 守望：中国环保 NGO 媒体调查[M]. 北京：中国环境科学出版社，2012：78-79.

参与长江大保护的重要资助项目——“豚越计划”，该项目致力于推动更多的科研力量(特别是年轻的科研工作者)参与到长江江豚等旗舰物种的保护工作中来，为社会化参与长江大保护提供科研和理论基础。[①]

民间环保组织开展的长江科学研究活动主要是依托专业的科研机构和官方举办的学术论坛，鲜有民间环保组织召集专业研究人员开展长江科研活动。民间环保组织在长江学术论坛上建言献策，为科研团队筹集、捐赠资金，为科考项目提供志愿者，为长江的科学研究贡献民间力量。

6.2.3 长江环卫

针对长江的环境卫生问题，民间环保组织开展了许多长江环卫活动，主要有长江流域废弃物处理、美容绿化、垃圾清扫等。相比宣传教育和科学研究，以解决问题为导向的环卫活动能在短时间内明显地改善长江的环境卫生。

长江流域经济发达，生产生活垃圾众多，民间环保组织开展过许多垃圾清理活动。绿色江河开展了“带走一袋垃圾，呵护长江水源”和“清洁青藏线，保护长江源”项目，其间，绿色江河建议政府应该尽快在雁石坪、沱沱河建立专门的垃圾清运机构，通过收集生活垃圾，购置专门的运输汽车或利用火车，把沱沱河、雁石坪等地的垃圾集中运送至格尔木市，再由格尔木市的垃圾收运部门接收，送至垃圾卫生填埋场集中处置，从而彻底解决长江源区垃圾长期污染的状况。[②] 绿色汉江先后在汉江及其支流沿岸深入调查污染源一千余次，行程十几万公里，督促本地政府关停了上百家小工厂，还江水一片清澈，让保护汉江的环保理念深入人心。[③] 长江源生态环境保护中心开展“带走一袋垃圾”项目，志愿者们向货运司机发放垃圾袋，让货运司机自行带走垃圾，以此减少公路沿线随意丢弃的垃圾。长江源生态环境保护中心还用奖品兑换的方式鼓励牧民把草原和公路上的垃圾运送至驿站。[④] 重庆市绿色志愿者联合会独立开展了三峡水库“清库”调查监督，促成了库区万州、奉节、巫山等区县的“清库”工作和水环境保护。

---

① 网易湖北. 本土环保社会组织如何参与长江大保护？——有感于长江生物资源保护论坛水生野生动物保护分论坛. [EB/OL]. [2022-04-07]. https://3g.163.com/local/article/DVRS778104088MD6.html.

② 汪永晨，王爱军. 守望：中国环保 NGO 媒体调查[M]. 北京：中国环境科学出版社，2012：78-79.

③ 汪永晨，王爱军. 守望：中国环保 NGO 媒体调查[M]. 北京：中国环境科学出版社，2012：294-312.

④ 金台资讯. 守护生命长江源[EB/OL]. [2022-04-10]. https://baijiahao.baidu.com/s?id=1713286009764461099&wfr=spider&for=pc.

民间环保组织在维护长江水域、沿岸道路、公共场所的环境整洁方面作出了巨大的努力和贡献，是长江流域清洁背后的奉献者。长江环卫是民间环保组织比较容易开展的一项活动，其活动内容简单、活动见效显著、参与人员灵活，是每一个民间环保组织都长期坚持、定期开展的环保项目。

6.2.4 公益诉讼

2014 年修订的《中华人民共和国环境保护法》完善了社会组织提起环境公益诉讼的制度和条件，2015 年《最高人民法院关于审理环境民事公益诉讼案件适用法律若干问题的解释》①明确了社会组织提起公益诉讼的主体资格、环境公益诉讼的适用范围以及人民法院审理环境民事公益诉讼案件的相关程序。2016 年 1 月至 2020 年 6 月，长江流域各级人民法院共依法审理各类环境资源公益诉讼案件 4 944 件。② 民间环保组织能作为诉讼主体对污染企业、个人提起公益诉讼是司法审判的创新，对于推动环境公益诉讼的健康发展具有重要意义。我们基于媒体披露的相关典型案例进行简要介绍和说明（见表 6-4）。

表 6-4 民间环保组织参与的公益诉讼

审理时间	原告	被告
2016 年	中国生物多样性保护与绿色发展基金会	××化工股份有限公司、××有限公司
2017 年	中华环保联合会	××有限公司
2017 年	中华环境保护基金会	××水务有限公司
2017 年	湖南省益阳市环境与资源保护志愿者协会	××纸业有限公司
2021 年	中国生物多样性保护与绿色发展基金会	××水电开发有限公司

（1）中国生物多样性保护与绿色发展基金会诉××化工股份有限公司、××有限公司环境污染民事公益诉讼案

① 最高人民法院. 最高人民法院关于审理环境民事公益诉讼案件适用法律若干问题的解释[EB/OL]. [2022-04-10]. http://www.yudu.gov.cn/ydxxxgk/c100259cg/202112/57da1a63a-586465d847c9ab8d29c21cf.shtml.

② 最高人民法院.《长江流域生态环境司法保护状况》白皮书[EB/OL]. [2022-04-10]. http://peixun.court.gov.cn/index.php? m=content&c=index&a=show&catid=6&id=1803.

2015年8月2日，××化工股份有限公司将新增的生产废水通过罐车运至××有限公司磷石膏渣场倾倒，截止到2015年9月7日，总量100余吨。A市环保局作出《行政处罚及停产整顿决定书》，对××化工股份有限公司作出罚款10万元决定。原告中国生物多样性保护与绿色发展基金会对两公司提起公益诉讼。①

(2) 中华环保联合会诉××有限公司等水污染公益诉讼案

××有限公司经营的粗铟工厂无危险废物经营资质，未依法取得建设项目环境影响评价审批同意，未配套任何污染防治设施。××公司与A公司签订协议，约定A公司为××公司的粗铟生产提供资金支持，A公司派人参与××公司的经营管理和业务购销，并约定了盈利分配比例。××公司与B公司签订合同，B公司分8次非法向××公司提供铅泥291.85吨，A公司支付B公司用于非法采购危险废物款项65万元。C公司负责人杨某某与××公司签订合同，由C公司向××公司提供机头灰、铅泥，进行非法提炼利用。C公司分12次向××公司提供机头灰149.14吨。D公司将机头灰与××公司非法置换铅泥，分17次向××公司提供机头灰351.29吨。B公司、C公司、D公司向××公司提供的危险废物共计792.28吨。××公司在生产过程中，将未经处理的含镉、铊、镍等重金属及砷的废液、废水，通过私设暗管的方式，直接排入某流域，造成某市饮用水厂供水中断的特别重大环境突发事件。中华环保联合会起诉请求判令各被告立即停止违法转移、处置危险废物，向公众赔礼道歉；承担清除污染及环境应急处置费用9 263 301元；各被告对流域的生态环境进行修复，并承担生态环境修复费用21 991 610元和生态环境修复期间服务功能的损失、监测费用等9 952 443元。②

(3) 中华环境保护基金会诉××水务有限公司水污染公益诉讼案

××水务有限公司位于江苏省某化学工业园区内，经营范围为污水处理厂的开发、经营，主要接纳处理化工园区内各企业的工业废水及附近小区、乡镇的生活污水。因2015年12月22日至2016年4月14日某化学工业园区多次发生排水口废水污染物超标排放事件（排放的废水中化学需氧量和氨氮含量超标），A市环保局数次对该公司进行行政处罚，该公司按时缴纳了行政罚款。为解决废水超标排放问题，该公司实施了临时加药应急方案及长效稳定

① 搜狐网. 昨日，湖北省高院通报生态环保10大典型案例，涉及××市两起～～[EB/OL]. [2022-04-15]. https://www.sohu.com/a/143393092_758173.

② 中国法院网. 中华环保联合会诉××有限公司等水污染公益诉讼案[EB/OL]. [2022-04-15]. https://www.chinacourt.org/article/detail/2018/11/id/3589319.shtml.

方案，催化氧化处理工程和长江排水口改造工程经过建设方和施工方的内部验收，但未经过环保部门竣工验收批复。中华环境保护基金会起诉请求判令该公司立即停止污染水环境的排放行为并消除水环境污染危险，赔偿超标排污所产生的水环境治理费用并向社会公众公开赔礼道歉。2017 年 7 月 5 日，某化学工业园区管理委员会与该公司解除污水处理厂项目特许经营协议。①

(4) 湖南省益阳市环境与资源保护志愿者协会诉××纸业有限公司水污染公益诉讼案

××纸业有限公司(以下简称××纸业公司)生产过程中产生的废水经环保设施处理后排入洞庭湖。2016 年 10 月 17 日，××纸业公司开始对污染处理设施进行升级改造。12 月 1 日，在修建曝气系统基建工程时，由于曝气池与厌氧池液位落差偏大致使隔离钢板出现裂缝，造成部分废水通过曝气池溢入未拆除完全的废水排放管道进入某河。但××纸业公司未立即采取停机、停产、限排等应急措施。12 月 4 日，曝气池与厌氧池之间的隔离钢板突然断裂，造成曝气池液位上涨，致使大量废水通过纸厂废水排放管道直接进入某河，流入洞庭湖。同日，市环境监察支队得到群众举报后进行现场勘查，在暗管进口(未处理废水排放口)、排污口取水样检测，报告显示排污口和暗管进口化学需氧量、悬浮物、总磷悬浮物均超标。××纸业公司于当日采取了停产、停排的应急措施，并于 12 月 5 日将纸厂废水排放管道拆除后用混凝土封堵。××纸业公司为确保污染物稳定达标排放，于 2017 年 4 月启动新污水处理项目建设。益阳市环境与资源保护志愿者协会提起公益诉讼，请求判令××纸业公司对污染的水环境要素进行修复，并承担生态环境修复费用(以司法鉴定为准)；承担污染检测检验费、评估鉴定费、差旅费、专家咨询费、案件受理费。②

(5) 中国生物多样性保护与绿色发展基金会诉××水电开发有限公司生态环境保护民事公益诉讼案

雅砻江上的牙根梯级水电站由××水电开发有限公司(以下简称××公司)负责建设和管理，现处于项目预可研阶段，水电站及其辅助工程(公路等)尚未开工建设。

2013 年 9 月 2 日发布的中国生物多样性红色名录中，五小叶槭被评定为

---

① 中国法院网. 中华环境保护基金会诉××水务有限公司水污染公益诉讼案[EB/OL]. [2022-04-15]. https://www.chinacourt.org/article/detail/2018/11/id/3589322.shtml.

② 中国法院网. 湖南省益阳市环境与资源保护志愿者协会诉××纸业有限公司水污染公益诉讼案[EB/OL]. [2022-04-15]. https://www.chinacourt.org/article/detail/2018/11/id/3589326.shtml.

“极危”。2016年2月9日，五小叶槭被列入《四川省重点保护植物名录》。2018年8月10日，世界自然保护联盟在其红色名录中将五小叶槭评估为“极度濒危”。当时我国《国家重点保护野生植物名录》中无五小叶槭。2016年9月26日，四川省质量技术监督局发布《五小叶槭播种育苗技术规程》。案涉五小叶槭种群位于四川省雅江县麻郎措乡沃洛希村，当地林业部门已在就近的通乡公路堡坎上设立保护牌。

2006年6月，中国水电顾问集团成都勘测设计研究院（以下简称成勘院）完成《四川省雅砻江中游（两河口至卡拉河段）水电规划报告》，报告中将牙根梯级水电站列入规划，该规划报告于2006年8月通过了水利部水电水利规划设计总院会同四川省发展改革委组织的审查。2008年12月，四川省人民政府以川府函〔2008〕368号文批复同意该规划。2010年3月，成勘院根据牙根梯级水库淹没区最新情况将原规划的牙根梯级调整为牙根一级（正常蓄水位2 602 m）、牙根二级（正常蓄水位2 560 m）两级开发，形成《四川省雅砻江两河口至牙根河段水电开发方案研究报告》，该报告于2010年8月经水利部水电水利规划设计总院会同四川省发展改革委审查通过。

2013年1月6日、4月13日国家发展改革委办公厅批复：“同意牙根二级水电站、牙根一级水电站开展前期工作。由××公司负责建设和管理，按照项目核准的有关规定，组织开展水电站的各项前期工作。待有关前期工作落实、具备核准条件后，再分别将牙根梯级水电站项目申请报告上报我委。对项目建设的意见，以我委对项目申请报告的核准意见为准，未经核准不得开工建设。”

中国生物多样性保护与绿色发展基金会（以下简称绿发会）认为，雅江县麻郎措乡沃洛希村附近的五小叶槭种群是当今世界上残存最大的五小叶槭种群，是唯一还有自然繁衍能力的种群。牙根梯级水电站即将修建，根据五小叶槭雅江种群的分布区海拔高度和水电站水位高度对比数值，牙根梯级水电站以及配套的公路建设将直接威胁到五小叶槭的生存，对社会公共利益构成直接威胁，绿发会遂提起本案预防性公益诉讼。①

事实上，中国生物多样性保护与绿色发展基金会展开了多项环境公益诉讼，其中，上述案例就创下了两个“首例”。“中国生物多样性保护与绿色发展基

① 中华人民共和国最高人民法院．指导案例174号：中国生物多样性保护与绿色发展基金会诉雅砻江流域水电开发有限公司生态环境保护民事公益诉讼案[EB/OL]．[2021-12-03]．https://www.court.gov.cn/shenpan/xiangqing/334701.html.

金会诉××化工股份有限公司、××有限公司环境污染民事公益诉讼案”是自新环保法实施以来，长江环保公益诉讼的第一案。被告方作为化工企业，非法倾倒污染物，对长江水质和山林植被造成了直接污染。而“中国生物多样性保护与绿色发展基金会诉××水电开发有限公司生态环境保护民事公益诉讼案”是全国首例针对珍稀野生植物的预防性公益诉讼。雅砻江是长江上游的支流，长江上游水能资源丰富、生物物种多样、生态环境优越的同时，也是生态环境敏感的地区，该案体现出民间环保组织力图在开发水电利益与濒危动植物保护之间寻求平衡，以及保护生物多样性的担当。

2018 年，最高人民法院环境资源审判保障长江经济带高质量发展十大典型案例中，有三件都是由民间环保组织作为诉讼主体发起的，分别为上文提及的“中华环保联合会诉××有限公司等水污染公益诉讼案”、“中华环境保护基金会诉××水务有限公司水污染公益诉讼案”和“湖南省益阳市环境与资源保护志愿者协会诉××纸业有限公司水污染公益诉讼案”。这三例案件均与企业非法排污造成长江水域污染有关，体现出民间环保组织在着力打好碧水保卫战。在环境公益诉讼方面，民间环保组织发挥着多重作用，不仅可以作为原告直接提起公益诉讼，还可以为其他主体提供证据、信息、资金等方面的援助，监督环境公益诉讼判决的执行，[①]是长江流域生态环境改善和经济高质量发展的重要帮手。

6.2.5 推动立法

环境问题的预防和遏制离不开全面的法律规范，环境立法填补了先行法律体系的空白，是生态文明的法制保障，使得环境监督与环境保护得以有法可依。《环境影响评价公众参与办法》、《中华人民共和国政府信息公开条例》和《生态环境部政府信息公开实施办法》等法律法规的实行，使民间环保组织拥有更丰富的渠道和更完善的信息参与公共政策的制定与推行。

民间环保组织推动立法机关制定环境保护相关法律是社会力量参与法制进程的体现，不仅能够完善公众政策参与机制，促进立法的科学化、民主化，也能够提高民间环保组织的环保能力。2010 年，自然之友、公众环境研究中心等 8 家民间环保组织曾集体上书中华人民共和国环境保护部(现中华人民共和国生态环境部)，“要求就长江上游珍稀特有鱼类国家级自然保护区的调整召开

① 王社坤. 民间环保组织在环境公益诉讼中的角色及作用调研报告[EB/OL]. [2022-04-17]. http://www.nrdc.cn/Public/uploads/2016-12-02/5841642fe31f3.pdf.

听证会，同时要求公开该保护区调整的具体内容和理由”。① 这是民间环保组织要求政府信息公开，监督政府重视长江生态的一次尝试，虽未直接推动立法，但却间接引发了人们对保护长江珍稀动物立法的思考。此外，自然之友还开展过“一系列土壤污染防治立法调研、土壤污染类公益诉讼个案梳理和土壤污染防治立法研讨活动，向全国人大常委会法制工作委员会提交了立法意见和建议”；向全国人大常委会有关立法机关及原中华人民共和国环境保护部提交相关立法调研报告。最终，正式发布的《中华人民共和国土壤污染防治法》采纳了自然之友提出的包括细化污染者担责制度等十余条立法意见。② 自然之友以调研的信息为基础，向立法机关呈交建议，最终推动环境相关法律的完善。2019 年，湖北省长江生态环境保护基金会主办了长江生态环境保护立法研讨会，以期共同为长江保护立法建言献策，这是社会力量首次参与长江大保护的立法建设。湖北省长江生态环境保护基金会理事长建议在《中华人民共和国长江保护法》的条文中增添支持和鼓励社会公益组织广泛参与的内容。③

民间环保组织生于社会，长于社会，对社会中的环境问题有更高的敏锐度和洞察力，加之其广泛吸取社会力量，能做到集思广益。民间环保组织掌握第一手的环境资料，为环境立法建言献策，使得法律文本更具科学性；督促立法机关开展环境立法，使得环境法律体系更加健全；推动顶层设计，实现生态文明、低碳绿色的美好愿景。

6.3 长江保护中民间环保组织的实践走向

随着我国政府简政放权，社会力量逐渐被激活，加之环境治理深化，民间环保组织保护长江的内容、形式和组织管理在此背景下发展演变，迈向污染预防、智慧型和统一管理。但这并不意味着民间环保组织抛弃了末端防污和传

① 第一财经. 自然之友要求农业部信息公开[EB/OL]. [2022-04-17]. https://www.yicai.com/news/843231.html.

② 澎湃新闻. 社会组织如何促民意进“两会”？周晋峰接受《中国环境报》采访分享做法与经验[EB/OL]. [2022-04-17]. https://www.thepaper.cn/newsDetail_forward_7700323.

③ 澎湃新闻. 长江生态环境保护立法研讨会召开：推动社会化参与长江大保护[EB/OL]. [2022-04-17]. https://baijiahao.baidu.com/s?id=1643080315991329328&wfr=spider&for=pc.

统人力，而是民间环保组织在内容和形式上的侧重点发生了变化。

6.3.1 从污染处理迈向污染预防

污染处理是在环境问题产生之后的行为，治标不治本；污染预防是从根本上遏制环境问题的产生，将环境污染扼杀在摇篮里。民间环保组织通过环卫工作处理污染，这固然是解决环境污染的有效方式，但补救是滞后于环境污染的，只有预防污染才能在本质上保护环境。

绿色江河通过环境教育和创新污染处理的方式预防污染，它建立索南达杰自然保护站、发起“长江冰川拯救行动”、举办以“共同的责任、共同的未来”为主题的大地装置艺术作品展、开展“带走一袋垃圾，呵护长江水源”“清洁青藏线，保护长江源”等一系列环保教育活动，对长江发源地的生态环境作出了巨大贡献。青藏铁路长江源区的污染管理机制曾长期处于不完善的状态，几乎没有政府设立的垃圾收运机构和设施。随着西藏经济的高速发展和青藏铁路的通车，铁路沿线小镇的垃圾污染变得日趋严重。2007 年，绿色江河招募志愿者对青藏铁路长江源区的沱沱河镇、雁石坪镇的垃圾污染状况进行了系列调查，发现只有从源头上完善垃圾处理机制，才能彻底解决青藏铁路沿线长期存在的污染问题。随后，绿色江河组织志愿者根据青藏线长江源区人烟稀少、居民分散的特征，向环保部、西藏自治区人民政府、青海省人民政府、中国铁路青藏集团有限公司等部门提出了“分散收集、长途运输、集中处置”的建议。[①] 绿色江河通过创新垃圾收集的方法，从源头上解决了青藏铁路沿线的垃圾污染问题。

重庆市绿色志愿者联合会开展了许多环境教育活动，如走出校园，来到广场、车站、码头，向市民宣传环保知识，组织环保活动。1999 年，重庆市绿色志愿者联合会开展“徒步嘉陵江环保考察”，吴登明率领重庆环保志愿者边考察、边宣传环保，摸清了整个嘉陵江的主要污染源，以此提出 27 项有关环境问题的建议，政府采纳建议后关闭了 2 家排污企业，保护了嘉陵江一江清水。再如，重庆市绿色志愿者联合会在环保考察中发现甘南地区一家采金厂将工业废水直接排入嘉陵江流域，吴登明等人随即与当地环保相关部门开展座谈会，说服污染企业主动治理污染，最终促成该环境问题的解决。2000 年，群众不满四川省武胜县铯盐厂向嘉陵江排污，重庆市绿色志愿者联合会督促该县

① 汪永晨，王爱军. 守望：中国环保 NGO 媒体调查[M]. 北京：中国环境科学出版社，2012：78-79.

环保局执法，最终武胜县政府取缔该厂，并关闭了一座新建造纸厂。[①] 重庆市绿色志愿者联合会的工作内容最初以宣传教育为主，后期以调查污染源、切断污染的源头为保护思路开展工作。

绿色汉江是长江中游地区的民间环保组织，其在源头预防污染等议题方面有过多次实践。比如，2004 年，绿色汉江成功组织策划了“徒步唐白河环保行”活动，用 5 天时间对跨界水污染进行实地调查、宣传，将公众注意力吸引到唐白河，使公众意识到污染源来自上游，并将污染情况向省、市及中央反映，呼吁加大跨区域水污染的治理力度。引起中央关注后，原国家环境保护总局派人调研。但是，由于唐白河的污染属于河南和湖北两省之间的跨界污染，解决难度特别大。在唐白河跨界污染问题的解决过程中，绿色汉江起到了重要推动作用。2010 年 6 月，接群众举报，汉江河边被养猪场污染，绿色汉江立即安排环保小分队多次前往现场实地查看，组织媒体报道并把有关情况向中华人民共和国水利部和中华人民共和国环境保护部（现生态环境部）反映，两个部门很快派专员前往调查，并下达了处罚通知书，最终养猪场被关停，汉江边又拔掉一个污染源。[②] 绿色汉江调查污染源督促政府取缔污染企业，从源头上保证了汉江的水质。总的来看，比起单纯的说教活动，监督、督促政府取缔污染企业的活动更能从现实意义上保护长江。

6.3.2 从人力依赖迈向智能导向

民间环保组织开展活动的形式可以分为人力依赖型和智能导向型。人力依赖型单纯靠传统人力资源组织线下宣讲、活动等，智能导向型更多利用大数据、云计算、人工智能等技术，对污染信息进行动态监测和管理，对长江进行精准治理。在新兴技术和环境治理相结合更加深入的今天，民间环保组织开展活动势必更加信息化和智能化。

绿色江河从初创至今，在青藏高原的动物和环境保护方面做了很多基础工作，尤其是采集和整合科学数据，仅仅有关藏羚羊的调查报告就包含了一百余次调查，一千余条数据。通过数据整合，绿色江河掌握较完整的环境科学数据，从而搭建起全面的环境知识库，为环境政策的科学合理决策提供智力支持。2007 年 7 月，绿色江河安排志愿者为村民开展语言及城市基本常识培训、

---

① 汪永晨，王爱军. 守望：中国环保 NGO 媒体调查[M]. 北京：中国环境科学出版社，2012：41-52.

② 汪永晨，王爱军. 守望：中国环保 NGO 媒体调查[M]. 北京：中国环境科学出版社，2012：302-308.

移民村网站建设等方面的活动，为每个家庭建立了电子化的家庭档案，极大地方便了政府的管理，同时也为村管委会找到适合这些特殊移民谋求生计的模式提供了更科学的数据。[①] 通过创新管理模式——建立电子化档案，绿色江河让移民管理更加智慧和人性化。随着抖音、快手等短视频平台的兴起，绿色江河紧跟时代潮流，注册了官方的抖音、快手账号，通过短视频的形式传播环保理念，引领环保风尚。

单纯依靠人力的传统型环保活动，覆盖面有限、人力成本高且效率低下。重庆市绿色志愿者联合会在20世纪末依靠人力做了大量的环境教育工作，比如组织志愿者在人流密集场所发放数万份传单。2009年，在阿拉善SEE项目基金会资助下，重庆市绿色志愿者联合会开展了为期两年的重庆市环境法律律师协作网络建设，通过环境法律咨询、环境法律维权服务、实施法律援助等依法保护公民的环境权益。后来，重庆市绿色志愿者联合会转变了发展思路，学会借力，运用整体思维开展环境保护工作。2010年，该民间环保组织独立开展长江上游野生鱼类资源调查活动，搭建政府与环保民间组织沟通的平台。同年3月，重庆市绿色志愿者联合会结合数年的环境法律服务实践，向重庆市人民代表大会提交建立重庆环保法庭的提案并开展工作调研。2011年，此项工作取得实质性结果，即建立环保法庭，开展环境公益诉讼，并可能实现"环保民间组织可作为环境公益诉讼的主体资格"的突破。[②] 重庆市绿色志愿者联合会通过律师协作网络建设、搭建沟通平台，构建出智慧治理的配套设施，促进民间环保组织活动的合法合情。

绿家园志愿者(简称绿家园)早期开展了许多线下环保活动，线下活动的时间成本、经济成本和人力成本较高，传播力度有限。后来，绿家园开展了中国民间环保组织的观鸟以及线下"领养树"活动。2006年开始，绿家园发起并组织了有多家媒体参加的"江河十年行"活动，[③]运用新兴的传播媒介，能更快传递环保理念，宣传环保活动，影响更多人群。这是绿家园开展的一项江河保护活动，其中包括长江。民间环保组织力量薄弱，必须要通过一定渠道将观点传达出去，而媒体就是最好的传播渠道。在"江河十年行"的实践过程中，媒体

---

① 汪永晨，王爱军. 守望：中国环保NGO媒体调查[M]. 北京：中国环境科学出版社，2012：77.

② 汪永晨，王爱军. 守望：中国环保NGO媒体调查[M]. 北京：中国环境科学出版社，2012：41-49.

③ 汪永晨，王爱军. 守望：中国环保NGO媒体调查[M]. 北京：中国环境科学出版社，2012：125.

随行考察，并借助专家的介绍、引导，作了一系列的调查报告，这些报道在一定程度上引起了政府的重视。在博客、网站、微博上，“江河十年行”正在发挥网络的即时性特点，进一步加强“江河十年行”和普通读者、网民之间的互动。绿家园借助新媒体平台，引发公众对长江保护的思考，提高公众保护长江的意识。

6.3.3 从野蛮生长迈向有序管理

随着管理经验的积累，民间环保组织逐渐改变组织管理模式，摆脱无序混乱的状态，依靠明确的规章制度及组织化合作，跳出自我封闭的索套，迈向统一管理。从全国总体情况看，民间环保组织数量持续增长，政府的积极、有效引导能够促进各类组织持续健康发展。在政府倡导“有序参与”的原则下，国内环保组织与国外同类型组织加强联系与合作，促进民间环保组织的健康发展，推动环境监督和环境问题的解决。

重庆市绿色志愿者联合会刚创办时，群众环保意识淡薄、群众对环保组织陌生、组织自身力量不强、组织形式不完善、制度建设和利益分配不健全，组织主要开展一些较为简单的环保宣传活动来争取社会理解与支持。在成长阶段，重庆市绿色志愿者联合会开始有计划地开展大型环保活动，诸如保护长江上游天然林、保护水资源和生物多样性等。在组织逐渐发展壮大的进程中，需要更加科学、有序的管理和高度的组织化。因此，创始人吴登明对重庆市绿色志愿者联合会的未来建设与发展提出了五点展望：第一是成立环境保护法律服务中心，推进环境公益诉讼，依法保护环境；第二是深化大学生环保社团保护工作；第三是改善绿联会财政状况，不依赖也不反对国际组织的援助，尽量自力更生；第四是加强环保科技服务，推广与企业的环保合作，促进低碳经济和清洁生产；第五是吸引一批具有公德意识、有社会责任感、有信仰、有毅力的人才参与到组织中来。① 从吴登明的展望中可以看出，重庆市绿色志愿者联合会积极与政府、企业、社区和学校合作，利用法律和人员规范来对组织的运转进行规范，促进其有序健康发展。

绿家园以往与外界联络和沟通的渠道、形式比较混乱，很多项目都是志愿者发起、志愿者管理，难以培养职业精神和专业人才。这样的组织管理缺乏质量标准，使得很多项目在没有评估可行性的情况下任其发展。由于资源有限且项目执行期一般较短，绿家园在工作人员缺乏专业性、组织混乱的情况下，

---

① 汪永晨，王爱军. 守望：中国环保 NGO 媒体调查[M]. 北京：中国环境科学出版社，2012：57.

经常陷入项目难以深入执行的窘境。一个项目要成为品牌，需要长时间的积累和考验，只有组织更加规范，职责更加明确，标准更加清晰才能把组织做大做强。绿家园有关长江的项目众多，为了运营好大量的江河项目，绿家园不断尝试机构改革和专业化组织管理，比如采用内部负责人的方式，确保机构资源的稳定性，引进专业的人员与媒体对接，塑造良好的组织形象。

绿色汉江制定了会议制度、财务管理制度、办公室值班制度和环保小分队纪律要求，建有工作日志、周记、大事记、环境教育和培训班记载表、志愿者外出学习和对外联络登记册等。组织内部的日常工作遵循文本规范和制度安排，绿色汉江因此提升了组织能力。绿色汉江不仅鼓励员工参加本地培训班学习，还多方争取免费赴外地学习的机会，如在中国国际民间组织合作促进会（以下简称民促会）的大力支持下，协会先后派志愿者参加民促会的民间组织培训和外地各种论坛、交流会、工作坊及培训班。[①] 人才管理是组织有序发展的关键，丰富的人员培训活动提升了协会的专业化水平。

简而言之，由于组织内部管理规范不完善、工作人员稳定性不足、活动资金缺乏、组织经验欠缺等，民间环保组织在成立之初往往野蛮生长，欠缺章法。面对这些问题，民间环保组织通过制定内部章程、人员管理与培训办法、奖惩制度等方式来规范日常工作，逐渐实现组织管理从野蛮向有序的转变。

---

① 汪永晨，王爱军．守望：中国环保 NGO 媒体调查[M]．北京：中国环境科学出版社，2012：305.

07

第七章

长江经济带环境政务微博建设的现状评估与建议

自20世纪80年代环境保护纳入基本国策开始，从可持续发展理念演化而来的绿色发展思想在中国得到了发展完善，并逐步建立起系统完整的生态文明制度体系。同时，经济发展新常态阶段对资源和环境提出了更高要求，绿色发展方式在国家发展战略中地位凸显。中共中央结合我国经济社会发展阶段和环境保护实际，提出了一系列绿色规划、政策和方案。其中，长江经济带发展战略被视为统筹协调发展和绿色发展的重要举措。

在长江经济带发展道路的建设过程中，沿江省市政务机关群策群力。政府部门顺应群众从网络渠道获取政策信息和生活服务知识的习惯转向，将政务新媒体作为党和政府创新治理体制、推进政务公开的重要渠道，其中，普及度较高的微博成为开展宣传工作、密切联系人民的重要渠道，为提高政府部门环保治理能力、完善生态文明体系、促进长江经济带绿色可持续发展贡献了重要力量。

7.1 长江经济带环境政务微博的现状

自2018年国务院办公厅印发《关于推进政务新媒体健康有序发展的意见》以来，各省市政务新媒体建设如雨后春笋般进展迅速，基本呈现普及化。长江沿岸11省市的环境政务微博各自建设发展，在政务公开、信息更新等基础工作上取得了一些成效，但瑜不掩瑕，也在定位、互动和联动等方面浮现问题。

课题组根据前期研究设计，使用Python编写的爬取程序，对2019年1月1日至2021年12月31日三年内长江经济带沿岸11省市的环境政务官方微博进行异步并行爬取，收集包括推文id、微博链接、微博发表时间、点赞数、转发数、评论数、微博内容、微博用户id、发布微博的工具、认证身份、所用检索关键词、会员注册情况等一系列数据字段在内的微博文本。在此基础上，从关键词、账户注册信息、明显的广告、机器人发文等对微博文本进行清洗，得到109 039条微博文本作为有效研究数据。最后结合政务新媒体评价指标，从环境政务微博概况、更新度、原创度及信息来源、文本主题及高频词、影响力五个维度出发，进行现状分析。

7.1.1 环境政务微博概况

2016年9月，《长江经济带发展规划纲要》正式印发，确立了长江经济带发展新格局。长江经济带共覆盖11个省市，11省市生态环境厅(局)均于微博平台开设了官方账号，概况如下。

上海市官方账号为“上海环境”，2012 年 3 月 23 日起正式开始对外发布上海市环保动态。账号内容以空气质量预报和空气污染提醒为主，还包括环保一线行动、环保新闻及会议、环保法规等内容。发布形式包括短讯、长图、图文、视频、文章等。

江苏省官方账号为“江苏生态环境”，2012 年 3 月 12 日起正式对外提供环保资讯。账号内容以生态建设成就、环保知识科普、工作会议新闻、环保案例分享为主，多转载自同名微信公众号及辖区内各市环保政务微博。发布形式包括图文、视频、文章等。“江苏生态环境”首创推出卡通形象代言人“净净”，并以其为主角推出“净说环保”漫画科普栏目。

浙江省官方账号为“浙江生态环境”，2013 年 10 月 14 日起正式发布环保信息。账号内容以环保政策法规、环保重大举措和重点工作信息为主，多转载自同名微信公众号。发布形式以图文为主，文章、视频等形式较少。

安徽省官方账号为“安徽生态环境”，于 2017 年 6 月 27 日起发布环保信息。账号内容以环保会议新闻、重点环保工作内容、空气质量状况为主，多为转发。发布形式包括短讯、图文、文章等。

江西省官方账号为“江西环境”，2013 年 10 月 14 日起正式发布环保信息。账号内容以环保工作快讯、环保政策法规、环保知识科普为主。早期发布形式以纯文字内容为主，后续加入了图文、文章、视频等形式。

湖北省官方账号为“湖北生态环境”，2016 年 11 月 1 日起对外发布信息。账号内容以地方工作动态、环保知识科普、环境时评、空气质量预报为主，多转发自“生态环境部”微博，地区针对性不强。早期发布形式均为原创文字，后续加入了长图、图文、视频和长文章等形式。

湖南省官方账号为“湖南生态环境”，2015 年 3 月 25 日起正式发布环保信息。账号内容以环保工作动态、环保政策法规解读、环保知识科普、典型案例公示为主。发布形式以头条文章为主，兼具图文、视频等。

重庆市官方账号为“美丽重庆”，2011 年 6 月 1 日起正式作为“永不离线的重庆环保网络新闻发言人”公布环保信息，与网民在线互动交流。账号内容以环保工作动态、环保信息科普为主，此外还包含较多环保主题以外的疫情新闻、党建知识、盘点类新闻。发布形式包括图文、文章、视频等。近年来，“美丽重庆”也推出了卡通形象代言人“渝小环”。

四川省官方账号为“四川生态环境”，2013 年 8 月 20 日起正式发布环保信息。账号内容以环保工作动态、环保知识科普为主，此外还包含较多的科技人文知识、党建历史、民生新闻。发布形式包括图文、文章、视频、长图等。

云南省官方账号为“云南省生态环境厅”，头像为独立设计的花朵形状，辨识度较高，2017 年 5 月 22 日起正式发布环保信息。账号内容以一线动态、州市快讯、州市看点、州市要闻等本地栏目为主，还包括全国性的环保政策法规、会议新闻等内容。发布形式以图文为主，辅之以文章、长图等，视频形式较少。

贵州省官方账号为“贵州省生态环境厅”，2013 年 5 月 15 日起正式发布环保信息。账号内容以省内环保工作动态、环境违法典型案例、信访举报处理进展为主，兼具环保主题以外的党建活动信息。发布形式以头条文章为主，视频、图文、长图为辅。

总结而言，11 省市的环境政务微博账号更新频繁，活跃度较高，满足政务新媒体检查指标中对更新频率的要求。但转发、评论、点赞数等互动数据表现不佳，服务性和互动功能有待改进。同时，11 省市微博账号的发展步调不一，建设风格各有千秋。部分省市风格活泼，例如，“重庆生态环境”设计了卡通形象代言人“渝小环”，提高了公众对环保主题的关注度；“江苏生态环境”别出心裁地设计了具有地方特点的头像，统一应用于其政务新媒体矩阵，辨识度较高。部分省市则风格较为传统，例如，“湖南生态环境”和“云南省生态环境厅”采取冗长文字发布模式，话语严肃古板。

7.1.2 更新度

更新度是政务新媒体检查指标的重要版块。本项从发文数量趋势及更新频率两方面阐释长江经济带沿岸 11 省市环境政务微博的更新现状。

一是环境政务微博发文数量趋势。按照时间顺序，以 11 省市的官方环境政务微博为对象，对 2019 年 1 月 1 日至 2021 年 12 月 31 日三年内的发文数量进行统计，按季度生成微博发文数量趋势图。趋势图的走向和波动在一定程度上映射出近年来 11 省市环境政务微博的更新程度和变化。长江经济带沿岸 11 省市微博发文总量于 2019 年初经历大幅提升，此后保持在恒定范围内，变化较小。如图 7-1 所示，在三年的微博发文总量趋势图中，2019 年第一季度至第二季度呈明显的上升趋势，发文数量上涨近 3 000 条。而自 2019 年第二季度起，发文总量开始保持稳定，略有起伏。按季度划分，每年的第三季度是趋势低谷，但各季度发文总量相差较小，均在 8 000 到 10 000 条的范围内。

“长江大保护”战略的推进是 2019 年初微博发文总量产生波动的主要原因。2019 年第一季度，“长江大保护”战略步入第二阶段，即政策落实与执行。

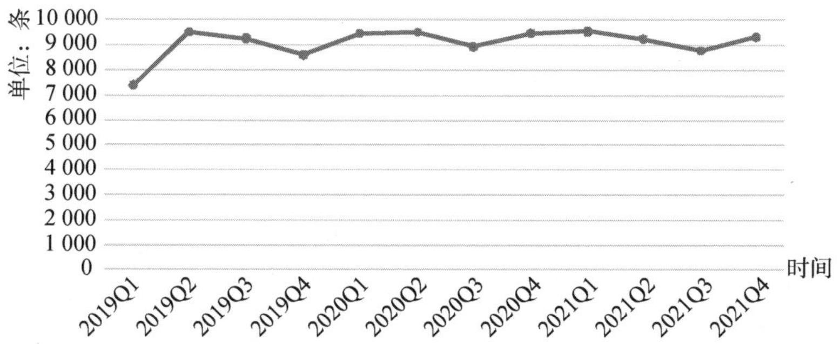

图 7-1　长江经济带沿岸 11 省市环境政务微博发文总量季度趋势图

2 月底，生态环境部与三峡集团签署了长江大保护战略合作协议。3 月，科研单位、科研工作者向长江干流沿线和重要流域进行驻点研究和技术指导。战略推进需要各部门协同，也引发了公众的关注，需要加强环保科普宣传和政务进度公开工作，微博作为对外沟通交流的便利窗口，发文总量上升。此后，长江经济带建设进入常态化发展阶段，微博发文总量于恒定中稍有微小变化。

二是环境政务微博更新频率。从上文的总发文趋势来看，长江经济带沿岸省市环境政务微博发文总量保持恒定，差距甚微。而分开观察各省市的更新数据，则呈现明显差异。对三年间 11 省市环境政务微博发文数量以周、月、季为单位进行更新频率统计分析，经过降序排列形成表 7-1，表格显示，“上海环境”、“四川生态环境”、“湖北生态环境”、“江西环境”和“重庆生态环境”的更新频率较高，“安徽生态环境”、“云南省生态环境厅”和“湖南生态环境”的更新频率较低，更新频率较高的“上海环境”发文数量为更新频率较低的“湖南生态环境”的 8 倍之多，两者周平均发文数量差距为 114 篇，月平均发文数量差距为 499 篇，季平均发文数量差距达到 1 496 篇。各省市微博发文数量存在明显差异，但与地区因素关联较小，上中下游区域均存在更新频繁与更新落后的代表。

表 7-1　长江经济带沿岸 11 省市环境政务微博更新频率(周、月、季度平均)

（单位:篇）

微博账号名称	周平均	月平均	季平均
上海环境	130	568	1 703
四川生态环境	128	557	1 672
湖北生态环境	90	393	1 179
江西环境	88	383	1 149

续表

微博账号名称	周平均	月平均	季平均
重庆生态环境	67	292	877
江苏生态环境	42	181	543
浙江生态环境	36	156	468
贵州省生态环境厅	34	150	449
安徽生态环境	33	146	437
云南省生态环境厅	31	134	402
湖南生态环境	16	69	207

7.1.3 原创度及信息来源

原创度是计算政务账号传播力和服务力的重要指标。本项通过统计环境政务微博信息来源来观测原创度，分析信息来源所展现出的政务微博特征。

在原创度方面，课题组对11省市环境政务微博自2019年1月1日至2021年12月31日的博文来源进行统计分类。由图7-2可知，转发文章数约占发文总量的23%，转发动作占比并不高。但由于技术限制，统计时仅将直接转发视为转发行为，而将转发微信公众号、微博视频号的内容后再附加概括或评论的动作视为原创。而据课题组观察，此类博文占据了长江经济带沿岸11省市环境政务微博的大部分内容，运营者并未结合素材自行创作适合微博架构特征的博文，偏向“转载＋概括”的信息发布模式，故实际原创度较低。

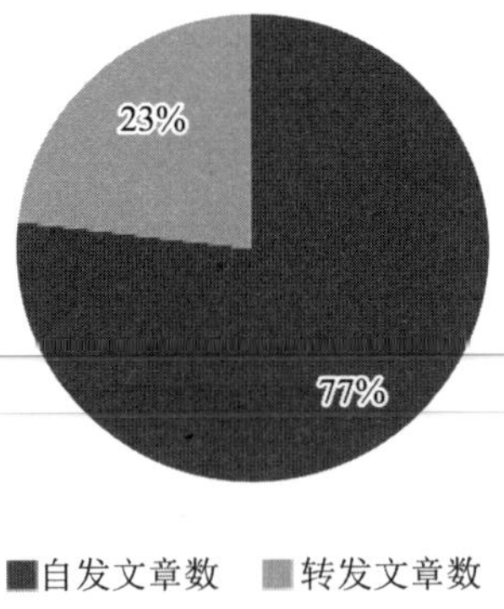

图7-2 长江经济带沿岸11省市环境政务微博总原创比例图

各省市环境政务微博在转发行为占比上也存在较大差别。由图7-3可知，“四川生态环境”的原创度达到94.26%，其次是“浙江生态环境”，原创度为

92.00%，第三和第四分别为“云南省生态环境厅”和“湖南生态环境”，原创度各为89.09%和88.22%。而“湖北生态环境”和“安徽生态环境”的原创度仅为47.66%和51.95%。最高与最低之间差值为46.60%，近乎一半，故原创度差距较大。以流域划分来看，中游地区的原创度较低。

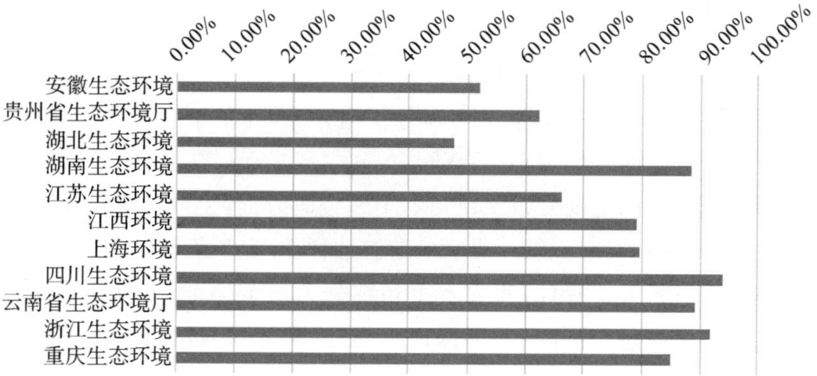

图7-3　长江经济带沿岸各省市环境政务微博原创度

课题组在分析账号原创度的基础上，进一步统计分析转载来源，以观测环境政务微博的转发偏好和联动协同现状。

消息来源隐含着环境政务微博的转发偏好。11省市环境政务微博转发消息来源较为单一，主要为各级政府部门在微博平台上所开设的政务新媒体。转载来源可以细分为三类：①国家级政务新媒体，如“生态环境部”“人民日报”“中国环境”“人民网”“央视新闻”等。②各省市平级政务部门微博，如“安徽生态环境”的转载来源“安徽省人民政府网”，“湖北生态环境”的转载来源“湖北日报”，“四川生态环境”的转载来源“四川观察”。③下属市县环境政务微博，如“贵州省生态环境厅”的转载来源“绿色遵义”，“江苏生态环境”的转载来源“无锡生态环境”“苏州生态环境”“连云港生态环境”等。政府部门微博作为单一转载来源是一把双刃剑，造成微博之间内容重复性较高，不利于打造多元风格，但转发来源均为官方政府部门，也高效确保了政务新媒体信息的权威性。

转发作为一种账号之间互动的便利手段，也标志着各政务微博之间的联动关系。在所有的转载来源中，国家级微博账号“生态环境部”在除“江苏生态环境”以外的10个省市的转载来源中占据一半的比例乃至更多，几乎成为“贵州省生态环境厅”的全部转载来源，可见这一账号对于11省市环境政务微博而言的重要度。而各省市的转载来源除国家级的政务新媒体之外，均为本省内官方新媒体，这表明各省市的目光依然局限在本省市内部的局部环保治理，鲜少注重吸取、借鉴相邻省市的经验，长江经济带沿岸11省市环境政务微博协同性较低。

7.1.4 微博文本主题及高频词

微博文本主题展现了政府机构宣传工作的重点。在文本内容分析方面，课题组通过人工标注和机器学习判别各主题分布，并基于各主题的变化趋势来感知环境政务微博工作重心的变动。

一是微博文本的主题分布。在文本主题编码方面，主要经历了模型准备、模型训练、模型判别三个阶段。课题组随机抽样11 500条(总体的10%)文本作为训练样本进行人工标注，将文本主题细分为八个类别：①时政新闻热点；②生态文明建设思想与战略；③环保理念倡导；④环保与治理典型案例；⑤环境政务工作动态；⑥生态环境信息公开；⑦环保科普与教育；⑧环保曝光与投诉。然后使用机器学习人工标记小样本的特征，选取高频出现的特征词汇、文本长度等特征，自主发现内在分类规律，随后使用Python并配合PyTorch深度学习框架进行模型分类训练，最后对每一条文本进行判别分类。

统计分析结果如图7-4所示，文本主题所属类别最多的是“环境政务工作动态”(占比27.73%)，其次是“生态环境信息公开”(占比19.36%)，第三是“环保理念倡导”(占比17.25%)，第四是“环保与治理典型案例”(占比13.53%)，第五是“时政新闻热点”(占比8.35%)，第六是“环保科普与教育”(占比8.14%)，相对较少的是“生态文明建设思想与战略”(占比3.38%)和“环保曝光与投诉”(占比2.26%)。由此可知，11省市环境政务微博发文主题较为密集，注重政务公开和宣教工作，内容主题多为居高临下式的工作新闻，其中占比最高的“环境政务工作动态”主要内容为各类工作动态、会议新闻等，占比第二的“生态环境信息公开”内容为各类通知意见、常规环境数据等，两者占据环境政务微博近乎一半的内容，但与公众的贴近程度不高。而互动性和服务性较高的“环保曝光与投诉”主题内容占比极低，仅为2.26%。除此之外，各政务微博中均有环保主题以外的内容出现，如“时政新闻热点”中的疫情防控、经济形势、国际关系等非生态环境类要闻和“环保科普与教育”中的党史信息，占比超过8.35%，偏离了环境政务微博的定位。

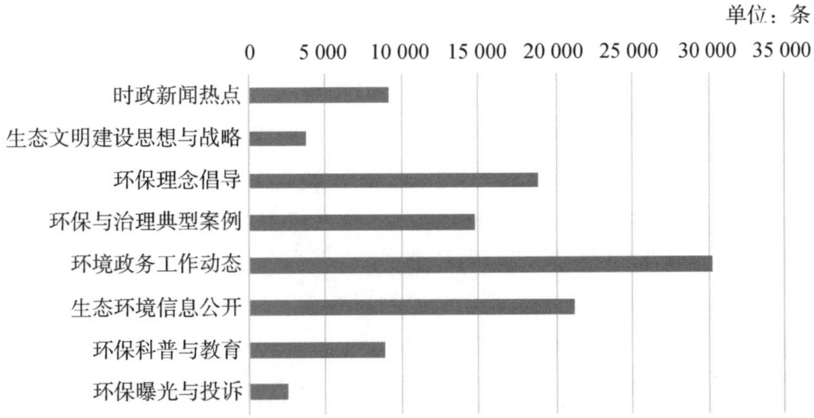

图 7-4　长江经济带沿岸 11 省市环境政务微博主题分布

二是微博文本的主题变化趋势。在按季度呈现的主题趋势图 7-5 中，可以看出各类别主题的变化。

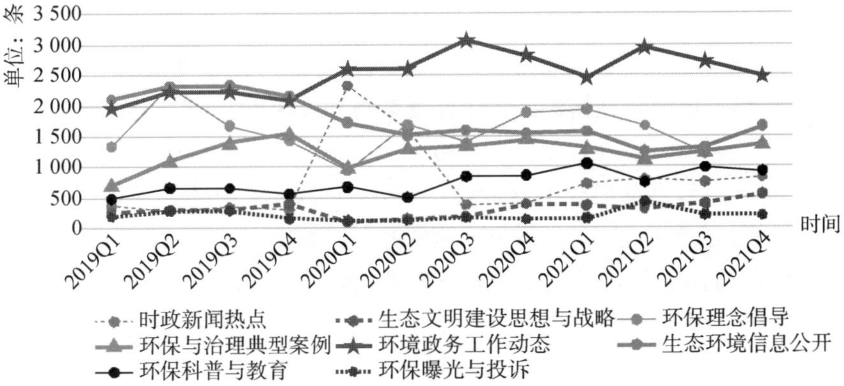

图 7-5　长江经济带沿岸 11 省市环境政务微博文本主题季度趋势图

随着我国经济发展步入新常态，贯彻生态文明理念和新发展理念成为推动经济社会高质量发展的必然要求，故“生态文明建设思想与战略”这一主题在 11 省市环境政务微博中呈现微弱的上升趋势。同时，2019 年 4 月 1 日国务院印发《政府网站与政务新媒体检查指标》，将“办事服务”“互动交流”作为重要版块，相比其他主题而言更加注重服务性、更贴近群众的“环保科普与教育”内容逐渐增加，发文数量从 2019 年第一季度的 483 条增加到 2021 年第四季度的 915 条；侧重于互动性的“环保曝光与投诉”也呈现了微弱的上升趋势，于 2021

年第二季度出现了一个小波峰。但以上三个主题总体均保持较低占比。

除以上三个主题之外，“环境政务工作动态”“生态环境信息公开”“环保理念倡导”“环保与治理典型案例”“时政新闻热点”五个主题的发文数量波动较大。政务微博受社会环境影响深远，2019 年第四季度至 2020 年第三季度新冠疫情暴发期间，在国内国际疫情防控的紧张形势下，五个主题呈现明显的变化趋势。包含疫情信息的“时政新闻热点”从 2019 年第四季度的 303 条迅速增加至 2020 年第一季度的 2 325 条，内容直线上升近 8 倍，出现了一个较大的波峰，于 2020 年第三季度疫情得到全面控制后跌落至原水平。“环境政务工作动态”也呈快速上升趋势，2019 年第一季度发文数为 1 960 条，2021 年第四季度增加到 2 479 条，故可得知环境政务微博越来越偏向工作动态和会议新闻。最后，由上文统计显示，11 省市环境政务微博发文总量较为稳定，“时政新闻热点”和“环境政务工作动态”占比迅速增加的同时挤压了其他主题的空间，“生态环境信息公开”“环保理念倡导”“环保与治理典型案例”主题发文量下降，于疫情常态化之后略有回升。至 2021 年底，“生态环境信息公开”主题总体发文数从 2019 年第一季度的 2 113 条下降到 2021 年第四季度的 1 661 条，呈较明显的下降趋势；而主要包括反映工作成绩的正面报道的“环保与治理典型案例”发文数自 2019 年第一季度的 699 条增加至 2021 年第四季度的 1 358 条，上升趋势明显，反映政务微博的宣传工作逐渐得到重视。

为进一步分析三年内 11 省市环境政务微博文本的具体内容，课题组在主题类别分析之后，借助词云手段，将微博文本中多次出现的关键词可视化，以快速感知长江经济带沿岸 11 省市环境政务微博的重点内容。

高频词词云生成主要经历了两个阶段：推文文本切割、词频分析与出图。在文本切割阶段，课题组给定部分与生态环境有关的词语，并结合隐马尔可夫(Hidden Markov Model, HMM)模型进行自适应的新词发现，使用 Jieba 分词工具将所采集的全部推文进行一次性自然文本切割。在词频分析与出图阶段，对前一阶段结果进行词频统计，利用 Word Cloud 工具出图。

据词云图 7-6 可知，生态环境、环保、工作、空气质量、中国、环境保护、污染、问题、全国、开展、企业、发展、保护、疫情、绿色、垃圾、美丽、城市、督察、召开、活动、我们、重点、新闻、国家、行动、推进、整改、生物、预报、实时、建设、中央、系统、多样性、中心、治理、执法、近日、长江、会议、污染物、要求、全省、防控、部门、相关、推动、生活、污染防治是长江经济带沿岸 11 省市环境政务微博文本中出现频率最高的 50 个词语。高频词是政务微博运营者所关注事务的集中体现，在一定程度上反映政务微博内容重心。基于以上归纳，可以将

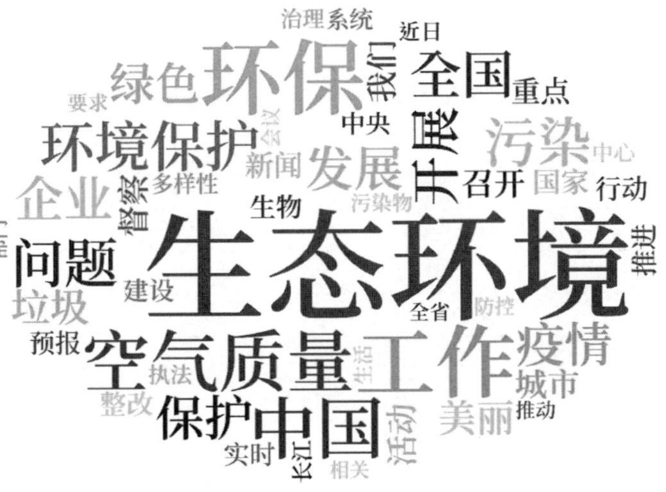

图 7-6　长江经济带沿岸 11 省市环境政务微博文本高频词词云

环境政务微博关注内容大致划分为三个领域：以环保、发展、绿色、美丽为代表的“绿色建设领域”；以空气质量、污染、问题为代表的“环保督察领域”；以工作、开展、召开、活动为代表的“政务新闻领域”。

近年来，平衡经济发展与生态建设的关系，使两者协同发展成为政府工作的着力点。因此，除了关注以空气质量为代表的具体的环保督察、污染治理信息之外，环境类政务微博注重辨析经济与环境之间的抽象关系，倡导生态文明建设思想，倡议建设美丽中国，故生态环境、环保、绿色、美丽等词汇出现频率较高。政务公开是政府新媒体建设的着力点，但公开信息一般以各类官方工作动态、会议新闻等内容为主，工作、开展、召开、活动、会议等高频词直观地反映出环境政务微博依然将政务工作动态作为重要发布主题。

7.1.5　影响力

传播度是衡量政务新媒体影响力的重要指标，受到公众关注数和账号自身建设情况两方面的限制。

首先，尽管环境问题与公众生活息息相关，但环境演变是一个漫长的过程，严重的污染问题成为公众议题需要一定的时间，大多数情况下只有生活条件受到威胁的公众才会主动去关注环保信息，且由于各账号博文内容大多为本地环保信息，影响范围仅限于本省市内，因此环保信息受众有限。第七次全国人口普查数据显示，长江经济带地区有 60 610 万人口①，而由表 7-2 计算可知，11 省市的环境政务微博粉丝总数为 683.5 万人，约占总人口的 1.13%，比例较低。

表 7-2　长江经济带沿岸 11 省市环境政务微博粉丝数、关注数

（单位：人）

省市	微博账号名称	粉丝数	关注数
湖北	湖北生态环境	10.1 万	121
上海	上海环境	82.8 万	320
江苏	江苏生态环境	229.2 万	790
浙江	浙江生态环境	119.8 万	305
安徽	安徽生态环境	18.9 万	192
江西	江西环境	7.0 万	233
湖南	湖南生态环境	9.2 万	867
重庆	重庆生态环境	181.9 万	440
四川	四川生态环境	12.6 万	287
贵州	贵州省生态环境厅	3.5 万	254
云南	云南省生态环境厅	8.5 万	67

其次，就政务微博的自身建设情况而言，从转发、点赞、评论数可以窥得其影响力。通过对 11 省市环境政务微博自 2019 年 1 月 1 日至 2021 年 12 月 31 日的转发数、评论数和点赞数的数据分析可得，长江上中下游省市整体环境政务微博的互动性建设情况较差，影响力有限。

由表 7-3 可知，表现最佳的是“四川生态环境”和“重庆生态环境”。“四川生态环境”的总转发数为 58 944，总评论数为 24 496，总点赞数为 124 403；“重庆生态环境”的总转发数为 118 313，总评论数为 18 204，总点赞数为 22 063。数据较低的为“安徽生态环境”、“浙江生态环境”和“贵州省生态环境厅”，“安徽生态环境”的总转发数为 8 678，总评论数为 1 125，总点赞数为 5 661；“浙江生态环境”的总转发数为 6 597，总评论数为 1 549，总点赞数为 4 516；“贵州省生态环境厅”的总转发数为 2 974，总评论数为 528，总点赞数为 718。但由于各省市日更新频率较高，总数值分配到每篇博文后，转发数、评论数、点赞数逼近个位数。

① 国家统计局.第七次全国人口普查公报(第三号)[EB/OL].(2021-05-11).http://www.stats.gov.cn/tjsj/tjgb/rkpcgb/qgrkpcgb/202106/t20210628_1818822.html.

表 7-3　长江经济带沿岸 11 省市环境政务微博转发、评论、点赞数

微博账号名称	转发数	评论数	点赞数
安徽生态环境	8 678	1 125	5 661
贵州省生态环境厅	2 974	528	718
湖北生态环境	14 689	3 981	14 400
湖南生态环境	12 977	1 550	9 321
江苏生态环境	24 312	9 248	16 127
江西环境	49 764	10 233	53 466
上海环境	51 072	14 000	68 766
四川生态环境	58 944	24 496	124 403
云南省生态环境厅	18 216	1 726	9 581
浙江生态环境	6 597	1 549	4 516
重庆生态环境	118 313	18 204	22 063
总计	366 536	86 640	329 022

在整体环境政务微博影响力低下的背景下，长江沿岸各省市环境政务微博之间也存在较大差异。由表 7-3 可知，四川、重庆在互动指标上远远高于其他省市，例如，地处上游的“重庆生态环境”的总转发数约为下游地区的“浙江生态环境”的 18 倍，评论数约为 12 倍，点赞数约为 5 倍。但这一影响力差异与地域因素相关度较低，账号数据并未以流域为自变量呈现明显变化。观察可得，“四川生态环境”与“重庆生态环境”建设时间较早，受重视程度高，相关部门在环境政务微博上投注较多精力，通过设计相关卡通形象、采用新媒体语态等策略提高了传播度和影响力；而“浙江生态环境”则较为忽视微博平台建设，普遍采用生硬、严肃的官方语态，内容形式单一，故影响力较低。

总结来看，长江经济带沿岸省市环境政务微博整体的传播度较低，影响力有限。由于内部重视度不同，各省市之间的影响力也有较大差异。

7.2　长江经济带环境政务微博的主要问题

随着信息传播技术的更新发展，各类政务新媒体成为政务部门改善服务和功能的主要手段，也作为党和政府的新喉舌更高效地实现了政务公开，拉近了与群众的关系。但作为构建服务型政府的重要手段，尽管经过多年探索发

展，政务新媒体依然不断涌现出新问题。就国务院对政务新媒体所提出的评价指标来看，11 省市的环境政务微博均有缺憾。在国内环保理念的重要地位突出较晚和政务新媒体受限较多的结构性环境下，11 省市的环境政务微博受自身理念影响和微博平台设计等限制，在生产、运营、服务、传播效果和协同联动等方面浮现出种种问题。

7.2.1 信息生产重更新，轻原创

自中央倡议各政府机构将政务新媒体作为新的宣传和服务阵地以来，各省市纷纷在新媒体平台上注册、运营官方账号。长江经济带沿岸省市的环保部门也搭建起基本的“两微一端”配置，部分省市还开通了短视频账号，在内部建设起多平台传播矩阵。

横向矩阵铺设较广，而账号运营人员的精力有限，为满足较高的更新考核要求，环保部门策略性地将精力分配给不同平台，以“转发”为主进行多任务操作。受技术限制，课题组在进行数据搜集时无法识别来自微信公众号和微博视频号的内容，故原创度显示较高。但据观察所得，“转发”是政务微博信息生产的主要策略。11 省市的环境政务微博均在不同程度上采取转发微信公众号文章的策略，如下游地区的“浙江生态环境”微博内容大部分转载自其微信公众号，而微博与微信属于底层架构相异的平台，微信长文章转发至微博后往往会被折叠，附上链接来解决此问题后，微博平台沦为微信文章的外接口。

除了对微信公众号文章的平级转发，转发自国家级政务微博的内容也较为常见，被转发最频繁的是“生态环境部”“人民日报”“中国环境”等账号。同时，下游经济发达地区的下属市县也建设有各自的政务新媒体，需要大量内容来维持账号更新，因此又存在上下之间的转发行动。例如，2021 年 12 月 31 日，“江苏生态环境”转发了“生态徐州”的《从“绿水青山”到“金山银山”——美丽中国建设的徐州路径探秘》，同一周内还转发了来自“连云港生态环境”“苏州生态环境”“泰州生态环境局”的内容。过多的转发动作造成了混淆，即重复转发的现象，账号自身内容出现重复。例如，“四川生态环境”于 2021 年 12 月 30 日与 31 日均转发了来自新华社的同一科普视频《你知道塑料再生会变成什么吗?》，最终，繁多的环境政务新媒体账号内容相似性极高，冗余问题突出。

当前阶段，政务新媒体横向铺设平台过多，造成了更新度与原创度此消彼长的现象。为保证更新活跃，长江经济带沿岸 11 省市的环境政务微博对微信内容进行平级转发，对国家级政务微博和市县微博内容进行纵向转发。种种转发行为保证了账号的更新频率，也提升了内容丰富度，但频繁的转发阻滞了

政务微博发展的前路，即忽视了内容的原创性和与平台的适配性，最终不利于自身结合微博平台特性和地区特点因地制宜地发展。

7.2.2 运营定位偏移，主题冗杂

环境政务微博由各省市的生态环境厅（局）所设立，作为当地环保部门利用新媒体手段发布环保信息的窗口和政府部门与公众进行环保问题交流互动的平台。环境政务新媒体的功能和职责是负责环境监测和信息发布，指导和协调环境保护宣传教育工作，制定并组织实施环境保护宣传教育纲要，开展有关生态文明建设和环境友好型社会建设的宣传教育工作，收集公众投诉并及时回应和解决等，正如"重庆生态环境"将自身定位为重庆环保部门信息发布、互动交流以及风采展示的网络平台。

而在实际建设中，长江经济带沿岸环境政务微博的平台定位不清晰，与环保部门职能并非严丝合缝，所发布内容主题混杂，有较多无关的内容。部分原因在于，微博平台介入了环境政务微博的运营活动。作为商业平台，微博存在"机器人"这一发布机制，即嵌入账号主页，无须用户参与而自动发布信息的程序，这一机制干扰了用户自主运营。以"上海环境"为典型代表，"轻松一刻"是其微博内容的重要组成部分，贯穿"上海环境"建设的全过程，多转载自其他视频博主，主题为动物趣味生活。尽管归属"上海环境"，但这一栏目运营者实际上是微博机器人，这是平台介入政务微博运营的典型案例。尽管动物生活与环保休戚与共，但此处的"轻松一刻"更侧重娱乐性，而非政务微博的服务性。

除了这种长期性的定位偏离性内容，"上海环境"也有阶段性游离职责的行动。以 2020 年暴发的新冠疫情为例，在此期间，其发布了一系列的"上海战疫"博文，涉及病例情况、防疫典型、卫生知识等内容，尽管与民生息息相关，但远远偏离了环保主题。这些举动则更多归因于运营人员缺乏对账号的精确定位。

这种定位不清晰、发布环保主题以外内容的现象并非个例，而是普遍存在于 11 个账号中。除上海市以外，"湖北生态环境"所发布的时政要闻和社会新闻，"江苏生态环境"所发布的从严治党、国务院常务会议和流星雨预告，"江西环境"所发布的新年贺词、抗疫纪念短片和党建活动，"湖南生态环境"所发布的民生实事活动和二十四节气文章，"重庆生态环境"所发布的疫情通报、疫苗信息和地铁施工新闻，"云南省生态环境厅"所发布的党代会报告干货等内容均偏离了环保主题，"浙江生态环境"和"安徽生态环境"则是 11 省市中定位较为清晰的代表，不过，也是有党建知识相关的博文。

7.2.3 互动质量较低，服务性不足

政务新媒体是加快转变政府职能，建设服务型政府的重要手段，有助于各级党政机关更有效地开展工作，为群众提供服务，本质上也是党和政府连接群众、沟通群众的工具，故其基础是“服务”。服务建立在与人民群众的互动沟通之中，从内部来看，政府部门不仅可以在微博互动中了解辖区内的环境问题，把握群众的需求，而且能知晓自己的不足，有针对性地改进，故互动是群众反馈的重要渠道，也是政务新媒体发展的必由之路。从外部来看，2019 年 4 月 18 日，国务院办公厅印发的《政府网站与政务新媒体检查指标》将“互动回应差”作为政务新媒体的单项否决指标，由此可见政务新媒体的服务性建设意义重大。

但长江经济带沿岸 11 省市的环境政务微博的服务性建设极其薄弱。首先，由表 7-3 可知，各环境政务微博单条博文的转发数、评论数、点赞数都极低，互动近无，不仅仅是由于账号的传播力有限，更因为公众的环保需求有限，环保主题信息在国内依然乏人问津。其次，环境政务微博无法及时回应用户的环保投诉需求。就各媒体平台的底层架构而言，微信民生气息浓厚，贴近群众，适合发布信息详细的长篇文章，且能够设置较多的分区，延展性良好；网站建设已久，各项功能建设全面，受规章制度要求回复率最高；而微博限制较多，尽管伴随其发展已取消了最初的 140 字数限制，可以发布长文章，但长文章会被折叠，需要更多的动作才能展开观看，且功能设计较少，适合发布短消息。政务微博的架构缺陷促使各省市以网站和微信为主要互动平台，而相对忽视微博和短视频平台的建设。例如，“江苏生态环境”在微博简介里标注“如遇环境污染等问题请立即拨打 12345，详细说明问题发生的地点、具体情况与细节，以便 24 小时值班人员准确分办”，提倡公众采取传统方式即拨打热线电话进行投诉，而微博似乎不具备污染投诉这一环保部门重要的服务功能。即便在布局发展相对优越的“重庆生态环境”微博里，此种现象也未得到解决。其首条微博下方有两条关于辖区内河流污染和工程建设噪音问题的评论，一条未得到回复，另一条被转移到了市政环卫部门，两位网民均未得到有效回复。在此之后，微博评论数呈下降趋势，评论内容不再涉及环保问题投诉举报。经长期演变，政务微博最终展现出一幅反馈速度慢、互动质量低、服务性不足的图景。

7.2.4 建设有形无神，传播度和影响力不高

微博传播度指信息所传播、覆盖的范围，微博影响力指其发布内容被认同的程度和带动用户采取行动的效果。除上述在生产、运营、互动方面的问题之

外，长江经济带沿岸 11 省市环境政务微博在这两个整体指标上也有所欠缺。

作为专业类政务新媒体，环境政务微博的传播度极其有限。首先，其信息所到达的用户数量少。据上文，长江经济带沿岸 11 省市的环境政务微博粉丝数仅占地区总人口数的 1.13%，且根据表 7-3 的互动情况来看，环境政务微博的评论、点赞、转发数据较差，故核心活跃粉丝数占比更低。

微博的转发机制本身可以带来外延覆盖用户，加速内容传播，吸引更多关注，但是在“被转发”上，长江经济带沿岸省市的账号中，仅有下游省市的账号内容偶尔会被其下属市县转发。例如，2021 年 11 月 30 日“江苏生态环境”的微博“公示|首届江苏省环保设施开放讲解员大赛结果出炉”被“南通生态环境”“宿迁生态环境”转发，但下属市县的粉丝基数较小，考虑到有与“江苏生态环境”的粉丝重叠的情况，故传播范围依然有限。

影响力是在微博账号传播度的基础上进一步衡量账号效用的指标。就环保领域内的影响力而言，在根据传播力指标、互动力指标、服务力指标和认同度指标所计算的 2022 年 2 月政务微博生态环境榜单中，“上海环境”排名第 38 位，“江苏生态环境”排名第 13 位，“湖北生态环境”排名第 25 位，“重庆生态环境”排名第 33 位，“四川生态环境”排名第 14 位，而“安徽生态环境”“江西环境”“浙江生态环境”“云南省生态环境厅”“贵州省生态环境厅”“湖南生态环境”均未入榜，故长江经济带沿岸 11 省市环境政务微博在其专业领域内的影响力有限。

就账号实际运营来看，环境政务微博是官方政府机构所设立并运营的账号，但高公信力却并未收到相应的高关注回报。尽管 11 省市环境政务微博账号活跃，更新频繁，但影响力与活跃度并非正相关。环境政务微博内容原创度较低，多转发自微信公众号或其他政务微博，同一地区的微信与微博用户有较高的重叠，因此，微信已发布的信息再度出现在微博时，新鲜度、吸引力和带动性大打折扣。除此之外，评论、点赞等数值更是基本为零。最后，在环境政务微博运用转发策略来扩大影响力时，虽然主动转发行为较多，转发对象也较丰富，但实际操作时却多为直接转发，鲜少增加因地制宜的简短评论，缺乏进一步的思考与丰富，可读性不强。

总结来看，长江经济带沿岸省市环境政务微博建设浮于表面，重发布、轻互动，发文数量多、粉丝数量少，处于传播主体活跃但账号传播度和影响力不强的境地。

7.2.5 地域发展不平衡，联动性不足

中国幅员辽阔，东西部地区在经济、文化、民生等领域都存在较明显的区

别，环保领域也不例外。长江经济带横贯中国大陆的腰部，作为一条“金腰带”连接中国东部经济发达地区和广阔的中西部内陆，其上中下游环境政务微博建设呈现出明显的东西特色差异，故除自身建设之外，各微博账号之间存在互补互助、协同进步的可能，现实却并未实现有效联动。

长江下游省市对外开放的程度较高，整体思维也较为创新开放，对环保问题和政务信息的跟进及时，因此总体的环境政务微博注册时间较早，所发布信息话语活泼，新媒体思维较明显，故其粉丝数量也较多。而上中游省市地处内陆，虽然江西、重庆、四川和贵州四地的环境政务微博建设也较早，但除表现较为出彩的“重庆生态环境”和“四川生态环境”之外，其余省市思维相对闭锁，信息公开等职能也更加遵循传统的行政思维，博文语态官方严肃，所发布内容与微博平台自身的特性不相融。总体而言，下游省市的环境政务微博建设情况优越，而上中游整体则稍显逊色，长江经济带贯穿的东西部环境政务微博发展较不平衡。

尽管地区之间差异明显，但长江地区是一个命运休戚与共的共同体，上中下游环保部门只有加强合作，对环境污染进行整体协同治理，才能从根部解决问题。近年来长江经济带沿岸省市环境政务平台在建设长江经济带这一共同目标的指示下进行了松散联结，但这种合作是基于外部要求提倡所建立的，浮于表面，各省市依然缺乏整体协同意识，更注重辖区内的局部污染治理，故联结合作的持续性不强。

具体来看，长江沿岸环境政务微博的联合体现在微博账号相互关注这一举动，但依然是下游省市受关注高于上中游省市。例如“江苏生态环境”受到云南省、江西省、安徽省、重庆市、贵州省、四川省、上海市、湖北省、湖南省九个省市环保政务微博的关注，而上游的“江西环境”则乏人问津，仅受到江苏省、贵州省、四川省、上海市四个省市的关注。除此之外，由于各省市微博内容以本地区信息为主，相互之间缺乏借鉴性，因此平级之间缺乏互动，远不及与国家级或下属市县账号之间的互动。各环境政务微博唯有在涉及长江环保问题时才有共同话题，而缺乏在其他整体环境问题上的协同意识。

7.3 长江经济带环境政务微博的发展对策

随着政府工作中对信息传播技术应用的增多，电子政务获得了快速发展，政府政务新媒体成为互联网时代信息发布的主要平台。具备较强传播能力的微博在政府互联网转型中发挥着越来越重要的作用，有利于推动“互联网＋政务服务”发展落地，增强新常态下政府的社会治理与服务水平。针对长江经济带环境政务微博建设中的问题，政府环境部门需要从微博内容生产、运营、用户、服务四个层面采取有效的措施，以整合政务服务资源，优化服务流程，提升服务效率，最终构建出一个运行规范透明、资源信息共享、多级联动、业务协同的一体化的线上服务平台，推动环境政务微博的良性运维和长远发展。

7.3.1　融媒思维，再造环境政务微博的生产流程

省市级环境政务微博可以借鉴同级融媒体“中央厨房”的建设经验，学习新型采编流程，打造适配多种平台的环境新媒体产品。融媒体“中央厨房”指的是采集同一个内容素材进入全媒体数据库，媒体内各类传播渠道、子媒体根据自身需要对这些素材进行二次加工，生产出各种形态的新闻产品，并按照介质特点、传播需要通过多种媒介逐级分发。[①] 其核心是通过内容的集约化制作实现新闻信息的多级开发，从而达到整合媒体力量、提升传播效率、节约资源、扩大影响力的目的。

“中央厨房”是助力传统媒体互联网转型的技术解决方案，是一种先进的媒体思维。在打造省市级环境政务微博时，我们首先需要搭建一个全新的技术平台，以此来收发各种新闻，通过整合不同业务单元实现跨媒体内容共享，真正做到“一次采集，多元生成”。具体而言，环境政务新媒体可以学习“中央厨房”的采编联动平台，建立总编调度中心，在处理不同的采访主题和类型时，调动采编联动平台内擅长不同领域的记者对信息进行采集和编辑，并交由技术人员进行深层次加工。相比于传统的采编流程，这种运作模式打通了原先不同采编之间的沟通壁垒，使得采集信息更为及时和全面。

7.3.2　用户思维，营造环境政务微博粉丝社群

互联网极大地拓展了信息获取和交互沟通平台，为人们提供了一个交流、共享、共事的开放环境。由此，粉丝和社群成为任何服务都需要重视的内容。粉丝是一种单向关注，社群则是基于粉丝间的互联互通形成的一种交互社区。环境政务微博建设需要相关部门精准把握粉丝群体，不断优化信息和服务质量，解决需求问题，从而建立起稳固的粉丝关系。社群中粉丝高度交互的特点

---

① 陈国权. 中国媒体“中央厨房”发展报告[J]. 新闻记者，2018(1)：50-62.

要求环境政务服务转变“公众咨询—政府回答”的传统互动模式，转而借助粉丝的理论，让政务社群中的公众相互服务。

政府环境部门推进线上政务服务，需要充分考虑用户的参与感，创建有利条件鼓励公众积极参与到信息生产和政务服务价值链中，并根据用户的参与反馈不断提升和优化信息和服务质量。例如，环境政务部门在制定或发布某些与人们日常生活息息相关的政策时，要征集民意、开展政策专题讨论，开放互动平台，构建线上政务服务的追踪评价体系等。

粉丝和社群体系的建立和维护有利于政务服务从传统单一发布、单向服务的形态转向多元化、多平台的服务模式，从而更好地锁定和黏住用户，建立独特的政务服务品牌，并通过粉丝和社群分享传播实现品牌影响力的拓展。

7.3.3 互联网思维，重构环境政务微博服务

互联网思维的核心要义是在线（Online）、连接（Link）、开放（Open）、互动（Interaction）。环境政务部门应深刻理解互联网思维，才能从以往对互联网的工具性应用转变为对互联网价值和本质的深度融合，基于“以人为本”的理念对传统线下政务服务进行流程再造和模式重构。

在线就是为用户提供全天候不间断的服务，建立起与用户的强关系，才能获得更为全面、深度的信息，实现大数据的有效记录和沉淀，为后续的用户分析和精准服务奠定基础。当前，多数环境政务部门仍然是以工具性的应用思维来发展电子政务，单纯将互联网作为环境信息和相关政策的一个发布渠道和平台，未能把握互联网“在线”的特质，因此无法锁定用户，为公众提供满意的线上服务，削弱了线上服务的吸引力。

连接即基于互联网“连接一切”的特质，实现网上政务服务的应用互连、数据互联和服务互连。前端，改变层层递进的垂直服务模式，构建扁平化的服务结构，降低公众获取线上服务的成本。后端，进行流程再造，整合不同部门以实现业务协同，提高公共服务的供给质量和效率。这需要环境政务部门厘清几个问题：如何拉近政务服务和目标公众的距离，如何规范不同部门的服务接入标准以及如何实现服务流程的再造等。

开放是互联网时代的核心特质，也是优化利用资源和信息、构建数据和服务生态系统，实现业务协同的必然要求。各地环境政务部门要摒弃“大”“全”思维，从顶层战略的高度对开放性的数据和服务平台建设进行整体规划，制定服务数据的标准体系，整合协同不同部门的数据信息，实现数据共享和互联互通。

互动即服务提供部门积极和用户交互沟通，鼓励用户参与到线上环境政

务服务体系中，从而形成线上线下有机融合的服务闭环，优化用户的线上服务体验，如此，才能基于用户的深度参与打造线上政务服务的良好口碑和影响力，提高公众认同度和黏性。

7.3.4 技术思维，打造智能化环境政务新媒体矩阵

传播渠道融合、传播队伍组织再造、传播话语能力提升、传播生态舆论主导已成为新媒体时代国家治理体系和治理能力现代化的关键。随着人工智能的深入应用，政府政务处理流程不断被简化、优化，公共服务的效果将更加人性化和个性化。因此，环境政务新媒体矩阵的建设需要人工智能技术的加持，更需要创设智能化政务的治理新范式。

我们可以建设“纵横结合”的环境政务新媒体矩阵，并运用人工智能技术和思维建成整体协同、响应迅速的政务新媒体矩阵体系，最终实现实时共享信息、多种媒体联合发声，有效扩大信息传播的广度和深度，快速有效地引导舆论和疏通民意。目前，我国环境政务新媒体矩阵多是省、市、县(区)三级组合为一体，这样做的好处是能够发挥集群优势，协调一致共同发声，提高行政效率。通过上下级相互转发，上级环境政务新媒体可以监督管理下级政务新媒体，有效扩大信息的传播力和影响力。

政务部门数字化发展道路上，数据成为珍贵资源。在环境政务新媒体平台，一方面，由用户使用行为产生的各个维度的数据被海量、持续地生产出来，并时时发生着变化；另一方面，环境政务新媒体平台自身在日常信息发布、用户维系以及多媒体协同生产过程中也产出大体量的数据。依托人工智能的算法和算力，环境政务新媒体可以基于对平台基础数据、用户数据等的分析，在运营质量和策略方面走向智能化。同时，人工智能在专业媒体内容生产中的应用越来越频繁，已经逐渐渗透到消息源获取、新闻采写与分发、互动反馈等方面。对于省级环境政务新媒体来说，其具有采纳人工智能新技术的能力和优势，可以通过了解当前内容制作与运营层面人工智能技术应用的前沿动态，从而助力内容生产。

08

第八章

长江经济带环境政务微信公众号建设的现状评估与建议

中国互联网络信息中心（China Internet Network Information Center，CNNIC）发布的第52次《中国互联网络发展状况统计报告》显示，截止到2023年8月，我国互联网政务服务用户规模达10.79亿，互联网普及率达76.4%，[①]包括微博、微信、抖音、头条号等在内的政务新媒体已经成为各级政府部门发布权威信息、加强政民互动、引导网络舆论、提升社会治理能力的一个重要组成部分。政务新媒体正在改变和影响着舆论格局、社会治理结构，成为政府公信力和区域影响力的重要元素，引爆指尖上的“政能量”。

8.1 长江经济带环境政务微信公众号建设的现状

生态环境政务微信公众号既是一种对生态环境保护的宣传方式，也是一种治理生态环境的行政手段，因此各级生态环境部门积极建设自己的微信公众号。2020年1月，为进一步落实《国务院办公厅关于推进政务新媒体健康有序发展的意见》（国办发〔2018〕123号）和《全国生态环境系统新媒体矩阵管理办法（试行）》（环办宣教〔2018〕10号）有关要求，推动全国生态环境系统政务新媒体持续健康发展，中华人民共和国生态环境部（以下简称生态环境部）宣传教育司设计实施“生态环境系统政务微博微信账号及矩阵评价指数”，对全国生态环境系统政务新媒体矩阵进行评价计分并定期发布排名榜单，进一步强调了政务微信在未来生态环境建设和发展中的作用，督促全国各省、市、自治区加强对政务微信的管理，充分发挥其政务服务、政民互动、信息公开以及宣传教育等方面的积极作用，各级生态环境政务微信得到了迅猛发展，质量得到极大的提升，内容更为丰富，更新频繁有序，形式更为多样，传播力得以加强，各层级的微信公众号成为有效能的“指尖上的网上政府”。

2016年1月，在重庆召开的推动长江经济带发展座谈会上，习近平总书记提出“共抓大保护，不搞大开发”的理念，自此，生态优先、绿色发展成为全面推动长江经济带高质量发展的重要基础。长江经济带11省市生态环境政务微信公众号贯彻习近平生态文明思想，坚持绿色发展思路，把生态文明建设融入经济建设、政治建设、文化建设、社会建设各方面和全过程，直面生态环境的严峻

① 中国互联网络信息中心（CNNIC）. 第52次中国互联网络发展状况统计报告[EB/OL]. https://cnnic.cn/n4/2023/0828/c199-10830.html.

形势，加大生态环境的保护力度，在生态环境保护政策解读、公众环境意识培育、环境治理与舆情引导、环境信息发布等方面发挥着积极的作用。

本课题选取 2019 年 1 月 1 日至 2021 年 12 月 31 日，长江经济带 9 省 2 市生态环境官方微信公众号的所有发文数据。采集程序使用 Python 设计，使用了 Scrapy 进行异步并行采集，对以上接口返回的 JSON 数据进行解包后，可以得到包括文章永久链接、文章标题、发表日期、作者、阅读数、点赞数、在看数、正文数据等一系列数据字段。在此基础上，从账户注册信息、明显的广告、机器人发文等方面对微信文本进行清洗，部分推文还采用了全“画报式”展现方式，针对文字长度小于 10 字(文字长度极短可判定为“画报式”文章)的文章进行原始推文网页 html 源文件获取，通过 BeautifulSoup 工具获取所有图像，进一步使用 EasyOCR 识别工具对所有文章图片进行中英文文字提取，在提取后回填至推文的“正文”字段中。最终通过数据采集与清洗，共获取长江经济带 11 省市生态环境厅(局)官方微信公众号发文 59 463 条。

根据前期研究设计，课题组对长江经济带 11 省市生态环境厅(局)官方微信公众号的发文文本从五个不同维度指标进行了分析。这五个指标为：发文数量与更新度、原创度与信息来源、发文主题、影响力和服务功能。

8.1.1 发文数量与更新度分析

8.1.1.1 总发文数量与季度走势

2019 年 1 月至 2021 年 12 月，长江经济带 11 省市生态环境厅(局)官方微信公众号的发文总量为 59 436 条。

按照季度顺序，对长江经济带 11 省市每一季度的发文数量进行统计，绘制成微信公众号的发文数量走势图。走势图的走向与波动可以在一定程度上体现出三年内省级生态环境部门在环境新闻、工作动态、政策解读、信息公开以及科普教育等方面的作为，反映出生态文明建设的工作成效。

如图 8-1 所示，三年内省级官方微信公众号的发文数量整体呈现上升趋势，在 2020 年第一季度和 2021 年第二季度分别有一个大幅度的增长。这一变化趋势，一方面体现了政务新媒体建设得到了各级政府的高度重视，另一方面也与中国的生态文明建设思想与战略的不断深化紧密相关。

2018 年 12 月，国务院办公厅发布了《关于推进政务新媒体健康有序发展的意见》，对政务新媒体建设的指导思想、工作目标、基本原则等进行了明确说明；2019 年 4 月发布《国务院办公厅秘书局关于印发政府网站与政务新媒体检查指标、监管工作年度考核指标的通知》(国办秘函〔2019〕19 号)；2019 年 5 月

15日起，修订后的《中华人民共和国政府信息公开条例》正式实施。“互联网+政府”模式的政务新媒体，是信息公开与政府舆情管理的重要阵地与渠道，是增强政府公共服务能力、推动政府治理能力现代化、实现从管制型政府向服务型政府转变的重要推力，因此在上层意见与时代要求之下，推进包括微信公众号在内的政务新媒体健康有序发展受到了各级政府的高度重视，微信公众号发文数量在2019年第二季度得到了显著增长。

自2020年第一季度起，长江经济带11省市官方微信公众号发文数量出现显著增长的另一原因在于：2019年1月生态环境部发布《长江保护修复攻坚战行动计划》，提出以改善长江生态环境质量为核心的长江保护修复攻坚战计划，要求坚持污染防治和生态保护“两手发力”，推进“三水共治”，突出“四源齐控”，深化“五江共建”，明确了到2020年底在生态环境空间管控、整治排污口、加强工业污染治理、持续改善农村人居环境、保障饮用水源水质安全、加强航运污染防治、有效保障生态用水需求、强化生态系统管护等方面的具体任务，因而2020年度长江环境治理工作开展密集有力，从而导致各类攻坚行动报道、典型案例以及政策信息呈现较多。

长江经济带11省市官方微信公众号发文数量在2021年第二季度呈现大幅度增加，一方面得益于疫情防控常态化之下政府工作的平稳有序状态，另一方面与2021年中国政府对生态环境议题的关注与重点工作要求紧密相关。习近平主席在联合国大会上和气候雄心峰会上向世界承诺中国将提高应对气候变化的国家自主贡献度，力争在2030年实现碳达峰，2060年实现碳中和。为了实现这一庄严承诺，2020年底召开的中央经济工作会议把碳达峰作为2021年八大工作重点之一，“十四五”规划也将“碳达峰”列入重要内容。除此之外，人与自然和谐共生、生产生活方式绿色转型、推进经济高质量发展和生态环境

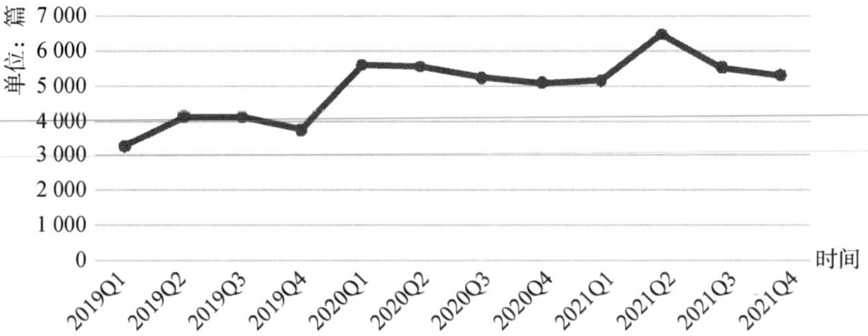

图8-1　长江经济带11省市生态环境官方微信公众号总发文数量季度走势图

高水平保护、维护生物多样性等举措，被纳入2021年政府工作报告，作为2021年及“十四五”时期生态环境保护的工作重点。因此在2021年，各级生态环境部门纷纷落实各项任务要求，实施具体工作计划，见诸媒体的相关报道数量就相应增多。

8.1.1.2 平均发文数与对比值

2019年1月至2021年12月，长江经济带11省市生态环境厅(局)官方微信公众号的更新频率基本保持在较高数值，微信公众号表现活跃。2018年4月，生态环境部官网发布《关于环保系统官方微博、微信公众号存在“零发稿”或久未更新情况的通报》，对环保系统官方微信公众号的“僵尸”号现象进行了强有力的监督与结果反馈，至此生态环境系统的各级官方微信公众号运营更为健康有序，更新度高，内容丰富，成为政务新媒体的一个较好标杆。如表8-1所示，11省市生态环境官方微信公众号周平均发文保持在25～35篇，最高达到近50篇。如图8-2所示，“江西环境”周发文量最高，“湖北生态环境”“江苏生态环境”“云南省生态环境厅”表现也较为突出。政府信息“掌上看”已经成为常态，“指尖办”的办事形式日益受到民众青睐，构建“24小时不打烊的网上政府”的第一步就是要保持一定的发文量，做到信息发布的常规化与日常化，从而保证政务媒体活跃度。

表8-1 长江经济带11省市生态环境官方微信公众号平均发文数量

(单位:篇)

公众号名称	周平均发文	月平均发文	季平均发文
安徽生态环境	31	134	401
贵州省生态环境厅	36	156	468
湖北生态环境	41	178	533
湖南生态环境	33	146	438
江苏生态环境	37	163	490
江西环境	49	216	647
上海环境	27	119	358
四川生态环境	33	145	434
云南省生态环境厅	38	168	503
浙江生态环境	28	123	370
重庆生态环境	24	105	315

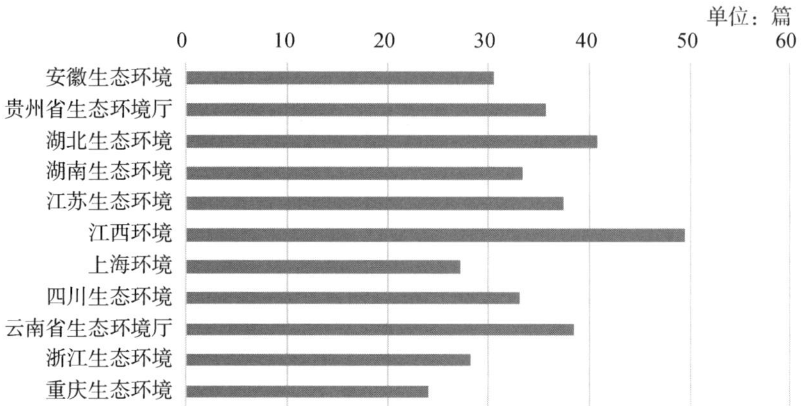

图 8-2　长江经济带 11 省市生态环境官方微信公众号周平均发文数量对比值

8.1.2　原创度与信息来源分析

8.1.2.1　原创度

微信平台的定制、互动以及圈层传播等功能，使得其信息内容也不同于传统的媒体平台信息，专门化的受众群体以及便捷化的转发形态，使得其信息内容方面的要求更为严格。微信平台发布不仅要专业性、精准化，也要多样化、生动性，而要更好地发挥公众号的功能，原创度就必须提升。原创作品的多与寡、好与坏，直接关系政务新媒体的传播力、互动力、服务力能否提升，对政务新媒体晒政、问政、理政的效能高低会产生较大的影响。

如图 8-3 所示，长江经济带 11 省市的微信公众号的原创度总体来说处于较低水平，原创文章占比仅为 9%。虽然各省市微信公众号、微博、官网等信息可以互通，各级新媒体矩阵内信息鼓励互联，但是适应于微信平台而生成的文章、报道或者其他形态的信息还是相对太少。

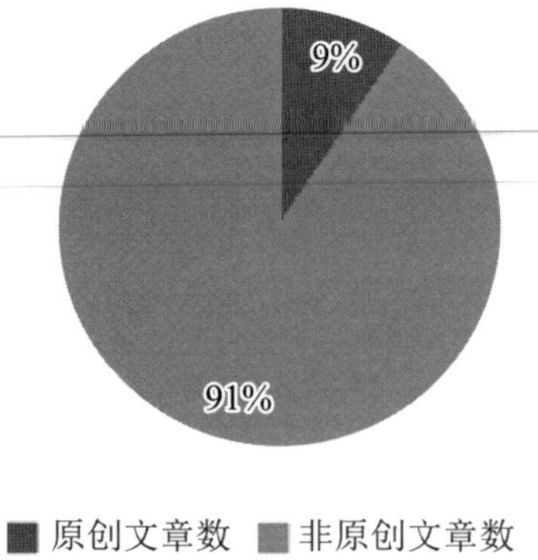

图 8-3　长江经济带 11 省市生态环境官方微信公众号总原创文章数比例图

长江经济带各省市生态环境官方微信公众号之间的原创文章差异性较大，如图 8-4 和 8-5 所示，“江苏生态环境”的原创文章数量遥遥领先，达到 2 462 篇，约占所有文章的三分之一，其次是“四川生态环境”，原创文章为 1 583 篇，“重庆生态环境”原创文章数为 1 422 篇。相对来说，“安徽生态环境”“贵州省生态环境厅”“云南省生态环境厅”的原创文章就很欠缺，分别为 20 篇、1 篇与 1 篇。

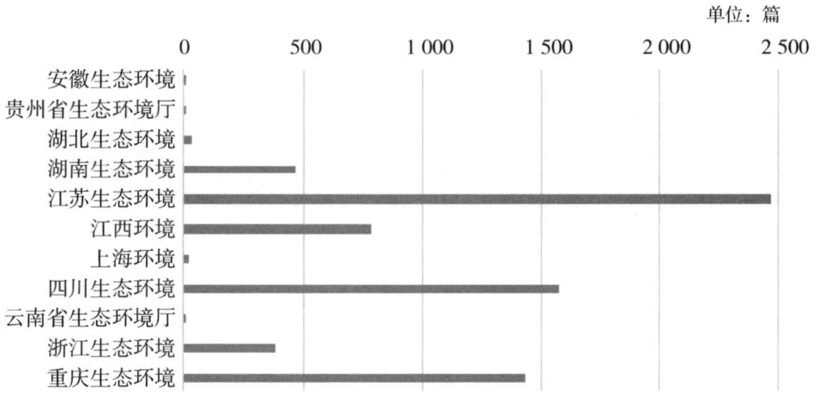

图 8-4　长江经济带 11 省市生态环境官方微信公众号原创文章数量

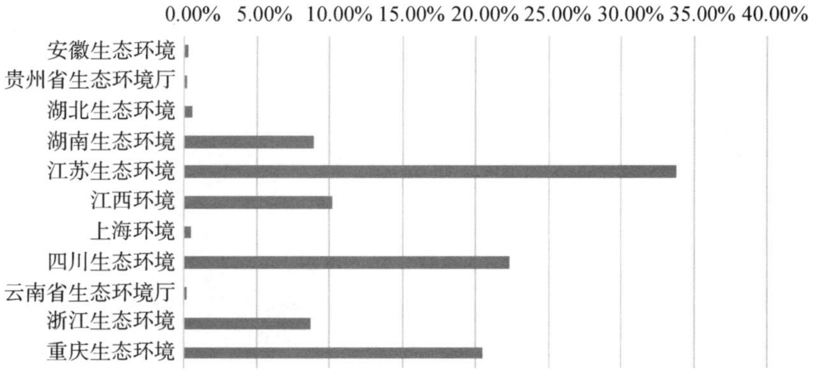

图 8-5　长江经济带 11 省市生态环境官方微信公众号原创文章比例

8.1.2.2　信息来源分析

在非原创转载来源方面，长江经济带 11 省市生态环境官方微信公众号一般转发来自生态环境部的信息公告、市县级生态环境部门的工作动态、地方主要媒体的新闻报道、党政主流媒体的报道文章等。如表 8-2 所示，在转载来源

表 8-2 长江经济带 11 省市生态环境官方微信公众号转载来源前十位的平台

微信号	转载来源 NO. 1	转载来源 NO. 2	转载来源 NO. 3	转载来源 NO. 4	转载来源 NO. 5	转载来源 NO. 6	转载来源 NO. 7	转载来源 NO. 8	转载来源 NO. 9	转载来源 NO. 10
重庆生态环境	生态环境部	上游新闻	共产党员网	重庆日报	人民日报	新华网	新华社	央视新闻	中国政府网	党建读物出版社
四川生态环境	生态环境部	川观新闻	川观观察	共产党员网	四川日报	中国环境报	中国环境公众号	深圳晚报	新华社	人民日报
湖北生态环境	湖北日报	生态环境部	湖北生态环境厅网站	新华社	中央党史和文献研究院网站	人民日报	新华社	中国环境报	湖北新闻	襄阳市生态环境局
湖南生态环境	生态环境部	红网	新华社	湖南日报	新湖南	中国环境报	人民日报	环保科普 365	湖南新闻	湖南新闻联播
云南省生态环境厅	生态环境部	云南日报	云南发布	云南网	云南省人民政府网	中国环境报	新华网	人民日报	中国环境客户端	普洱市生态环境局
贵州省生态环境厅	生态环境部	生态贵阳	天眼新闻	遵义市生态环境局	新华社	人民日报	黔东南州生态环境局	中国环境报	贵州省人民政府网	贵州日报
江西环境	生态环境部	江西日报	中国环境报	中央党史和文献研究院网站	人民日报	新华社	中国环境微信公众号	宜春市生态环境局	赣州市生态环境局	新余市生态环境局
安徽生态环境	中央党史和文献研究院网站	生态环境部	安徽新闻联播	芜湖生态环境	安徽日报	亳州生态环境	马鞍山生态环境	新华社	合肥生态环境	中国环境微信公众号
浙江生态环境	生态环境部	浙江日报	中国环境报	共产党员网	浙江省生态环境厅网站	新华社	杭州生态环境	嘉兴生态环境	人民日报	新华网
江苏生态环境	生态环境部	共产党员网	苏州生态环境	新华日报	连云港生态环境	生态徐州	泰州生态环境	镇江生态环境	无锡生态环境	常州生态环境
上海环境	生态环境部	上海市生态环境局	解放日报	中国环境报	人民日报	金山环境	新华社	上观新闻	上海发布	环保宝山

前十位的平台中，11 省市均转载了生态环境部微信公众号上的发文，并且在 9 省市的转载来源中居于首位。《人民日报》、新华社以及各省市日报是转载的主要媒体来源，信息来源具有很强的权威性和公信力。共产党员网及中央党史和文献研究院网站作为重要的转载来源则充分说明了党对于生态文明建设的领导，生态环境是关系党的使命宗旨的重大政治问题。特别值得关注的是，"江苏生态环境""浙江生态环境""江西环境"微信公众号中转载系统内微信矩阵的文章较多，这充分表现了三省政务新媒体矩阵建设的努力与成效。

8.1.3 发文主题分析

课题组随机抽样 6 000 条(总体的 10%)文本作为训练样本进行人工标注，将文本主题细分为八个类别：①时政新闻热点；②生态文明建设思想与战略；③环保理念倡导；④环保与治理典型案例；⑤环境政务工作动态；⑥生态环境信息公开；⑦环保科普与教育；⑧环保曝光与投诉。然后使用机器学习人工标记小样本的特征，选取高频出现的特征词汇、文本长度等特征，发现内在分类规律，随后使用 Python 并配合 PyTorch 深度学习框架进行模型分类训练，最后对每一条文本进行判别分类。

8.1.3.1 主题分布

政务微信公众号作为当前政府进行社会治理的网络主要平台，对在互联网中实现平和有序的社会治理起着至关重要的作用，在政府进行网络治理的过程中发挥着强大功能。在其承载的三大功能，即信息发布、公共服务应用和政民互动中，信息发布是微信公众号的基石，而发布的信息内容关系到治理理念、政府公信力、舆情引导、层级工作指导等，是政务媒体平台是否有效有力的关键。

长江经济带 11 省市生态环境官方微信公众号的信息主题总体来说较为丰富，立足生态环境保护，信息类别包括时政新闻热点、生态文明建设思想与战略、环保理念倡导、环境治理典型案例、环境政务工作动态、政策信息公开、环保科普与教育、曝光与投诉等。如图 8-6 所示，环境政务工作动态占比最大，典型案例与科普教育也有一定的比重。政务工作动态主要包括生态环境部的会议决议与工作安排、各级生态环境部门的会议部署、各项系统内部活动与常规工作通告、具体工作的过程报道与总结等，占比最大充分表明了长江经济带 11 省市对生态环境保护工作的重视，充分体现了环境治理的政府作为与积极成效。科普教育占比较大可以表明，长江经济带 11 省市对于环境保护公众教育与引导的重视与投入，环保理念的倡导不仅要打感情牌，更要有实实在在的知识输出与专业引导。典型案例占比较大则表明，长江经济带11省市取得了丰硕的环境治理成果，正面典型案例不但提供了治理经验，弘扬了环保人的精神，同时也不断促进环境保护与治理的工作热情和公众信心，为长江经济带的绿色转型与高质量发展提供切实动力。

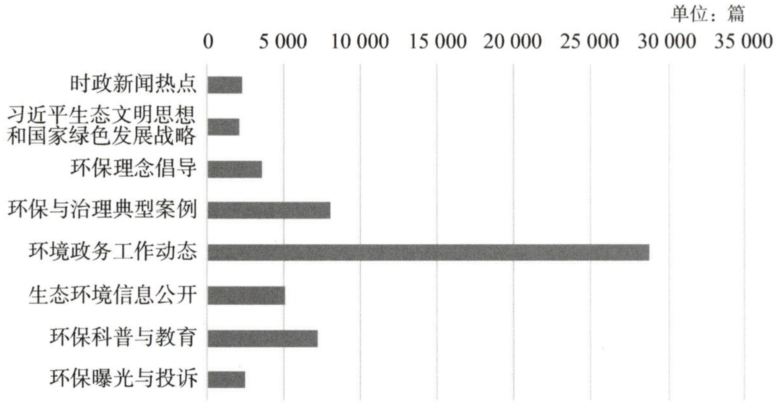

图8-6 长江经济带11省市生态环境官方微信文本主题分布

8.1.3.2 主题变化趋势

11省市生态环境官方微信公众号发文主题变化情况，如表8-3与图8-7所示，呈现出以下三个特征。

第一，工作动态类信息始终保持高位，这充分说明了11省市各级政府生态环境保护与生态文明建设的状态与成效，认真贯彻习近平生态文明思想和国家绿色发展战略，政府积极投入，环保工作开展积极有序。第二，发文主题变化与党中央生态文明建设战略规划紧密相关。比如，2021年第一、二季度，科普教育类主题占比上升，与“碳达峰”“碳中和”的战略目标提出有着极大关联，这一时间段里各省市微信公众号中使用图表、动画、视频短片、动态画册等方式对“碳达峰”“碳中和”以及新能源发展等进行科普教育。第三，发文主题变化与新冠疫情防控情况相关。2020年初新冠疫情的暴发给中国政府的治理模式与舆情管理带来了挑战，也促使了新思路与新措施的产生，2020年1—3月，11省市微信公众号里的环境政务工作动态占比明显增多，因为疫情防控的需要，网上信息发布与网上政务安排成为重要的工作方式，此时间段里的工作动态信息增多表明生态环境系统面对突发疫情的积极应对态度与工作模式的快速调整，从而可见中国环境治理的坚定决心与强大能力。

表 8-3　长江经济带 11 省市生态环境官方微信文本主题季变化表

2019Q1	2019Q2	2019Q3	2019Q4	2020Q1	2020Q2	2020Q3	2020Q4	2021Q1	2021Q2	2021Q3	2021Q4
工作动态（50.0%）	工作动态（46.2%）	工作动态（51.8%）	工作动态（48.3%）	工作动态（54.2%）	工作动态（47.0%）	工作动态（55.7%）	工作动态（50.5%）	工作动态（44.9%）	工作动态（43.0%）	工作动态（45.8%）	工作动态（44.5%）
典型案例（10.8%）	典型案例（8.9%）	典型案例（18.3%）	典型案例（21.1%）	典型案例（12.8%）	典型案例（11.4%）	典型案例（13.4%）	典型案例（15.3%）	典型案例（14.9%）	典型案例（11.1%）	典型案例（13.0%）	典型案例（13.3%）
信息公开（13.6%）	信息公开（11.1%）	信息公开（7.6%）	信息公开（9.2%）	信息公开（9.7%）	信息公开（8.4%）	信息公开（8.9%）	信息公开（9.5%）	信息公开（10.2%）	信息公开（4.9%）	信息公开（5.6%）	信息公开（8.2%）
科普教育（8.0%）	科普教育（11.7%）	科普教育（5.1%）	科普教育（7.0%）	科普教育（11.2%）	科普教育（13.3%）	科普教育（8.2%）	科普教育（8.2%）	科普教育（13.1%）	科普教育（20.7%）	科普教育（16.4%）	科普教育（16.4%）
理念倡导（4.5%）	理念倡导（13.0%）	理念倡导（5.0%）	理念倡导（6.3%）	理念倡导（2.7%）	理念倡导（10.3%）	理念倡导（5.1%）	理念倡导（6.4%）	理念倡导（4.8%）	理念倡导（6.3%）	理念倡导（3.3%）	理念倡导（4.5%）
曝光投诉（3.6%）	曝光投诉（4.0%）	曝光投诉（7.3%）	曝光投诉（3.8%）	曝光投诉（1.4%）	曝光投诉（2.1%）	曝光投诉（3.9%）	曝光投诉（3.4%）	曝光投诉（3.0%）	曝光投诉（6.2%）	曝光投诉（6.1%）	曝光投诉（4.3%）
时政热点（2.2%）	时政热点（1.9%）	时政热点（2.8%）	时政热点（1.8%）	时政热点（6.9%）	时政热点（4.7%）	时政热点（2.0%）	时政热点（2.8%）	时政热点（3.6%）	时政热点（4.7%）	时政热点（6.4%）	时政热点（4.1%）
思想战略（7.4%）	思想战略（3.1%）	思想战略（2.2%）	思想战略（2.4%）	思想战略（1.2%）	思想战略（2.7%）	思想战略（2.8%）	思想战略（3.9%）	思想战略（5.6%）	思想战略（3.2%）	思想战略（3.3%）	思想战略（4.7%）

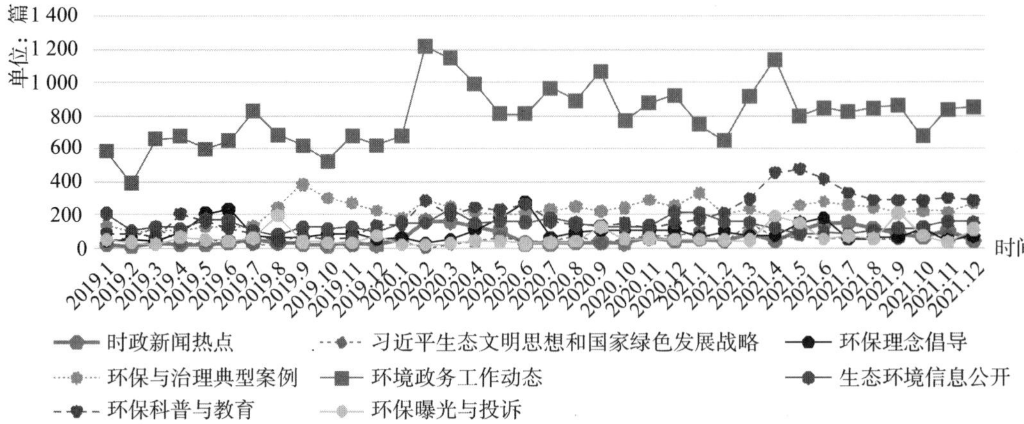

图 8-7　长江经济带 11 省市生态环境官方微信文本主题月度走势图(示意)

8.1.3.3　高频词词云

高频词词云生成主要经历了两个阶段:推文文本切割、词频分析与出图。在文本切割阶段,课题组给定部分与生态环境有关的词语,并结合隐马尔可夫(HMM)模型进行自适应的新词发现,使用 Jieba 分词工具将所采集的全部推文进行一次性自然文本切割。在词频分析与出图阶段,对前一阶段结果进行词频统计,利用 Word Cloud 工具出图。

通过对长江经济带 11 省市生态环境官方微信文本高频词的抓取分析,如图 8-8 所示,微信公众号发文中高频词排在前十位的分别为“生态环境”“工作”

图 8-8　长江经济带 11 省市生态环境官方微信文本高频词词云

"发展""问题""企业""推进""要求""环境保护""我们""整改"等。其中特别值得注意的是"问题"、"推进"、"整改"和"我们",重视与面对生态环境中存在的问题、思考和解决这些问题体现了我国政府以及环境部门的可持续发展眼光和对于蓝天白云、绿水青山的保护信念,以切实有效的工作推进经济发展和社会进步,敢于改正错误,严格执法加强监督,整顿改正环境污染各种问题,以高度的责任感开展工作,与民众沟通互动,一起建设美丽中国,实现中华民族的永续发展。

8.1.4 影响力

8.1.4.1 阅赞数

政务微信的影响力不仅受制于政治、经济、文化等因素,更与自身建构及发展密切相关,政务微信的语言运用、运营人员的媒体素养、推送文章频率与内容、信息呈现形式、互动服务设置等均关系着其影响力。在微信传播力指数(WCI)中,影响总人数、总阅读数、最高阅读数、平均阅读完成率、篇均阅读数等是重要的参考指标。如表 8-4 所示,三年内,长江经济带 11 省市生态环境官方微信公众号的总阅读量为 50 033 733,点赞数为 449 679。据清博 WCI 统计,长江经济带 11 省市生态环境官方微信公众号的传播力指数位于前 3 位的分别为"江苏生态环境"(970.18),"四川生态环境"(599.78)和"江西环境"(597.62)。特别指出的是,"江苏生态环境"无论是阅读数还是点赞数都高居榜首,并且其清博 WCI 指数远远高于其他各省市,这样的成绩源于其运营团队的精心打造,积极推文,精确定位,样态丰富,注重原创,用户黏性高,团队的服务意识强。

表 8-4 长江经济带 11 省市生态环境官方微信阅赞数

公众号名称	阅读数	点赞数	清博 WCI
江苏生态环境	16 369 559	181 407	970.18
四川生态环境	7 143 549	49 361	599.78
安徽生态环境	4 381 823	27 735	571.70
重庆生态环境	4 233 992	7 444	414.05
浙江生态环境	4 171 271	24 953	449.17
江西环境	4 052 824	91 588	597.62

续表

公众号名称	阅读数	点赞数	清博 WCI
湖南生态环境	2 771 427	10 170	527.11
上海环境	2 576 131	20 845	545.79
湖北生态环境	1 834 282	10 170	513.54
云南省生态环境厅	1 500 954	22 148	440.26
贵州省生态环境厅	997 921	3 858	466.16
总计	50 033 733	449 679	—

8.1.4.2 阅赞前十名的推文

如表 8-5 所示,阅读量达"10W+"的文章主题包括环境政务工作动态、环保理念倡导、环境治理典型案例等,由此可见环境系统工作者注重工作实绩,榜样力量对他们具有巨大的吸引力。从单篇文章阅读量来看,出现"10W+"阅读量文章的公众号主要是"江苏生态环境"和"江西环境",尤其是"江苏生态环境",有 10 篇推文获得"10W+"的阅读量。这些获得较高阅读量的推文绝大多数都是原创,这表明专门性和定制化的推文更容易获得关注,从实际出发的、反映身边的人与事的内容更容易得到共鸣,更能对具体的环境保护工作起到积极的指导作用。从这些高阅读量的推文发表时间来看,除《给我们自己一点掌声》和《"2020 江西最美环保人"5 月 1 日 00:00 正式开启投票 江西环保人需要您的支持!》的发表时间是 2019 年 2 月 1 日和 2020 年 4 月 30 日之外,其余的推文发表时间均为 2021 年,并且大多数集中在 11 月和 12 月,这充分说明了借力于微信平台影响力的提升,政务微信公众号越来越成为民众、系统内工作人员获悉信息的主要媒体平台,成为日常使用频繁的媒体工具。

微信推文的点赞数可以充分体现此篇推文的影响力,可以体现民意所向。如表 8-6 所示,长江经济带 11 省市生态环境官方微信公众号中点赞数前十名的推文几乎全部来自"江苏生态环境",并且都是原创文章。其中,点赞数最高的推文是《沛县:三个"第一时间"推进专项督察交办问题整改》,这篇反映治理实绩的典型案例,来源于徐州市生态环境局,获得了 5 460 个点赞数。推文《水滴滑过的天才更蓝》《把习总书记亲临南通视察作为"再来一次高质量发展沧桑巨变"的起点,建设彰显生态之美的低碳花园城市——大美南通阔步前行》

表 8-5　长江经济带 11 省市生态环境官方微信公众号阅读量“10W+”的推文

序号	公众号	推文标题	发表时间	来源	是否原创
1	江苏生态环境	水滴滑过的天才更蓝	2021/2/7	江苏生态环境	是
2	江苏生态环境	把习总书记亲临南通视察作为“再来一次高质量发展沧桑巨变”的起点，建设彰显生态之美的低碳花园城市——大美南通阔步前行	2021/11/12	南通市生态环境局 南通日报社	是
3	江苏生态环境	他们的行动温暖了今冬“第一阵寒风”	2021/11/11	镇江市生态环境局	是
4	江苏生态环境	2 000 万元、2 个月，254 项环境问题遁迹	2021/12/13	镇江市生态环境局	是
5	江苏生态环境	“0.169”，攻坚战的“三八线”	2021/11/22	无锡市生态环境局	是
6	江苏生态环境	探索生态环境损害赔偿多元化实践 打造现代生态环境治理“苏州样本”	2021/12/3	苏州市生态环境局	是
7	江苏生态环境	念好“山”字经 做活“绿”文章 看江宁如何打造用之不竭的“金山银山”	2021/12/19	南京市生态环境局	是
8	江苏生态环境	南京江宁：聚焦年度目标 聚力冲刺冲锋	2021/11/6	南京市生态环境局	是
9	江苏生态环境	给我们自己一点掌声	2019/2/1	江苏生态环境	是
10	江苏生态环境	泰州：“绿岛”为小企业插上腾飞的“翅膀”	2021/12/24	泰州市生态环境局	是
11	江西环境	万物江西（视频）	2021/9/22	江西环境	是
12	江西环境	驻厅纪检监察组与厅党组同频共振同题共答 锻铸治污利器	2021/12/3	中国环境报	否
13	江西环境	“2020 江西最美环保人”5 月 1 日 00:00 正式开启投票 江西环保人需要您的支持！	2020/4/30	江西环境	是

表 8-6　长江经济带 11 省市生态环境官方微信公众号点赞数前十名的推文

序号	公众号	推文标题	发表时间	来源	是否原创	点赞数
1	江苏生态环境	沛县：三个“第一时间”推进专项督察交办问题整改	2021/9/17	徐州市生态环境局	是	5 460
2	江苏生态环境	水滴滑过的天才更蓝	2021/2/7	江苏生态环境	是	4 379
3	江苏生态环境	把习总书记亲临南通视察作为“再来一次高质量发展沧桑三变”的起点，建设彰显生态之美的低碳花园城市——大美南通阔步前行	2021/11/12	南通市生态环境局、南通日报社	是	3 220
4	江苏生态环境	徐州沛县召开突出生态环境问题集中攻坚推进会	2021/10/26	徐州生态环境	是	2 799
5	四川生态环境	报告！41 所学校“小小志愿者”前来报到	2020/11/1	四川生态环境	是	2 548
6	江苏生态环境	镇江：“三心服务” 助发展在绿水青山之间加速跑	2021/12/4	镇江市生态环境局	是	2 012
7	江苏生态环境	他们的行动温暖了今冬“第一阵寒风”	2021/11/11	镇江市生态环境局	是	1 552
8	江苏生态环境	江苏省连云港环境监测中心开展主题党日活动	2021/5/2	连云港生态环境	是	1 435
9	江苏生态环境	生态文明实践 | 新吴：小小“昆虫屋”里竟然藏着生物多样性大奥秘！	2021/12/17	无锡市生态环境局	是	1 236
10	江苏生态环境	又有新发现！南京野生小叶栎种群改写江苏植物历史	2021/12/14	南京生态环境	是	1 216

《他们的行动温暖了今冬“第一阵寒风”》，不但点赞数名列前茅，阅读数也都突破“10W”，这充分说明了这3篇高质量推文具备了较高的影响力，发挥了舆论引导的作用。值得注意的是，点赞数前十的推文大多数来自江苏省各市级生态环境局，微信矩阵建设的成效可见一斑。

8.1.5 服务功能

政务新媒体改变了我国政府的行政组织结构，为我国政府打造了更为先进的管理模式，进而提升政府对群众的服务能力，这对于服务型政府的打造来说具有积极意义。2019年4月18日，国务院办公厅发布了《政府网站与政务新媒体检查指标》，同年对中国政务新媒体进行第一轮检查，以量化考核的方式对政务新媒体进行评审。在检查指标中，发布解读、办事服务、互动交流、功能设计等作为一级指标，对于在索取服务的过程中发现站点提供的服务并不实用，无法真正为人民解决问题；在使用的过程中，发现其回应间隔过长，服务质量差等情况采取单项否决制。政务新媒体不仅仅是媒体，更是服务平台，一个较为完善的政务平台必须拥有服务功能，让民众可以获悉政策，得到权威解读；可以进行留言，表达自我诉求；可以互动交流，获得参与体验；可以轻松办事，获得切实便利。

长江经济带11省市生态环境官方微信公众号均设有专门的服务栏目，开设形式不一、功能多样的通道，包含信息发布与政策解读、互动交流、办事服务等通道。信息发布设有专题，涉及各类攻坚行动、常规信息发布与政策公开、碳达峰碳中和等；互动交流均设有留言通道，或有趣味参与性游戏与活动；办事服务提供投诉举报、周边环境查看、官网官微矩阵链接等。

不过，11省市生态环境官方微信公众号的服务栏目建设差异性较大，其中“江苏生态环境”建设成效显著，设有3类共15个栏目，专题服务包括碧水保卫战、蓝天保卫战、净土保卫战、碳达峰碳中和以及改革创新5个栏目；权威发布中区分出信息发布、媒体声音和动态信息3个栏目，并且每一类均有相当数量的信息条目；互动交流包括“我向总理说句话”的链接服务，也设有“厅长我留言”平台，民众留言中的问题均得到迅速的反馈，尤其是设有品牌活动栏目，集趣味、科普、热度为一体，活动丰富，参与性高。

8.2 长江经济带环境政务微信公众号建设的主要问题

总体而言，长江经济带11省市生态环境官方微信公众号建设还有很大的发展空间。各地需要投入更多的财力与精力去运营和维护，培养高水平的政务新媒体运营的工作队伍；利用好微信平台的强大功能、高使用率以及便捷的互动交流能力；精准定位好微信公众号，官方微信、官方网站、官方微博和官方视频号等既要联动，又要区分和各有侧重；进一步规范信息发布，做到日有更新，及时发布及时解读，认真审核语言、图片和视频，提升内容质量；提升互动交流的质量，利用移动媒体的便捷性，设置专门的微信互动交流区；加强服务质量，与技术部门或企业合作，设置专门的服务项目，打造掌上便民服务平台。

8.2.1 建设水平差异较大

近年来，在各级部门不断重视和努力下，政务微信、微博、抖音等新媒体平台，内容丰富有趣，互动频繁。但也有一些政府部门虽然开通了政务微信、微博等政务新媒体，却很少更新，或虽有更新却基本上是转发他文，少有原创，与本部门工作相关的信息鲜有呈现。同时，对于网友的留言、疑问，也很少回复或回复不及时，处于长期失语失声的状态。

整体而言，长江经济带11省市生态环境官方微信平台均已搭建并顺畅运行，发布内容恰当，表述严谨。各公众号栏目设置完整，涵盖信息发布与政策解读、服务项目、互动环节等，保证了微信公众号的规范性，有些公众号还设有视频号，极大丰富了信息呈现形式。各公众号基本做到每日更新，没有出现“僵尸号”“摆设号”的情况。发布的内容能够做到专门性和针对性，围绕国家生态文明建设战略、生态环境保护日常工作和专项行动、环境治理案例、环境科普教育等主题，没有出现简单挪用权威媒体报道、盲目跟随热点和过度娱乐化的问题。各公众号的功能设计基本完备，基本没有出现无法打开或使用的情况，均能实现“搜索即服务”。互动交流环节均有设置，即使未能设置专门的微信号上的互动交流，也会提供官网上的相应链接。服务栏目均有设置，并且下列不同类别，提供空气、水质等相关数据，提供投诉服务或渠道信息，设有科普专列，提供党史资料。

但长江经济带11省市生态环境官方微信公众号建设水平差异性大，无论是在更新速度还是原创文章上，无论是在报道质量还是消息呈现形式上，无论是在互动环节设置还是传播影响力上，11 个官方微信公众号之间都存在着一定的差距。

第一，原创度差距大。长江经济带 11 省市的生态环境官方微信公众号原创度总体来说处于较低水平，原创占比仅为 9%，处于低位的一个主要原因是少数省市原创文章过少，只有个位数，拉低了原创占比。而“江苏生态环境”微信公众号的原创数量达两千多篇，“四川生态环境”和“重庆生态环境”也能达到千篇以上。

第二，影响力差距大。在微信传播力指数(WCI)中，阅读数、点赞数是两个重要指标。长江经济带 11 省市环境政务微信公众号的阅读数排名第一的“江苏生态环境”与最后一名之间相差千万之巨，点赞数首尾之间也相差 17 万多，而阅读量达“10W⁺”的推文几乎都来自“江苏生态环境”等少数几个环境政务官方微信公众号，这足以说明地区之间建设水平的巨大差距。

第三，功能设置差距大。虽然 11 省市环境官方微信公众号均设有互动交流环节、服务栏目，有着较为规范的信息发布机制，但是各栏目下的内容无论是在数量上还是形式上都存在着差异，建设比较好的公众号有专题策划、品牌活动以及视频号等，而建设较弱的公众号仅仅提供一些服务接口，未能生成为公众号量身定做的信息和服务。

8.2.2 精准传播效果不佳

政府网站、政务微博和政务微信在服务对象、服务方式上虽有部分交叉，但又各有优势、相互补充，构成更加完善的电子政务服务体系。政务微信弥补了政府网站上网条件要求较高、互动性差、支付程序复杂的不足，也弥补了政务微博办事功能弱、私密性差等缺陷，解决了电子政务服务传递的“最后一公里”问题。政务新媒体运营人员应该结合不同媒介的性质、特征等进行差异化定位。官方网站要全面细致，担当“资料库”的角色，立足政策文件的及时发布与权威解读，提供多方面的具体资讯；官方微博较强的开放性使其可以成为政府部门遭遇突发事件时，向公众发布事件真相、展示工作实施以及提供权威数据信息的首选渠道，而随着微信平台本身越来越高的覆盖率和使用率以及公众号本身所具备的开放性，政务微信公众号不但是及时引导舆情的重要阵地，同时也因为其可以提供丰富的功能以及扩展接口，成为政府部门为公众提供便民化服务的重要媒体平台。

11 省市官方微信公众号整体来说，精准传播意识不足，个别公众号未能凸显出微信平台的传播优势，也未能建立起省一级官方微信公众号在本系统政务微信矩阵中的引领核心作用，在信息内容的精细化、信息推送的精准性以及目标受众的定制化服务上存在着不足之处。

第一，信息内容的精细化不足。微信公众号拥有日更一次或者日更多次的机会，但是部分省市的官方公众号发布和更新内容通常只是进行简单转载，缺乏原创内容，存在严重的内容同质化问题，且其发布内容多为政务信息资讯，大多缺乏深层次的解读，既无法让受众印象深刻，也难以提高自身关注度。

第二，信息推送的精准性不足。政务微信是全媒体时代政府把握危机管理主动权、打好危机处理主动仗的重要抓手。政府在重大疫情、重大风险等的应急管理和舆情应对方面要充分利用政务微信进行功能探索和创新，拓展网络问政的深度与广度，政府部门可以利用政务微信公众号精准推送、即时传送等特点，第一时间发布准确的政府信息予以澄清，在突发事件发生时占领舆论阵地，提升政府部门的危机应对力和执行力。长江经济带 11 省市生态环境微信公众号中存在着信息内容过于杂乱，工作动态报道中信息简化不精确，推送不及时等问题，少数公众号不能结合社会形势、中央政府工作部署重点安排、时事热点和民众舆论焦点及时推送信息，未能发挥舆情引导的作用。

第三，受众定位的精确性不足。11 省市官方微信公众号虽然基本上都能做到持续有更新，内容有建设，但很多推文基本是转发文章，原创极少，从而陷入互动性弱、用户黏性不足等困境，无论是阅读量，还是点赞量都长期处于低位运行状态。长江经济带 11 省市微信公众号的主要用户包括生态环境系统内的工作人员、相关职能部门的工作人员、企业用户、媒体工作者以及高校科研机构的研究人员，用户群体具有一定的专业基础，这就更需要精确的内容呈现、有效的信息公开与权威的政策解读以及有针对性的服务功能，可以说精准的受众定位对于政务微信公众号尤其重要。

8.2.3 互动水平有待提升

互动思维倡导政府部门与民众积极互动，在互动中获悉民众诉求，随即进行主动干预、处理与引导。互联网给予民众表达的空间，使得政府可以问政于网，察情于民，但如果民众心声得不到回应，也很容易集聚成祸，产生舆论偏向的可能，所以有效的政民沟通是政务新媒体重要的目标，是政府在网络舆情引导中掌握主动权的关键。要将习近平总书记在“4・19”讲话中强调的“六个及时”全面渗透到网络舆情引导工作中去，实现信息融合与资源共享，保证政民沟通的畅通性、有效性，保证线上、线下政务处理的一致性。国务院办公厅《关于在政务公开工作中进一步做好政务舆情回应的通知》(国办发〔2016〕61 号)提出,“各地区各部门要适应传播对象化、分众化趋势,进一步提高政务微博、微信和客户端的开通率,充分利用新兴媒体平等交流、互动传播的特点和政府网站的互动功能,提升回应信息的到达率”。

政务微信公众号为公众提供了问政新渠道,会显著降低公众咨询、投诉和建议的成本,有助于提升政府的行政效能。与政务微博相比,微信的指向性和功能性更强,互动更具私密性,互动形式也更为丰富,且信息相对不易沉没,这些优点有力地弥补了政务微博难以解决一对一沟通的不足,成为电子政务服务的重要途径。此外,微信在回复速度和数量上也比微博有着明显优势。长江经济带 11 省市官方微信公众号整体来说,互动交流水平有待提升,仅有“江苏生态环境”等少数公众号设有符合微信平台的“厅长我留言”项,分列“我要留言”“留言须知”“我的留言”3 类,留言列表中清晰显示留言内容和领办单位的回复内容,而大部分公众号的互动交流设置杂乱粗糙,只是简单链接到官方网站中去,无论是在页面设计还是在便捷性上,都没有建立起符合微信公众号的互动交流渠道。

8.2.4 服务意识亟须加强

在微信发展的初步阶段,主要是以政务微信订阅号为主,主要工作为信息发布和查询。在发展的过程中,部分政府部门率先正确认识到政务微信在治理方面的巨大潜能和价值,设立了“服务民众、注重民生、充当政府网络发言人、正确引导舆论”的政务微信目标,从民生视角出发,注重服务、为群众实际办事,打破固有的媒体运营视角,从政府部门的角度出发,助力政务微信的发展。政务微信发展的一个重要目标就是将实际应用与微信平台相融合,实现线下业务的线上迁移,帮助民众方便、快捷办事,实现全流程、闭环式的微信办事服务。

民众在使用政务微信时,一般有五个维度的需求:一是信息需求,包括获取政务信息以及其他具备公信力的信息。二是办事服务需求,包括查询、预约、缴费等。三是参与需求,包括参与公共决策和政治生活,参与社会监督,如曝光违法违纪行为,举报、投诉社会不端行为等。四是社交需求,包括提高自身受关注程度和社交地位,巩固现有社交圈,维持关系等。五是情感需求,比如获得认同感,与多数人一致的从众心理等。这些需求反映了用户对于服务型政府的期待,因而应是各级政务微信致力建设的内容。

长江经济带 11 省市生态环境官方微信公众号均设有专门的服务栏目,但是栏目之下的信息内容、办事服务、互动参与、定制活动等存在一定的缺漏，各公众号之间的差距较大。具体来说，主要体现在以下几点。

第一，接入服务有待加强。微信拥有强大的数据库接入功能和自定义菜单，使得它能够无缝对接原有的政务信息平台，实现“微官网”和“微查询”功能，进一步丰富了政务信息公开的手段和信息服务的质量。目前长江经济带11省市生态环境官方微信公众号提供了一定量的接入服务，主要是生态环境的官方网站、微博矩阵和微信矩阵等，其中一部分公众号提供了国务院客户端的接入。但是接入服务的广度不够，接入的服务界面较为散乱及随意。

第二，政策解读推文的数量和质量有待提升。政务微信账号被用户订阅后，账号所发送信息能够精准地投递到特定用户，同时微信信息无严苛的字数限制，保证了政务信息的完整性，避免了脱离语境的信息碎片给信息受众带来误解，因而微信传播可以保证信息传递的稳固性和安全性，在传播较为重要的政策信息时具有不可替代的作用。11省市微信公众号均专设了信息服务，但是信息内容有些还是以工作动态和典型报道为主，常规信息数据发布和重要文件政策解读比较欠缺，并且解读相对简单，未能做到全面详细。

第三，民生服务有待提升。政务微信强大的数据库后台功能可以让其代替部分行政机关服务窗口行使问询功能、缴费功能等，用软件达到节省人力、物力和财力的目的，提高办事效率。生态环境领域关涉民生民意服务项目很多，但微信公众号上体现不足。环保政策查询与咨询、生态环境质量查询、举报投诉、处罚或许可公示查询等，需要依靠微信公众号平台建立起移动场景下的便民服务，从而为广大人民群众带来实实在在的便利。

8.3 长江经济带环境政务微信公众号建设的建议

政务微信是国内政务新媒体的主流媒介形式之一，区别于官方网站和官方微博，政务微信更偏重于掌上服务功能，在提高政府政务信息公开水平和政策解读能力的同时，更能调动公民参与的积极性，促进政府与公民之间的沟通互动，体现“以民为本”的理念。①

基于此，长江经济带11省市生态环境政务微信公众号应围绕公民需求开

① 袁国宝.政务新媒体——引爆指尖上的“政能量”[M].北京：中国经济出版社，2020：175.

展运营，充分利用政务微信的功能，拓宽服务范围，提供系统化的服务；应提高内容质量，提高民众认知度和用户黏度；应强化网络监督，执行严格的绩效考核体系，优化运营人才配置。

8.3.1 矩阵协同发展，突显微信平台特色

矩阵化是政府微信公众账号的主要趋势，在《国务院办公厅关于推进政务新媒体健康有序发展的意见》(国办发〔2018〕123 号)中明确提出，到 2022 年，建成以中国政府网政务新媒体为龙头，整体协同、响应迅速的政务新媒体矩阵体系。从新媒体平台各自的特点来看，各平台的受众、内容展现形式、传播方式以及用户特点等有较大差异，针对不同平台进行差异化、分众化的运营，是政务新媒体矩阵务必要走的运营路线。然而，纵观我国政务新媒体发展，大多数部门都采取一刀切的运营方式，对不同政务平台的传播内容、传播方式和功能开发未能做到区分性运作，因此需要合理布局政务新媒体矩阵，充分把握各平台的平台特性、受众特性，进行特色运营，实现互联互通、差异互补。

长江经济带 11 省市生态环境政务新媒体包括官方网站、微博、微信公众号，有些还开设了抖音账号，结合本身的平台传播特点，其实各种媒体的侧重点和建设目标是十分清晰的，但受制于开设时间不一、运营团队成熟度不一以及重视程度不一等因素，各种媒体的建设水平差距甚大，其中微信公众号建设远远落后于其他形式的政务媒体。

从 11 省市官方微信公众号发展现状可以看出，信息内容大多转发自官网或者生态环境部，原创定制内容极为缺乏，同时信息呈现形式也不适合在微信平台传播，缺乏适合在手机屏幕上观看的、形式更丰富、嵌入多链接的信息发布；服务功能开发不够，鲜有微信平台专属的“掌上”服务内容；微信受众私密性高、黏性高的特点也未能发挥，公众号的公众吸纳度较低。基于此，在长江经济带 11 省市生态环境微信公众号建设中，首先要全局统筹规划，明确各政务新媒体平台的定位，尤其是区分政务微博与政务微信，微博主推信息发布，及时快速响应生态文明建设的战略部署和重点工作安排，应对突发事件，积极引导舆情；微信则侧重在政策深度解读、信息详细发布以及互动交流维护、服务功能开发上，打造真正有效的“掌上政务”平台。

8.3.2 提升内容品质，打造便捷服务渠道

“互联网＋政务服务”是政府利用互联网思维、技术和资源实现融合创新的过程，除了通过“连接”提升运作效率、服务能力，更重要的是通过“化学反应”

和“基因再造”，重构流程，重塑公共产品和行政服务，实现政府服务体系的“升级和重塑”。[①] 一个想人民所想、急人民所急的政府，就是要通过服务使人民满意，从而建立起公信力。政务微信可以充分利用微信应用平台即时互动、即时沟通的特点，缩小人民群众与政府的距离。民众通过该新媒体平台，第一时间获取政府对于政策、法规的各种准确、权威解析并能实时监督政府的各种行政行为；及时向民众发布各类政务信息和民生信息，确保百姓获得快捷的资讯，方便民众生活，确保民众的各种权益不受损害。通过政务微信媒体应用平台，各种利益与矛盾得到统一与化解，民众的不满通过申诉得到了解决，公民的知情权、表达权、参与权等权利得到了保障，民众办事更为便捷高效。

长江经济带11省市生态环境官方微信公众号可以从信息公开、互动交流、服务质效三方面进行建设，开发服务功能，打造便捷服务渠道，建构服务型媒体平台。

第一，信息公开方面。建立健全的信息发布安全体系，加强敏感数据和隐私数据的安全防护，杜绝信息泄露等网络安全问题；完善信息审核发布机制，设置专人进行日常的内容审核，责任到人，为内容运营提供科学指导，发挥专业优势，避免盲目跟风；根据实际确立更新频次，既要做到常更新，又要保证信息质量，不只关注更新数量；结合自身的职能、目标受众需求，对自身进行精准定位，明确信息传播范围，服务好民众和生态环境系统工作人员；矩阵协调统一，既要做到信息共享，又要做到信息定制，设置特色的信息主题，推出更多的原创性内容，紧密跟随国家的战略部署和重点工作安排，重视目标受众关注的热点，及时发布深入具体的报道、解读和实施行动计划。

第二，互动交流方面。通过人工回复的形式，主动与用户进行沟通交流，实现每日在线的实时互动交流，做到有问必答，为用户提供个性化的信息服务。同时，对用户经常关注的信息及常见问题进行整合，设置关键词数据库，实现准确、及时的自动回复。对于有些不能使用自动回复的问题，应该及时收集整理，坚持有问必答、及时处理的原则，在一定时间内予以解决。政务微信公众平台还可以通过举办活动，如互动问答、知识比赛以及各种评选等热门活动，调动用户参与的积极性，实现用户与相关部门和单位的有效互动。在互动时，要注重实际效果，不能是单方面的“互而不动”，相关单位和用户都要积极参与进来。使用户在既获取信息的同时，又获得了很好的用户体验，从而增加

---

① “互联网＋政务服务”推动政府自我革新[EB/OL]．[2018-01-10]．http://www.gov.cn/zhengce/2017-02/07/content_5165981.htm

用户使用政务微信的黏性。

第三,服务质效方面。积极开展电子政务工作,缩短移动端服务流程;通过数据共享,使民众可以及时得到各类公共环境数据;通过整合服务资源,实现矩阵内各类新媒体的优势互补;将线上服务延伸至线下,将线上和线下服务深度融合。比如,甄选一些与环境治理相关的公共服务端口,适当增加接入服务。开展线上线下品牌活动和专题活动,在微信公众号提供网上报名服务。

8.3.3 加强监管核查,提升运营团队水平

运营团队是政务新媒体的责任主体,其信息政治素养、采编能力、界面设计能力、互联网运用能力、服务意识等对政务新媒体的良性运营有着直接影响,对政府公信力有着重要意义,是实现“互联网+政务服务”的重要基础。因此,打造一支优势互补、高度认同、目标一致的运营团队至关重要。

长江经济带11省市生态环境官方微信公众号运营团队建设水平差距较大,运营人员的媒体素养、信息素养、服务水平等均存在不同程度的差距。各地需要加大投入,提高重视,以精细化管理推进团队建设,加强运营团队的系统性培训,建立健全完善的保障机制,通过严格考核、相互学习、树立责任意识,建设高质量的工作团队、高水平的专业团队以及高素质的服务团队。

第一,精细管理、严格考核,建设高质量工作团队。2019年国务院办公厅制定的《政府网站与政务新媒体检查指标》和《政府网站与政务新媒体监管工作年度考核指标》发布,首次将政务新媒体纳入量化考核,要求各地区和各部门对本地区本部门的政务新媒体实行常态化监管。长江经济带11省市生态环境官方微信公众号除了严格按照检查指标进行日常运营之外,还要建立精细的管理机制,从微信公众号日常管理、创作、运行与维护以及核查等维度上组建团队,明确岗位权责,通过高效分工合作保障运营效果。

第二,系统培训、互相学习,建设高水平专业团队。微信公众号的运营人员大多数是职能部门转型而来,对于微信的信息传播特点和平台功能缺乏熟悉度,缺乏足够的公众号运营技巧和经验,因此在运营过程中会遭遇很多问题。这就要求从服务能力、用户思维、内容创作、传播特性等方面对运营人员进行专业培训,提高其业务能力和综合素质。积极学习,取长补短,掌握新媒体相关知识和技能;积极学习,坚持宣传主流社会价值观,能够提供更多更好的正能量信息;积极学习,精进专业,能够就民众的提问进行有效的回应,对舆情进行监测和引导。同时可以与专业第三方进行合作,在数据采集、数据保护以及新功能开发方面得到技术支持。

第三，服务人民、加强责任，建设高素质服务团队。政务新媒体兼有政务属性和媒体属性，其核心在“政务”。《国务院办公厅关于推进政务新媒体健康有序发展的意见》(国办发〔2018〕123号)中明确提出，要借助各种新媒体平台，推进政务公开、优化政务服务、凝聚社会共识、创新社会治理。因此，微信运营人员要将公众号视为为民解惑、引导舆情的信息发布平台，视为为民办事、替民解忧的政务服务平台，坚持社会主义核心价值观，加强责任意识，精心设置议程，积极回应公众关切，让政务新媒体成为党和政府联系群众、服务群众、凝聚群众的重要渠道，成为探索和提高社会治理能力的“掌上平台”。

09

第九章

长江经济带环境政务新媒体平台建设的典型案例

加强政务新媒体建设，打造权威发布、深度解读政策文件的政务新媒体平台，打造灵活便捷、提供定制型服务的政务新媒体平台，是政府部门收集社情民意的重要渠道，也是新时代塑造新政府形象的必然举措。长江经济带 11 省市环境政务新媒体建设，总体情况良好，但上中下游地区存在一定差异，其中江浙两省的环境政务新媒体矩阵建设水平较高，湖北、重庆在微博、微信上各有建树。

9.1 江苏省环境政务新媒体矩阵建设

经过多年的发展，江苏省各级生态环境政务新媒体建设取得了积极成效，运营精细化、发布规范化、服务精准化以及内容特色化使其成为长江经济带环境政务新媒体建设中的翘楚。政府网站健康有序，信息发布及时，政策解读专业，互动交流积极，服务功能齐备，成为省市级环境政务的核心平台；政务微博更新频繁，信息发布权威及时，能够结合时政大事、国家环境战略和政府工作重点进行有效的舆情引导；微信公众号建设更是在全国环境政务系统中脱颖而出，原创文章数量多，服务意识明确，运营水平较高；各级政务抖音号建设也在不断推进中，借助于短视频的发展势头和传播力度，积极宣传环保理念和环境科普知识，以视觉形式展现地方生态文明建设成就，吸引了一定量的用户关注。

9.1.1 江苏省、市级环境政务新媒体矩阵的建设概况

江苏省生态环境厅以及各市级生态环境局充分整合微博、微信、抖音、政府网站以及移动客户端等媒体资源，充分发挥新媒体宣传的“集群”效应，利用“互联网+政务服务”模式点亮“指尖上”的政务服务。

9.1.1.1 官方微博

江苏省生态环境厅开设了官方微博账号“@江苏生态环境”，截止到 2023 年底，有粉丝 231.6 万人，获得 121.6 万次转、评、赞，视频累计播放量 665.9 万次。该微博账号保持每日更新的频率，除发布大量原创内容外，还转载官方微信公众号文章、江苏省各市官方微信公众号文章、国家政务平台发布的文章等。截止到 2023 年底，该账号发布微博 40 775 条。

各市环境政务微博粉丝数量在 4 万～16 万不等，南京市生态环境账号有高达 170 万的粉丝数量；各市微博账号都保持每日更新的频率；内容上以转载

官方微信文章为主，部分城市如南京、南通、泰州、扬州、无锡等会每日定时发布空气质量或天气预报等基础环境信息。江苏各市的官方微博状况如下。

“@南京生态环境”：截止到2023年底，共有粉丝171.4万人，视频累计播放量745万次，是江苏省市级环境政务微博中粉丝量最高的账号。该微博保持每日更新的频率，兼有原创微博和转载内容，内容主要以环保知识科普、环保最新信息、政策解读为主，曾发表过原创的环保科普动画视频，每日发布四次空气质量数据。该微博账号发展良好，在2020年6月江苏生态环境系统微博榜单中排名第一。

“@南通生态环境”：截止到2023年底，共有粉丝约6.9万人，视频累计播放量15.5万次。该微博账号更新频繁，不仅发布与生态环境相关的资讯、进行知识科普，每日还转载国内要闻、发布南通天气预报、公布南通空气质量等。

“@泰州生态环境局”：截止到2023年底，该微博账号共有粉丝6.8万人。保持每日更新多条微博的频率，但内容原创性较低，除每天准时更新9时与14时的泰州市区空气质量指数外，微博内容以转载公众号推文、转载新闻要闻、转发微博为主。

“@扬州生态环境”：截止到2023年底，该微博账号共有粉丝11.7万人，视频累计播放量38.3万次。微博保持每日更新的频率，每日发布一次扬州市空气质量数据，其余内容以转载公众号推文及转发微博为主。

“@镇江生态环境局”：截止到2023年底共有粉丝11万人。微博内容较单一，除了转发其他账号微博外，原创微博均为转载官方微信公众号内容。

“@常州生态环境”：截止到2023年底共有粉丝15.4万人，视频累计播放量达3万次。保持每日更新的频率，曾在2020年发布过数个原创环保科普视频，而近期更新内容以转发微博、转载公众号文章为主。该账号在2020年6月江苏生态环境系统微博榜单中位列第三。

“@无锡生态环境”：截止到2023年底共有粉丝18.5万人，视频累计播放量64万次。保持每日更新的频率，每日发布一次无锡实时空气质量播报。积极转发无锡宣传、环保科普、娱乐等内容，同步微信公众号的重要推文，形式上以图文、视频为主。

“@苏州生态环境”：截止到2023年底，共有粉丝9.4万人，视频累计播放量8.4万次。微博原创性内容较少，主要以转载公众号文章、转载其他账号视频、转发微博为主，内容大多宣传环保工作、科普环保知识。该微博账号仅次于“@南京生态环境”，在2020年6月江苏生态环境系统微博榜单中位列第二。

9.1.1.2 官方微信公众号

江苏省生态环境厅开设了官方微信公众号“江苏生态环境”，注册于 2017 年 4 月 25 日，名称为“江苏环保发布”，此后两次更改名称，2017 年 5 月 11 日账号迁移改名为“江苏环保”，2018 年 10 月 24 日“江苏环保”账号认证为“江苏生态环境”并沿用至今。该公众号主要提供生态环境方面的权威信息发布、省内外生态环境信息共享及提供生态政务服务，保持每日至少更新两次推送的频率，周平均发文 24 篇。内容以环境保护工作展示、官方政策法规公示与解读、生态环境保护互动为主，截止到 2023 年底，共计发布原创内容 3 682 篇。该公众号服务栏菜单主要有“源头治理”、“生态之声”以及“苏小环”3 项，下设“碧水保卫战”“蓝天保卫战”“净土保卫战”“碳达峰碳中和”“改革创新”“我向总理说句话”“各地疫情防控措施”“两争一前列”“权威发布”“官网矩阵”“厅长我留言”“环保脸谱”“投诉举报”“品牌活动”“苏小环学党史”15 个版块。①

江苏省各市均开设了官方微信公众号，均保持每日更新推送的频率，内容普遍以环保知识科普与活动宣传、工作成果展示、政策法规解读等为主，与官方微博、官方网站都有较好的连接。其中，无锡的“教育基地线上行”、苏州的“生态环境线上视频展示馆”等创新传播形式、适应新媒体时代用户阅读偏好，是各市官方微信号的典型。

以无锡官方微信号“无锡生态环境”为例，该公众号服务栏菜单设有“环保互动”“信息服务”“微信矩阵”3 项。

“环保互动”：“抗疫微医咨询”“疫情防控一点通”提供疫情防控服务；“教育基地线上行”在线上用视频的形式展示无锡市 18 个生态文明教育实践基地，其中有部分基地可以通过扫描二维码进行 VR 实景参观；“万家企业学法”弹出二维码，扫描可进入“万家企业学环保法”小程序，企业通过注册可以查看通知通告、学习环保相关的法规标准与案例。

“信息服务”：提供排污许可资讯、施工项目申报、空气质量查询、无锡智慧普法、投诉指南等信息服务渠道，其中“排污许可资讯”还提供视频教程，在留言区进行答疑解惑。

“微信矩阵”：展示无锡市内县级市、各区的生态环境公众号，点击可进行跳转，与无锡市内生态环境微信号进行连接，建立微信矩阵。

该公众号打造了“锡小鹭”形象，常以“锡小鹭”的口吻发文，语态生动活泼、贴近人民群众；且保持每日更新的频率，内容以环保资讯、政策解读、工作展示

---

① 本书所涉及微博、微信公众号下栏目划分均以作者行文之时为准。

为主,“每周一案”“以案说法”栏目通过行政处罚案件进行环保法规宣传,形式上包括图文、系列微视频等,丰富多样。总体而言,该微信号内容精良、更新及时,线上生态文明教育实践基地和学法小程序的建设符合当下使用习惯与趋势,且在市内各区与县级市成功构建了生态媒体矩阵,实现“县级融媒体”建设。

而苏州的微信公众号“苏州生态环境”中的“云逛环保”栏目,通过视频形式进行环境政务与环保知识宣传。该栏目提供链接进入“生态环境线上视频展示馆”H5 页面,可以观看“形象速览”“科普解读”“生态共建”3 个主题的视频内容。“形象速览”主题里展示环保政务工作,尤其是“环保人的一天”视频按照一天的工作时间展示普通环境保护工作者的一天行动,塑造普通环保人形象,有利于推广宣传环境政务工作;“科普解读”主题里各类视频分别对臭氧污染、土壤、水污染防治法、污水厂等进行科普,以动画+人声旁白的形式,环保宣传语言通俗易懂;“生态共建”主题呼吁普通市民参与环境保护工作,展示环保成果、宣传环保理念。

9.1.1.3 官方网站

江苏省生态环境厅官方网站共设置“机构概况”“新闻中心”“政府信息公开”“生态环境质量”“政务服务入口”“机关党建”6 个版块。在该官网右上部分,可以直接链接到政务微博、政务微信、环保邮箱以及电话联系方式,还开设了无障碍访问模式,方便残障人士进行查询使用。官网首页以天蓝色为底色,栏目设置清晰明了,风格严肃,给广大群众提供了大量权威信息。

江苏省各市均开设了环保政务官方网站,且官方网站均承担了“信息展示”与“政务服务”的双向功能。各市的官方网站版块设置大致相同,既展示生态环境信息(如空气质量指数)、政务工作进展、环保法规与政策等相关信息,又提供各类环境政务工作的办理渠道以及公众咨询、建议、投诉渠道。

以省会城市南京为例,“南京市生态环境局”官方网站首页设置了机构信息、政务公开、互动交流、政务服务、环保业务共 5 个版块;其中前两者和最后一版块“环保业务”以公开信息为主,介绍该局机构情况、揭示环境政务工作、解读环保业务等;“互动交流”版块提供局长信箱渠道和公开征集展示,与人民群众建立沟通连接;“政务服务”版块可通过链接跳转至江苏政务服务网,供资讯查询与其他环境政务服务。

与其他新媒体渠道相比,官方网站更加秉持简洁、严肃的建设风格,以提供更多信息及便民服务为主要建设宗旨。网站中各类版块名称和布局清晰明了,且都与省政务服务网进行连接,构建整体化的政务服务系统。

9.1.1.4 官方抖音

江苏省生态环境厅官方抖音账号为“江苏生态环境”，截止到2023年底，共有粉丝2万人，获赞15.6万次，视频作品88个，更新频率不固定，有时一天一更，有时三四天一更，视频内容大多为最新的环保政策解读。

各市级生态环境部门也纷纷开设了抖音账号，在短视频时代借助于抖音这一用户体量巨大的平台，进行环保理念的宣传、环境政策的视频化解读以及本地环境治理工作实绩的展示等。比如南京市选择抖音平台开拓视频渠道，经营短视频账号，其抖音账号“南京生态环境”的活跃度、更新频率、互动性在长江下游省市中属于较好状态，截止到2023年底，该抖音账号共有粉丝9.7万人、获赞共10.7万次、发布作品511个。作品更新周期不定，作品内容丰富，包括自制环保短剧、记录环保工作、展示南京美丽河湖、环保微电影等。

9.1.2 江苏省、市级环境政务新媒体矩阵的特点

包括省厅网站、官方微博、微信公众号等在内的江苏省生态环境厅政务新媒体，提供生态环境方面的权威信息发布与政策解读，环境系统工作动态与新闻报道，公众互动与交流等多方面的信息传播与政府服务。省厅新媒体平台作为江苏省环境政务新媒体矩阵的核心，是发挥着环保理念倡导、环境数据引源、专业解读依据、环境工作指导以及典型环境治理案例展现作用的重要媒体，同时也是官民互动、信息反馈以及检索查询的重要平台。

江苏省生态环境厅官方网站设置的一级版块共有“机构概况”、“新闻中心”、“政府信息公开”、“生态环境质量”、“政务服务入口”和“机关党建”6个，类别全面，功能齐备。同时，首页醒目处标有官方微博和微信公众号的链接，充分体现了新媒体矩阵建设意识。

江苏省生态环境厅官方微博历年来在微博榜单中表现突出，在政务排行榜·生态环境榜排名靠前，在传播力指标、互动力指标、服务力指标以及认同度指标上表现突出。

江苏省生态环境厅官方微信公众号在长江经济带11省市乃至全国的环境政务微信公众号中建设成效突出，内容丰富，信息发布及时、规范，服务意识强，互动与反馈积极，自公众号建立以来，更新度、原创度、阅读量等均表现优秀。

江苏省生态环境厅官方抖音号建设时间不长，截至2023年底，发布477个作品，拥有2万粉丝，获赞“10W^{+}”，作品主要以环保科普与理念倡导为主。

总体来看，江苏省省级环境政务各新媒体平台建设水平较高，在信息发

布、内容形式以及互动交流、政务服务等方面都体现出了“互联网＋政府”“互联网＋服务”的发展态势。

第一，更新度频繁，原创度较高。在新媒体崛起的背景下，个人和机构都成为互联网的主要使用者，拥有了自我表达的能力，而互联网也成为人们表达想法和意愿的工具，政务媒体作为社交媒体的一种类型，也成为用户获取政务信息的重要渠道，随着全媒体的发展，政务新媒体已经成为政府发布信息的重要渠道。江苏省省级环境政务新媒体是全省环境系统的标志性新媒体平台，以江苏省生态环境厅官方微信公众号为例，其信息更新数与原创文章数量在同类型的政务微信公众号中表现均十分突出。2019—2021 年，微信公众号周平均发文数为 37.4 条，如图 9-1 所示，微信更新数量稳中有升，基本做到日有更新。同时，如图 9-2 所示，原创文章数占比为 34％，非原创文章数占比 66％，原创内容数量远远高于其他省官方微信公众号。

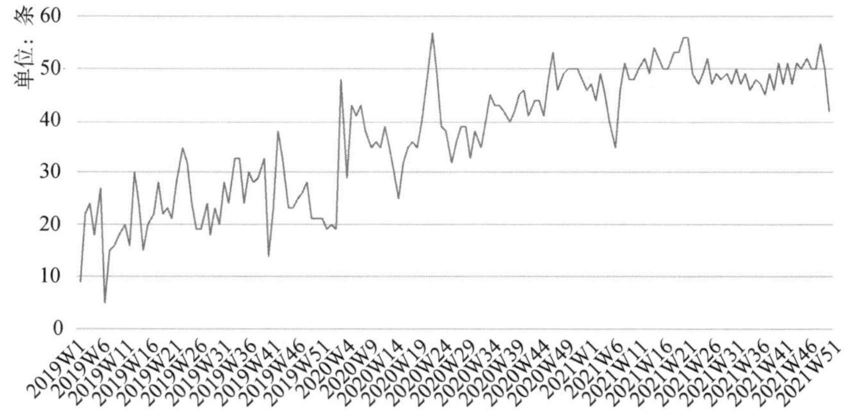

图 9-1　“江苏生态环境”微信公众号周更新频率走势图

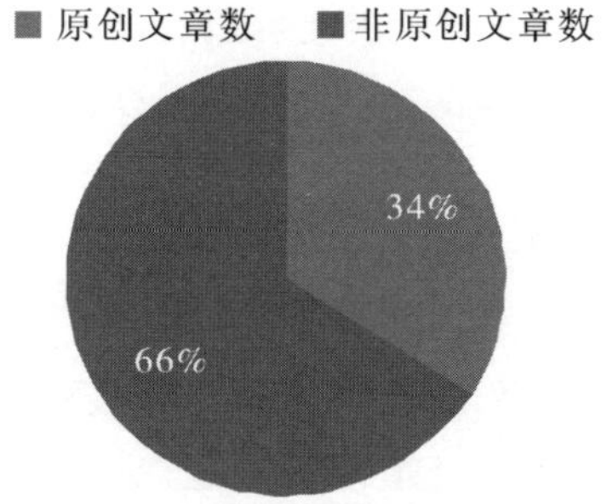

图 9-2　“江苏生态环境”微信公众号原创文章数量比例

第二，阅读量大，认可度高。相较于商业性质的新媒体来说，政务新媒体因其信息内容的特定性和严肃性，很难形成大规模的公众注意，公众活跃度也难以与其他领域的社交媒体相比。比较长江经济带 11 省市省级官方新媒体的用户情况，江苏省生态环境厅表现最佳，无论是官方网站的浏览量，还是微博的粉丝与转赞评数量，或是微信公众号的阅读量，均优于其他 10 省市。

仍以江苏省生态环境厅官方微信公众号为例，2019 至 2021 年，“江苏生态环境”微信公众号的总“阅读”数为 16 369 559 次，总“点赞”数为 181 407 次。2019 至 2021 年，“江苏生态环境”微信公众号有 10 篇推文的阅读量达到“10 万＋”，除了《给我们自己一点掌声》发布于 2019 年 2 月 1 日，其余 9 篇推文都发布于 2021 年，有 8 篇来自江苏省各地级市生态环境局，比如《念好“山”字经 做活“绿”文章 看江宁如何打造用之不竭的“金山银山”》《探索生态环境损害赔偿多元化实践 打造现代生态环境治理“苏州样本”》《把习总书记亲临南通视察作为“再来一次高质量发展沧桑巨变”的起点，建设彰显生态之美的低碳花园城市——大美南通阔步前行》等文章。

2021 年 9 月 17 日，“江苏生态环境”微信公众号发布的头条、原创内容《沛县：三个“第一时间”推进专项督察交办问题整改》，获“点赞”数高达 5 460 次，这是“江苏生态环境”微信公众号 2019—2021 年“点赞”数最高的推文，作者为苏小环，来源于徐州市生态环境局。2021 年 2 月 7 日，“江苏生态环境”微信公众号发布的头条、原创内容《水滴滑过的天才更蓝》，获“点赞”数 4 379 次，这是“江苏生态环境”微信公众号三年间“点赞”数第二高的推文。

2019 至 2021 年期间，在长江经济带 11 省市环境政务官方微信点赞数前十的推文中，有 9 篇都来自“江苏生态环境”微信公众号；在长江经济带 11 省市环境政务官方微信阅读量前十的推文中，有 7 篇都来自“江苏生态环境”微信公众号，最高阅读量可达“10 万＋”。由此可以看出，在同类政务新媒体账号中，江苏省级环境政务新媒体发展良好，点赞量、阅读量都较为可观，成果丰硕。

第三，互动与服务水平高。全媒体时代的到来，使得政府与公众的联系变得更加紧密。伴随着政务新媒体矩阵的发展，受众与政府机关的双向交流越来越容易实现。无论是官网还是微信公众号平台、微博平台，公众都可以在所发布内容下进行留言评论；微信公众号以及官网还会设置专门的留言栏目与入口，公众可以咨询相关生态环境政策问题，对破坏环境行为进行举报投诉等；微博的互动性也相当便捷，公众的留言评论可以直接呈现在微博评论区，从而形成民情表达的重要场所。江苏省生态环境厅的各类新媒体平台严格践行与民互动、回应及时的政务媒体应有要求，除了常规性的信息推送、智能客服、设置留言区等外，还在议题设计等方面入手，结合线上线下活动，为公众提供多元化的沟通渠道。

以江苏省生态环境厅官方网站为例，首页设有“环保邮箱入口”“联系我们”“政务服务入口”等端口，公众可以建立联系，获得具有针对性的信息服务等。同时，还专门设有“问答选登”“意见征集”“互动交流”等栏目，公众举报、建言、咨询等均可实现。

江苏省生态环境系统中市一级生态环境局也积极打造新媒体传播矩阵，建设官方网站、微博、微信公众号和抖音等官方媒体，保持了一定的发文量和更新率，内容丰富，形式多样，用户吸引力较强，基本实现官方政策宣传、民众意见倾听等功能。通过对江苏省各市级环境政务新媒体矩阵的发文主题、内容形式、互动与服务三个维度的综合归纳，其特点具体表现为以下几点。

第一，主题多元、正面为主。各市级新媒体平台的新闻报道主要是工作动态记录并宣传环境政务工作进展，包括表彰基层环境政务工作者、宣传环境政务工作典型等，以此向群众展示有关部门的工作进展与成就。其中包括及时宣传工作进展，如发布相关政策解读、相关会议信息等政务工作信息披露等；还包括进行先进个人叙事，塑造积极正面的环境工作者形象，让人民群众了解环境政务工作内容，拉近环境政务工作人员与人民群众的关系。比如“南京生态环境”微信公众号在2022年春节期间开设了“春节我在岗”“春节岗位日记”等特别栏目，以图文形式记录春节期间各区生态环境局工作人员的工作内容，不仅表彰了这些春节假期里仍辛勤在岗的工作人员，而且起到了正面宣传作用。

此外，各市的环境政务新媒体积极展示生态环境保护成果，以大气环境质量、水环境质量等基础环境数据来展示生态治理成果，以信访量、满意率等涉及环境安全形势的数据来展示政府工作成果，通过视频、图片等多样形式展现当地生态环境美景，例如湿地、河湖及当地小动物们的自然美景，以环境之美来侧面显示生态发展现状。

第二，内容丰富、形式多样。在新媒体平台上，各市的环境政务新媒体的传播形式设计十分丰富多彩，呈现出亲民化、可视化、多样化等特点。

从各市的新媒体账号的语言表达来看，各账号的内容与表达方式克服了官方话语“高高在上”的既有问题，更接地气，更亲民化，获得了群众的认可和青睐。有部分城市对政务新媒体账号进行拟人化尝试，如无锡市打造“锡小鹭"形象、南通市打造"通博士"形象等。而环境政务新媒体将自身拟人化，借用拟人形象的口吻来发布信息、宣传生态工作成果、进行环保科普，一方面有利于政府部门使用更亲切的语态与民众进行交流对话，从具有距离感的官方代言人转变为亲切可爱的小助手，大大增强亲和力，易与受众产生情感联结，增强传播效果；另一方面还有利于打造官方媒体品牌，走品牌化道路，使该拟人形象深入人心，增强用户黏性。

在表现方式上，短视频、微直播、微访谈、长图等多媒体表现形式逐渐被各市的环境政务新媒体运用在运营实践中，实现了群众喜闻乐见的可视化传播。"图片＋文字"是最基础的传播形式，也是各市环境政务新媒体账号最广泛运用的形式。该传播形式的特征与优势在于能够以较快的速度传递较大的信息量，文字清晰明了、图片辅助理解，十分适用于正式信息的发布，如环境政策的公示等。

音频、图片等形式也十分丰富，通过改变图片的形式，如使用漫画、长图、海报等，"图文"也可以适用于活泼轻松的传播语态。例如微信号"苏州生态环境"开设"一图读懂"系列，使用长图形式解读环境保护政策、理念、规划等，将环保政策中看似复杂的要点进行可视化呈现，为人民群众"划重点、做总结"。"南京生态环境"微信公众号中的"我为群众办实事"栏目则采取了声音海报的形式，点击海报即可播放旁白声音解读海报内容，既将海报中的信息量进行扩充，又能减少文字阅读负担，从而提升读者阅读体验的有趣性、丰富性。"环保漫漫说"栏目则采用卡通竖条漫画的形式，进行环保知识科普，展示编辑部生活。

视频形式能够以更加生动的画面拓宽文字的局限性，给观看者带来身临其境的在场感与沉浸感，还可以减少纯文字的严肃与刻板，有利于贴近当下移动用户的阅读习惯，在展示生态环境工作成果、进行生态环保宣传等方面具有良好的宣传效果。江苏市级环境政务新媒体均积极采用视频这一传播形式。以无锡市环境政务新媒体的官方微信"美锡"为例，该微信号设立了"微电影"专栏，在 2022 年 2 月还开展了"治污攻坚微电影展播"活动，展示无锡市各区参与治污攻坚工作的典型人物和故事，视频长度在 15 分钟以内，深度展示了当地生态治理工作进展与工作成果。而南京市环境政务新媒体的官方抖音账号"南京生态环境"则以短视频为主要传播形式，通过开设"最美生态环保人有话对你说""生态向学""拍案释法""为民办实事"等主题节目，发布系列短视频内容，视频的对话感、交流感较强。此外，该账号还发布过自制环保短剧、环保科普动画、环保科普评弹、南京生态美景航拍等多种形式的短视频，有的诙谐生趣，有的轻松活泼，可见其传播风格跨度较大、形式多种多样。

第三，注重互动、形式亲民。互联网技术的变革与进步改变了政府与公众之间的关系。在新媒体环境下，政务新媒体不能继续传统的单方向传播，而更应注重与受众之间的双向互动交流。

在互动渠道设计上，在各市级官方新媒体平台上，网友在微信平台、微博平台都可以进行留言评论，但由于微信文章的留言需要发布者审核后才能公示，因此微信的即时互动性要较弱一些。在官方微信上，绝大多数的市级环境政务账号都在菜单栏里设置了留言、投诉和举报的渠道入口，点击即可跳转至对应页面。

在内容设计上，各市级官方账号积极发布互动向内容，如开设环保相关的竞赛比赛、开展评选投票活动等。苏州市就开展了生态环保绘画比赛，并在官方账号上公布比赛入围名单与获奖名单；“无锡生态环境”微信号的“趣说环保”栏目，通过环保趣味知识测验的形式鼓励用户参与互动，在提高互动性的同时还能进行环保知识科普与宣传；“@南京生态环境”微博号则在春节期间开设微博抽奖活动，转发量近两千次。

第四，服务设置较为完备。在国家治理体系和治理能力现代化背景下，政务新媒体具有公共服务和社交媒体的双重属性，然而向广大人民群众提供公共服务始终是政务新媒体的最重要、最关键的责任与义务。因此，江苏省各市的环境政务新媒体都没有疏忽提供环境政务服务这一关键功能，普遍重视接入政务服务的入口设置。这一功能主要呈现在官方网站与官方微信公众号上，与微博和抖音短视频这两个更侧重内容呈现与交流互动的平台相比，官方网站与官方微信公众号的服务性能更强，且官方微信公众号的政务服务经常与官方网站进行互联互通。政务服务内容深度、广度在近年都有所提高，首先是对于基础环境信息的公布，如空气质量、水质量、污染水平等数据的定时揭露，满足公众的知情权。

此外，还包括环境政务相关的许可证与项目申请渠道、环保评价与审查信息公示、留言建议渠道、投诉与举报渠道、环保法律法规查询、环保政策解读等功能，这些功能既面向企业，又面向普通人民群众，尤其是留言建议与投诉举报功能，在新媒体时代尤为重要。在江苏省市级官网和微信公众号平台上，均借助于微信的渠道优势与公众进行公开及时的对话与互动，搭建起了官方政府与人民群众之间的沟通桥梁。

9.1.3 江苏省及各市环境政务新媒体矩阵的经验总结

江苏省环境政务新媒体建设在长江经济带11省市中成效突出。无论是官方网站，还是微博、微信平台，其栏目功能、信息发布、互动交流与服务功能均能做到科学合理、规范有序、良性积极，充分体现了作为经济、文化强省对于生态文明建设的重视，对于新媒体平台建设的重视以及对于做好舆情管理工作的重视。综合江苏省省市级环境政务新媒体的具体表现与特点，可以发现致力于平台矩阵的打造、内容形式的优化以及互动交流的提升，是其新媒体建设取得优秀成绩的关键所在。

第一，平台矩阵化，扩大传播影响力。互联网的一大特征即为“连接”，正是互联网实现了内容与用户的连接、用户与用户的连接、平台与平台的连接，把握好“连接”是互联网思维的一大核心与关键。省市级之间的垂直互联，各市级环境政务新媒体平台之间的紧密联动正是江苏省环境政务新媒体建设的突出特征之一。

一方面，各市级环境政务新媒体始终向省级乃至更高级的环境政务新媒体靠拢。各市级官方网站都能直接跳转至江苏省政务服务总平台，将各市的政务服务需求系统化、统一化管理，大大降低了各市的政务建设成本与压力。在微信平台，“江苏生态环境”微信号菜单栏设有“官网矩阵”入口，可点击跳转至省官网及省内各市的微信环保政务官方账号，实现省内官方微信矩阵的连接与建立；在微博平台，各市的官方微博与省微博也常常互相转发，相互引流，实现内容上的相互连接。另一方面，各市的环境政务新媒体又建立起自己的新媒体矩阵，实现与市内各区域的连接互通。例如，无锡市就建立了生态环境微信矩阵，包括“无锡生态环境”在内共有12个官方微信账号，在内容、渠道上都实现互联互通，新媒体矩阵的垂直细分化和平行互通化，能够使生态环境工作更加具有针对性。

第二，善用“微语言”，内容形式丰富多样。年轻用户在新媒体，尤其是微博微信以及短视频社交媒体中占据较大的比重，他们拥有多种多样的爱好，喜欢追逐时尚与潮流，为了提高对于年轻用户的吸引力，政务新媒体要站在人民群众的角度，选择恰当的传播语态与方式进行内容呈现。而传统的语言表达方式与话语体系是政务新媒体的硬伤，政务媒体尤其是政务网站仍以传统的传播方式为主，难以运用生活化和网络化的语言拉近与群众之间的距离，但是随着政务新媒体的发展，这种情况正逐渐得到改善，江苏省环境政务微信公众号、官方微博善用“微语言”，语态上愈发亲民、接地气，表现形式上也愈发多样化、潮流化。

"微语言"的使用不但使得江苏省环境政务新媒体吸引年轻用户，也增进了与民众之间的联系，恰当有趣的语言会使民众更容易产生亲近感，进而产生认同感，而生动多样的视频、漫画等形式不但会让专业复杂的环境知识简单易懂，而且也与社交媒体时代的碎片化阅读、视觉化观看等接受方式高度契合，更能够引发公众关注，进而进行阅读、评论和点赞，从而扩大这些政务新媒体的影响力。

第三，以民为本，强化互动与服务。政务新媒体建设重在"亲民"，政府部门可通过政务新媒体与民众进行良好的互动。一般来说互动方式可分为回复性互动、调查投票互动、线下活动互动三种方式，而其中回复性互动又包括自动、智能和人工回复三类。江苏省、市级环境官方网站和微信公众号在其互动交流版块中，均有采用上述回复形式，其中回复性互动中，人工回复的数量占据一定比例，而调查投票和线下活动不但项目繁多，有些还建成了品牌活动。这充分说明了江苏省、市级环境政务新媒体建设中，坚持为民服务的诚心，不把互动交流视为指派任务，而是真正落实听民声，知民情，解民忧。

政务新媒体建设重在"亲民"，落在"惠民"。通过政务新媒体，发布权威信息，切实做到服务发展、服务民生，真正实现"以人民为中心"，不断提升办事服务功能，聚合办事入口，实现一网通办，推动便民服务"落户"移动终端，优化用户体验，实现更多事项"掌上办"。比如江苏省生态环境厅网站中的"江苏生态环境厅旗舰店"，集聚生态环境方面的各项为民服务项目，从信息公开到意见征集，从环评管理到责权清单，从进度查询到服务平台链接，不但名目广泛，而且做到了信息翔实，设置细致，回应及时。

9.2 浙江省环境政务新媒体矩阵建设

绿水青山就是金山银山，推动经济与生态的和谐健康发展是缓解经济发展与生态保护之间的矛盾，实现社会健康发展、和谐发展、可持续发展的有效路径。随着近几年技术手段的发展，各政务媒体在积极建设网页宣传渠道的同时，也将微信公众号、微博、短视频平台等作为宣传的第二渠道，积极努力营造与受众实时沟通交流的氛围。生态环境部门也成为开拓宣传渠道大军中的一员，通过与新媒体的相融，能够实现与群众、企业、部门之间的协调合作，打造一个高效便利的传播渠道。

9.2.1 浙江省、市级环境政务新媒体矩阵的建设现状

自20世纪70年代以来，浙江省的经济水平有了质的飞跃，而其经济发展带来的生态环境问题也值得关注。随着新媒体的不断发展，我国政府部门开始注意到政务新媒体在社会中也具有重要作用，生态环境部门也纷纷借助新媒体开展生态环境保护各方面工作，以期发挥媒体的社会功能。长江在浙江省内途经杭州、嘉兴、绍兴、宁波、湖州和舟山6个城市，这6座城市对于生态环境都具有一定的关注度，笔者以此为基础，对浙江省、市级环境政务新媒体展开分析。本次研究主要关注浙江省、市级生态环境部门如何借助各类宣传渠道实现与受众、企业、部门之间的和谐沟通，以此为案例，通过研究浙江省、市级生态环境部门旗下的三个宣传渠道（官方网页、官方微信公众号平台、官方微博），探析浙江省、市级环境政务媒介的建设。

9.2.1.1 官方微博

浙江省生态环境厅的官方微博“@浙江生态环境”，自2013年10月14日开通账号以来，以权威发布环保政策法规，报道国内外环保重大举措和省内重点工作等信息为主。至2023年底陆续累积了120.4万粉丝，视频累计播放量为5 783次。官方微博主页发布内容包括每日的空气质量和党史教育专题，还有不定期更新的专题新闻和普通推文，新冠疫情攻坚战开展期间，在“抗击疫情 环保在行动”的专题栏目中，主要报道疫情攻坚与环境保护之间的联系。

微博是在浙江省生态保护宣传渠道中最晚发展的一条渠道，目前多数以“链接”形式发布内容，通过将正文部分省略为超链接，突出主要内容，可以使受众在短时间内获取大量信息，提高了阅读效率。微博逐渐开通了短视频、“#微博话题#”等功能，以自身内容能有更多机会曝光为目的，打造更有活力的微博互动空间，以贴合年轻受众的需要。以短视频为例，通过转发其他权威媒体的宣发内容，扩大信息的传播力度。

从“浙江生态环境”官方微博自2019年到2021年的发文数量季度走势图（图9-3）来看，每个季度的发文数量都能达到300～600篇，总体趋势较为平稳。浙江省的官方微博发布具有数量多且较稳定的优势，未来可以借助这一优势从优化自身内容质量入手，获得更好的传播宣传效果。

高频词可以反映出一个账号所创作内容与相关话题的联系。从高频词出现情况来看，生态环境、空气质量、浙江、环保、工作、企业、环境保护、范围、开展、执法等词语出现的频率较高，与浙江生态环境官方微博所要展现的绿色低

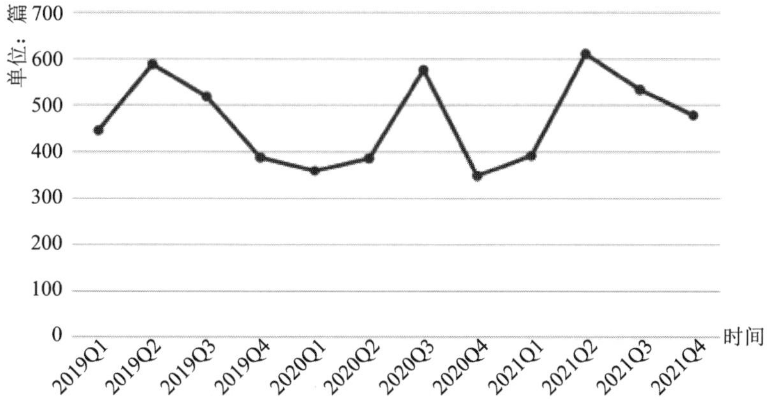

图 9-3 “浙江生态环境”官方微博 2019—2021 年发文数量季度走势图

图 9-4 “浙江生态环境”官方微博高频词云图

碳环保、倡导生态保护、严惩各类破坏环境行为、维护美好生态家园等理念相贴合，如图 9-4 所示，该微博账号所宣发内容包括空气质量的实时更新、浙江省内各类企业运作时与生态环境之间的协商和创新、生态环境执法部门严查各类易造成污染的企业运作情况等。通过文字展现出浙江在生态保护上所做出的点滴实践。

9.2.1.2 官方微信公众号

浙江省生态环境厅官方微信公众号作为浙江省生态环境厅发展较早的宣传渠道，其特点在于目前的推文发布、短视频版块、“微服务”等功能发展较为完善，微博中常引用的超链接也是由公众号发布的完整正文内容转接而来。目前该公众号借助旗下市级传播矩阵，已发布超过 600 篇推文。视频版块也具有完整性、权威性等特点。服务版块通过超链接技术实现“一键直达”，体现出微信公众号作为官方渠道“一站式服务”的功能，提高了服务效率，加快了服务速度，增强了服务效果。从官方微信公众号更新的推文内容的排版、更新时间的规划、视频号更新内容的丰富性、促进形成矩阵的相关举措等都能够看出浙江省生态环境厅对这一宣传渠道的重视。

9.2.1.3 官方网站

浙江省生态环境厅官网，其主页包括走进协会、办事中心、资讯中心、专业委员会、会员之窗、关注我们等版块。在页面中也贴心设置了大小字体调节、中英文切换等功能。首页资讯布局合理，按照内容重要性进行划分，包括行业资讯、协会动态、通知公告、能力评价、信用培训、信用评价、竞赛活动、技术咨询、协会简介、协会剪影、推荐企业以及友情链接等。同时也将受众群体最常用的入会申请、证书查询、信用查询三个链接放在了主页较为醒目的位置，体现出了便捷高效的功能性。

浙江省生态环境厅官方网站是浙江省生态环境厅政务宣传的官方渠道，由于近几年新媒体的发展，微信公众号和微博在宣传以及与受众的沟通交流上借助不同平台的技术手段有各自不同的侧重点，而浙江省生态环境厅官方网站由于是集政务发布、宣传、集合群众意见等多功能为一体的首要官方渠道，因此从页面上能感受到其全面、多方位、实时等特点。

9.2.1.4 市级环境政务新媒体

浙江省各市级环境政务新媒体也在积极建设中，浙江省会城市杭州的环境政务新媒体微博账号“@杭州生态环境”保持每日更新的频率，更新内容多样化，图文并茂地展现杭州关于生态环境的信息，该微博账号以转载搬运“杭州生态环境”公众号发布的内容为主，或是转发“@杭州发布”的原创微博。值得注意的是，“@杭州生态环境”微博并非只涉及生态环境方面的内容，同时还会发布与杭州人民生活息息相关的信息，例如，在2021年2月6日，转载“@杭州发布”关于杭州雪景的微博；在2月5日，转发来自杭州发布微信公众号关于疫情最新情况的通告等内容。

在建设市级官方微信公众号方面，浙江省会杭州生态环境局的微信公众号为“杭州生态环境”，该公众号设置了3个服务菜单栏，分别是“微服务”“科普教育”“办事服务”。“微服务”栏目中，主要发布展示新闻、政策、空气质量、环境状况等信息；“科普教育”栏，则用于发布环保知识科普、公众开放日与开放设施企业信息等；“办事服务”栏，提供咨询投诉、车检、城市治理与生态环境举报入口，点击进入“美丽杭州电子地图”可以通过地图形式或影像形式，查看杭州市内的自然文化遗产、自然保护地、美丽城镇、美丽乡村、美丽河湖等，并且还可查看资料简介。该公众号保持每日更新两至三条推文的频率，内容以工作进展与成果展示、环保科普为主。

嘉兴市生态环境局的微信公众号为“嘉兴生态环境”，该公众号服务栏共三项：“学习平台”，点击进入小程序“嘉兴市生态环境网络学习平台”，每人每天可参加多次学习活动，每组随机选题 5 道，每答对 1 道获 1 个积分，不定期以话费充值等形式举办奖励活动；“公众参与”，提供官方微博入口、投诉电话信息，提供网上办事、查阅开放设施、办理车检等便民服务；“官方网站”，点击即可直接跳转至嘉兴市生态环境局官方网站。该公众号保持每日更新的频率，形式上以图文、视频为主，注重与公众的互动，其中“公众参与”专栏里包括环保活动信息，例如生态绘画比赛、摄影大赛、书法比赛、短视频大赛等比赛信息，生态探访等活动信息。

绍兴市生态环境局的官方微信公众号“绍兴生态环境”保持每日推送一至两条推文的频率，以展示工作内容和环保科普为主。其公众号服务菜单栏为：“环境质量”，展示环境质量指数；“交流互动”，用户可以参与法律环保测试；“安装入口”，跳转至官网“关于在企业开展环保设施用电监控系统建设的公告”页面。

宁波市生态环境局的官方公众号“宁波生态环境”的服务栏如下：“微投诉”，提供国务院督查小程序入口，给予用户举报或建议渠道；“微信息”，提供浙江政务服务网链接等；“21 天打卡”，链接 H5 页面“我参与·21 日生态环境行为打卡”，用户每天完成一道答题，即可在弹幕处点击参与打卡，连续 21 天参与打卡的用户有机会获得礼品。该公众号保持每天更新的频率，同时，创办了同名的微信视频号，塑造“小山小水”的拟人动画形象，以视频形式宣传环保知识和工作成果。

在市级环境部门的官方网站搭建中，杭州市生态环境局的官方网站首页设置了环保资讯、信息公开、公众服务、公众互动、网上办事 5 个版块。其中“公众服务”版块以展示环保知识、政策为主；“公众互动”以展示建议与政府回应为主；“网上办事”链接跳转浙江省政务服务网，提供政务服务功能。而民众直接提出咨询、建议、投诉则可以点击首页菜单栏，通过跳转至浙江省政务服务网实现。

嘉兴市生态环境局的网站首页设置了信息公开、法律法规、环境标准、污染防治、党风廉政、行政许可、行政处罚、行政管理 8 个版块，均以展示生态环保工作进展、环保政策与法规、环保信息为主。办事服务、咨询建议等服务功能设置在网站网页的末端。

绍兴市生态环境局的网站首页设置机构概况、环保政务、办事大厅、政策文件、热点专题、互动服务、宣传教育 7 个版块，其中“办事大厅”以政策和项目公示为主，政务服务功能主要由“互动服务”版块提供，链接跳转至浙江省政务服务网。

宁波市生态环境局网站首页设置组织机构、环境质量、污染防治、生态保护、环境监管、信息公开、网上服务、互动交流、党风廉政 9 个版块，其中前 6 个版块以展示生态环境局机构概况、生态环境信息为主；“互动交流”可以参与在线调查或至浙江省政务服务网进行咨询、投诉、举报。

9.2.2 浙江省、市级环境政务新媒体矩阵的特点

笔者将省市级政务新媒体矩阵的特点分为省级、市级两部分论述。首先以“浙江生态环境”官方微博为典型案例，对浙江省级环境政务官方微博的发布频率、内容类型、受众反馈等进行特点分析。

第一，发布频率高，内容权威。官方微博账号发布频率较高，且账号内容类型多样，由于难以将自开通账号以来的所有博文内容进行整合，因此研究选取了该账号 2021 年 10 月的微博内容，共有 177 篇，平均一天发布 5 篇左右的博文。基本都是对微信公众号以及网页等的转载，笔者将其分为专题系列、普通推文以及其他内容推文、空气质量、党史教育等专题。

在分析微博发布频率的同时，对官方微信公众号的内容进行截取，从 2021 年 10 月截取的内容来看，官方微信公众号在 10 月共更新推文 149 篇，官方微博共更新了 177 篇，官方微博数量较多，从更新的稳定性和内容的新鲜性而言，官方公众号相对更好。公众号每日更新，并且在数量上把控得当，每日更新时间相对集中于上午八点到晚上八点之间，每次发布的内容都在 2～4 篇，少见的情况下会更新 5 篇以上，最高更新数量为 8 篇，且为了版面上主次内容的区分，结合微信公众号推文特有的“头条”特点，能够凸显出一部分重要内容便于读者阅读。在党史宣传等每日需要固定出现的内容版块上，微信公众号也能做到当天更新。

微信公众号集中于对重要信息的推送以及体现出官方平台的权威性，微信公众号每篇推文之下都有清楚标记信息来源出处以及编辑名称，且从近几期推文可以看出，该平台对于信息的筛选比较严格，通常从国家级生态环境部门、市级生态环境部门等相对权威的公众号进行内容选取、搬运。微博与微信公众号同样遵循信息来源的严格筛选，内容质量有保障，有时也会通过转载其

他与自身主体有关的内容进行宣传，同时每日的空气质量提醒也彰显出独有的特色。

第二，官方账号发布内容类型会根据实时变化和地域特点进行调整，具有灵活性。整体画面呈现不老套，适时而变的排版注入了不少新鲜活力。在官方微博上，专题系列博文设置了生物多样性、秒懂生态环境与健康、发现能力竞技场等专题，且部分专题具有一定时效性。2021 年 10 月 11—15 日，《生物多样性公约》第十五次缔约方大会在中国昆明举行，该账号结合时事热点，发布了一系列关于"聚焦 COP15 "的专题博文。其主要宣传对象不仅限于浙江省范围内，而是将目光放到全国，将国家范围的政策与地域性相结合。例如，《聚焦 COP15|〈生物多样性公约〉第十五次缔约方大会生态文明论坛举行 浙江经验获多方点赞》这篇博文，对第十五次缔约方大会生态文明论坛开展的过程进行描述，并且在后面引入了浙江省代表们近几年在生态文明建设方面的创新实践，做到了从地域性拉近与受众的距离。在《聚焦 COP15 | 习近平主席的主旨讲话引发我省各界热烈反响 秉持生态文明理念 共建和谐地球家园》这篇博文中，先引用了习近平主席在大会上的讲话，以此作为背景对浙江省生态环境厅厅长、丽水市生态环境局局长等人做了采访，针对浙江省当地生态环境治理进行深化解读；同时也结合了对当地企业家——纳爱斯集团董事长何丽明的采访，阐述了"企业＋生态环境"的运行模式，真正做到国家政策的深化、细化、平民化。

而账号的普通推文发布内容则根据近期发生的事件进行报道，皆与生态环境相关。标题也更加生动有趣，打破了传统官方媒体发布的较为严肃的标题文案，以更加平易近人的方式吸引受众。例如，《水生态健康迭代升级 浙江典型流域都有了生态体检报告》《浙江再添 11 张国字号金名片，快来看看有没有你的家乡》《猜猜你的幸运物种》等，通过拟人化手法、疑问句表达等方式吸引受众点击观看。另外也会出现节日祝福，防疫提醒等其他类型的推文，运用其活泼可爱的文案内容体现了社会关怀。

党史教育版块主要是对受众进行党史故事的科普，主要从"那年今日"发生的党史故事以及科普"今天是哪一个与党有关的节日"去进行推送，同样微博在转载时也附带上了微信公众号链接。党史教育事实上是该微博账号在其他领域的一个探索，在政务媒体建设中试图利用微博这一渠道对受众进行党史方面的教育或普及。

微信公众号一天的内容宣发有时会超过两次，结合微信公众号的"头条"特点，公众号平台会将重要的内容放在这一版块，便于读者对当天内容的重要层级进行划分。微信公众号的特点还在于它的“新颖”，无论是点开推文时较为时髦的动态标题，还是在推文当中清新自然的排版都会令人眼前一亮。除此以外，推文表达形式会结合当天主题进行标题风格的切换，例如，2022 年 2 月 8 日的推文《北京冬奥会有何绿色看点？和冰墩墩、雪容融一起探秘“绿色冬奥”中的“黑科技”》，会结合冬奥主题的推文内容，将标题设置得具有吸引力，同时语言整体上会相对活泼一些。但如果是专题系列中描述关于环境整治的专题行动时，语言会相对严肃，比如 2022 年 10 月 19 日的推文《发现能力竞技场｜无人机助力精准执法 环境违法无处遁形》等，标题与正文内容风格一致，连同推文的画面排版也会相对整洁简单，和上一篇推文活泼、色彩较为丰富的画面相比，会使受众从阅读中感受到内容所折射的语言色彩，凸显出微信公众号在突出内容主次与风格上的优势。

第三，发布内容构架规范清晰。官方微博采用“主要内容＋图片＋链接”模式，单篇微博篇幅不长，由醒目的标题、主要内容的阐述、微信公众号以及官方网站主页链接、相关内容图片四部分组成，符合受众碎片化阅读的习惯。受众期望进行更深一步的了解时，便可以点开链接，进入微信公众号页面进行阅读，微信公众号中不仅有详细的内容介绍，还有精美插图等，能够吸引受众注意力，提升了文章内容传播的效果。此外，“一图读懂”专题博文也会提供长图阅读的方式，便于读者无须点开链接就能看到完整版博文内容，提升了阅读的便利性。

官方微博账号在报道空气质量等相关信息时，会从 AQI（空气质量指数）、$PM_{2.5}$（细颗粒物）范围去推送，也会参与话题“空气质量”来获得更多曝光。报道一是提供具体数据，附加关于空气质量检测的相关图片，使其客观真实；二是提供了简短的数据分析，使受众能够更加直接地了解数据背后的含义。例如 2013 年 10 月 31 日发布的空气质量博文，“全省空气质量以良为主，金华和湖州出现轻度和严重污染，建议适量采取措施”。该篇博文发布不同地区的空气质量数据后，也及时提出措施建议。图片展示的内容也较为完整，包括两种数据的实时浓度柱状图，以及根据浓度区分出颜色后，针对不同年龄人群提供了对应的具体措施，例如，减少户外活动等。

第四，开通视频账号，丰富博文内容的表现形式。浙江生态环境官方微博开通了其视频账号发布功能，主要是对其他来源（比如浙视频、钱江视频、中国新闻社等）的视频进行转发。而微信公众号的视频基本上每一个都在 3 分钟以上，且内容丰富多样，目前该版块主要集中于党史宣传，还有个人事迹表彰、专题系列的活动记录、凸显某些企业在致力于环保上起到的示范作用等，且大部分推文的结构也日趋明显，比如专题系列，就会出现“标题＋主要内容＋视频呈现＋细节描述”的内容结构，整体上内容设计更加体系化、专业化，符合大众阅读审美。

除此以外，微信公众号借助技术手段起到“链接”作用，使得互动功能更加凸显。在微信公众号的服务版块，设置了能够通向官方网站、官方微博、专题系列以及浙江政务服务网站等的各项链接，使受众能“一键直达”。特色版块“微矩阵”下，还能看到杭州、宁波、温州、嘉兴等市生态环境局的建设情况，在整合资源这一点上，充分体现了微信公众号所承载的“链接”作用。“督查服务”会通过超链接设计使受众一键直达中国政府网，受众可以通过“我要留言”进行发声，“督查回声”也保留了“问题提出＋问题解决”的全过程，使生态环境的建设情况更加动态化、清晰化地展现在受众面前，树立起官方平台的权威。

浙江省生态环境厅官方网站公开发布内容包括政府信息公开、重点领域信息公开、办事大厅、公众互动、公众服务、热点专题、党务公开 7 个版块。首页还有实时的环境质量数据发布、供群众在该网页申请各项业务的办理窗口、各项公告审批公示等，群众可在该网页上获取的信息较全，并且网站及时更新资讯，便于群众获得较新信息。官方网页建设全面、系统化，这与其运作的时长有关，微信公众号注册时间较晚，但受到受众的使用习惯影响，大部分人都会通过这一渠道了解、解决相关问题，因此微信公众号渠道的“超链接”功能进一步实现了群众与网页的连接。微博保留了网页界面中空气质量的报送，但由于其运营时间比微信公众号更短，因此目前只承担宣传内容的部分。

根据对浙江省、市级环境政务新媒体的现状分析可以看出，不仅是省一级的环境政务新媒体矩阵正在努力建设中，市一级生态环境局也正积极打造新媒体传播矩阵，通过建设多个渠道的官方账号，并保持一定的活跃度来吸引用户，从而进一步实现官方政策宣传、民众意见倾听等功能。具体来看，浙江省各市级环境政务新媒体矩阵的特点可以从传播内容、传播符号、互动效果几方面展开分析。

一是更新频繁，活跃度高。各市级环境政务新媒体均表现出较为频繁的更新频率，如“@杭州生态环境”“@宁波生态环境”“@绍兴生态环境”都基本保持每日账号内容更新，其中杭州生态环境局官方微博较为活跃，每日更新几条到十几条微博不等，更新频率高，在 2022 年 2 月 10 日，该账号一天就更新了 13 篇博文。而“@嘉兴生态环境”的更新频率相对而言较低，但仍然保持在每周更新 2～3 条。

二是内容多元，类型丰富。在更新内容方面，呈现出以生态环境相关内容为主，其他生活资讯信息为辅的特点。“@宁波生态环境”“@绍兴生态环境”每日都会发布空气质量相关资讯。“@杭州生态环境”发布的内容既包含了生态环境方面的信息，同时也包含社会发展、生活提示、实时热点等多方面内容，例如，它在2022年2月13日转发了“@生态环境部”发布的《以系统观念推动绿色低碳发展》文章；2月11日关注“＃清凉峰保护区小鹿雪地飞奔＃”和“＃杭州多个亚运场馆本月将完工＃”的话题；临近春季学期开学之际，发出返岗返学高峰健康提醒；在北京冬奥会期间，转发微博关注冬奥会吉祥物冰墩墩的设计内涵等。

三是转载较多，联动性强。以微博平台为主要分析对象，可明显看出浙江各市级生态环境局的运营策略，即以“转载＋搬运”的形式提升账号活跃度，但同时持续性发布与生态环境相关的专门性内容来维持账号特殊性。以“@嘉兴生态环境”为例，在2021年12月，该微博账号共发布了13篇博文，其中包含4篇原创性微博，6篇附带链接转载自微信公众号的博文，3篇转载其他微博账号发布的内容，13篇博文均与生态环境相关，包括转发“@生态环境部”发布的《地下水管理条例》政策解读，开展“嘉兴环保课堂”普及危险废物贮存场所规范要求，转载《人民日报》观察者说发布的环境时评《从中华优秀传统文化中汲取生态智慧》，分享嘉兴秀湖公园的自然风景等内容，呈现出极强的账号专业性以及与其他平台、账号之间的联动性。

四是灵活运用传播符号。在新媒体平台账号的建设过程中，对于传播符号形式的运用是较为重要的，与传统媒体运用较为单一的传播符号不同，新媒体平台可以同时使用多种符号形式，以获得更好的传播效果。在浙江各市级生态环境局的微博账号建设过程中，也是通过图文并茂、视频解读、附带话题词、插入超链接等多种形式进行内容发布。例如，“@绍兴生态环境”在每日发布的空气质量预报信息微博中，在微博文字部分携带话题词“＃空气质量预报＃”，以获得更多关注度，同时以图片的形式，呈现绍兴市区的最新空气质量相关的详细信息，包括空气质量指数、首要污染物、$PM_{2.5}$浓度值等信息。既获得了较高曝光度，同时又降低了文字的乏味性，通过图片的形式呈现出来，也能够更好地吸引用户，获得用户关注。

现如今短视频大行其道，在传播信息时，借助短视频的形式予以发布，契合了当下流行的传播形式，同时也能够获得较好的传播效果。例如，“@嘉兴生态环境”于2022年1月10日通过微博视频号发布了一条47秒的爱水护水短视频，通过动画视频的形式指出五水共治、人人参与，并提出公众能够切实履行的行动建议，以呼吁市民行动起来，遵守《嘉兴护水公约》，爱水、护水、亲水，该条微博获得了17条转发、21条评论、23次点赞，在环境政务新媒体中微博平台的传播效果层面，能够体现出较好传播力。

而在进行转载内容发布时，各账号往往都会在微博中简要概括其内容，同时携带原内容的超链接，既符合微博简短化内容传播的特点，又便于用户通过微博点击链接直接跳转，获得更多具体的内容讯息。例如，“@杭州生态环境”于 2022 年 2 月 7 日发布的《杭州以“四快”保“四清” 打赢涉疫垃圾处置歼灭战》一文，指出杭州市受疫情波动影响，涉疫垃圾数量激增，不少地方出现暴库，面对紧急情况，杭州市生态环境局积极应对，按照中央和省市疫情防控工作要求，打赢涉疫垃圾处置歼灭战，牢牢守住疫情防控最后一道防线，同时在微博最后，附有杭州生态环境的微信公众号发布的原文链接，用户可以通过链接跳转至微信公众号阅读推文，而在推文中能够获知更详细具体的涉疫垃圾处置内容。

五是积极进行交流互动。现如今，新媒体带来的最大变化就是在信息的传播链条中用户已经居于中心位置，因此，对于生态环境局而言，需要考虑如何借助新媒体，实现与用户的互动，听取群众的意见和建议。在“@杭州生态环境”官方微博账号中，发布了截至 2022 年全国两会期间的网民建言征集活动的微博，开展“我向总理说句话”网民建言征集活动，并在文末附上活动页面链接，供用户通过点击链接直达国务院官网，并且将此条微博置顶，便于点进该账号首页的用户进行咨询和意见反馈。而“@嘉兴生态环境”的官方微博账号中，则是置顶了嘉兴生态环境部门投诉举报方式，包括电话举报、微信举报，并留下了嘉兴市生态环境局以及嘉兴市生态环境局各分局的应急值班电话。

在浙江省各个市级环境政务新媒体账号中，粉丝互动交流率较高的是“@嘉兴生态环境”，其账号在微博中收到用户评论时，会对其中部分评论进行回复，这种对于用户留言的回应也能够进一步激发用户的互动积极性。此外，“@杭州生态环境”的活跃度高，发布信息多元化，也有用户对其发布的微博进行点赞互动。

9.2.3 浙江省、市级环境政务新媒体矩阵的经验启示

笔者发现目前各省、市级新媒体平台常表现出活跃度与用户反馈之间的矛盾，缺乏原创性的运营无法在如今多维融合的信息市场形成足够的影响力，系统性和有规划性的运营是政务媒体不可缺少的一部分。在这一方面，浙江省、市级环境政务新媒体存在运营优势，根据以上对浙江省、市级环境政务新媒体的分类分析，以下部分将结合案例，进一步提出相关建议。

首先，以多类型内容传播打破低活跃度的运营方式。浙江省、市级环境政

务新媒体不论在微博还是微信平台，更新频率都是较高的，会通过转发内容维持账号活跃度。以“@浙江生态环境”为例，该账号的转发文章数占总文章数量的 92%(图 9-5)，虽是利用超链接的形式从微信公众号上进行内容搬运，但官方微信公众号的内容也是从市级各类生态保护宣发渠道以及国家级官方宣传渠道中转载而得，这在一定程度上保证了内容的垂直性和专业性、权威性。此外，前文提到“@杭州生态环境”于 2022 年 2 月 10 日一天即发布 13 条博文，进一步对其展开分析发现，从微信公众号转载发布的博文有 6 条，而转发其他微博账号的博文有 7 条。由于环境类政务新媒体存在较强的专业性与系统性，因此可能并非每天都有内容发布，而在此时，为了保持账号的活跃度，可以进行其他类型内容的转载传播，以保持账号活跃度，吸引受众的关注。

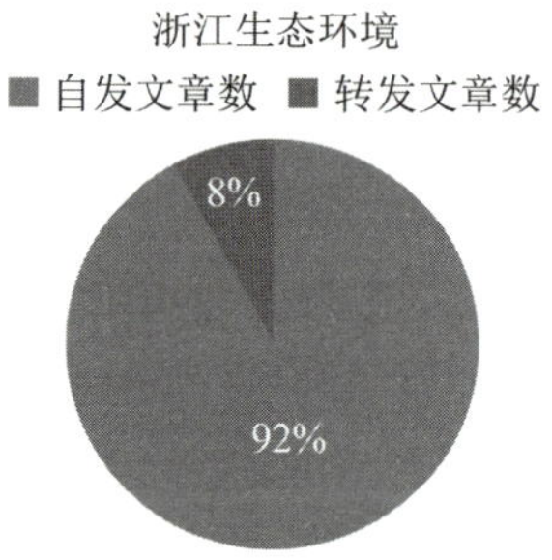

图 9-5 “浙江生态环境”官方微博内容发布类型比例

从视频版块的运营而言，省级微信公众号平台目前运营稳定，作品输出质量较高，主要通过打造精品“长视频”内容，来获得长期稳定的视频质量口碑。而微博平台在这一块更偏向于借助短视频短小精炼的特点来提高传播效果，二者在宣发过程中立足于不同的视频特点，有助于形成自身的传播竞争力。官方微博视频转发其他来源的短视频，同时兼顾了趣味性与时效性，例如，既会转发综艺节目的宣传片，也会截取新闻发布会上的重要讲话内容让受众短时间内获知重要资讯。

在建设政务类新媒体账号时还可以注重从选题、策划、排版等多方面契合平台的属性，浙江省各市级环境政务新媒体运用不同的排版格式，采用图片语言、文字语言等形式进行内容传播，也是新媒体矩阵建设过程中的一个踊跃尝试。而环境政务媒体在建设过程中，应当拓宽思路，结合自身的实际情况，寻求创新与发展。生态环境与人民生活息息相关，因此，环境政务新媒体在发布内容时，还可以从用户兴趣出发，贴近民众生活，发布解读与受众相关的原创性内容和信息,例如,“@嘉兴生态环境”发布的由嘉兴市生态环境局和嘉兴市生态环境局港区分局联合出品的环保微电影《我家有个闻臭师》,就是从环保工作人员的家人角度认识环保事业,也获得了人们的喜爱。

其次,在不同平台发布统一内容,扩大信息传播效度。在建设新媒体传播矩阵时,需要的是矩阵内不同的媒体平台相互呼应,在联合传播过程中,最大化地传播信息,从前文所说的微博平台新媒体建设中可以看出,从其他平台的转发和搬运,将微博平台视为一个信息传播中介,能够进一步囊括该平台的用户,进而增强信息传播的效果。微博简单转载微信公众号推文,并将文章内容进行凝练的概括,既能使得微博用户获知相关内容的重点信息,又能让感兴趣的用户通过转载的链接直接跳转到原文,获得更加详细的内容。在打造传播矩阵时,各生态环境局可以依托于不同的新媒体平台,同时有针对性地进行内容制作与输出,从而形成传播合力。

再次,活用媒体功能,扩大信息传播影响力。微博平台重要的传播形式即“#微博话题#”,大部分市级环境新媒体在发布微博时忽视了这一重要因素,只有少部分会携带相关内容的话题词,例如,“@绍兴生态环境”在发布绍兴市区空气质量时会携带话题词“#空气质量预报#”,除此之外,作为市一级的信息发布,还可以携带一些同城话题词,以帮助当地人民更容易接触到环境相关的信息。此外,微博视频号也是一个重要的传播渠道,如前所述的“@嘉兴生态环境”,其获得较好传播力的微博就是制作发布的微博视频。只有针对不同新媒体平台的特点进行内容的生产和发布,在平台中找回自己的独特性和竞争力,打破转载魔咒,才能真正凸显出不同平台的媒体影响力,形成没有短板的传播矩阵。

最后,在打造宣传型账号的同时,注重受众反馈和互动。浙江省级新媒体平台官方微博账号的博文发布频率自 2013 年开通微博以来一直很高,也积累了大量的粉丝数,这是作为政务新媒体运营中完成得非常出色的一点。粉丝基数能够给予该传播渠道更多的信息传播力度,可以借助这一优势,凝聚更多“活跃粉”,打破粉丝群体不愿意主动发声的“屏障”。例如,从浙江生态环境 2022 年 2 月 11 日的微信公众号数据(图 9-6)来看,其账号数据各方面都处于上升的状态,目前该官方公众号在内容的完整度、系统性、发布的活跃度、布局的合理性、推文风格的多样性上均有足够的优势,因此能够依托精品内容巩固自己的市场竞争力,随着时间推移,传播力度与效果也能进一步提高。

新媒体平台对于互动性的强调可以说是前所未有的,与传统媒体传达型

图 9-6 “浙江生态环境”微信公众号 2022 年 2 月 11 日数据

的单向互动形式不同，新媒体注重用户的接收与反馈。而部分环境政务新媒体所体现出的与用户的互动程度较低的现象，则表明其仍旧处于单向宣传的信息流动模式中。各个传播平台之所以互动率低，用户留言少见，是由于其用户黏性不强，难以收获高质量的用户互动。但就像活跃的“@嘉兴生态环境”那样，发布原创性微博视频，通过对政策的解读进行内容宣传，亦可以收获较高的用户转发、点赞与评论数，由此可见，发布与其政务系统相关的原创内容以增强用户黏性是其建设的重点方向。

此外，由于环境传播内容以官方信息传达为主，互动性内容较少，也可能致使用户难以参与。在政务新媒体的传播实践中，如果仅仅通过文字呈现，缺乏生动的解释和分析，在快节奏生活的当下，很可能导致用户难以对其内容进行沉浸式的深度阅读，从而使得他们对信息的了解不够，也无法做出回应，即使是以政策宣传为目的，也难以做到完整充分地使受众了解信息内容。而嘉兴市生态环境局在这一点上考虑相对完善，其制作的《嘉兴环保课堂》系列视频节目，就通过专人讲解、视频演示的形式对规章制度要求进行解读，以帮助用户理解其政策内涵与意义，因此在进行信息传播时也应当考虑对信息的处理解读与符号运用。

从环境政务媒体发展来看，由于其涉及的多为长期性生态问题，并非爆发性社会问题，因此难以在微博中引发较大的舆论攻势。但是由于生态环境与人们生活紧密相连，仍然会有部分群众试图通过微博进行信息反馈，由于微博采取的是在发布的博文下转发或评论的留言方式，又或是私信的方式，面对这部分反馈，如果能及时采取回应与应对，那么便能够体现出新媒体平台作为官方平台的宣传窗口和沟通窗口与受众之间搭起的桥梁作用。例如前文提到的微博账号“@嘉兴生态环境”的置顶微博下，用户在评论区中留言进行意见反馈，而该账号也选择了部分留言进行了较为官方的回应，表示已收到问题，并且已交办当地环保部门，处理情况会及时回复该用户。这样的回应一方面使得用户在反馈意见后及时得到回应，进而建立起对政府部门的信心；另一方面，处理情况的反馈也能让其他用户看到该部门处理问题的认真程度。这种对用户关切的回应互动能够有效安抚民众，并且能够展现出政务新媒体建设所具有的服务性一面。因此，在对用户反馈的信息处理层面，应当认真对待，并且最好能够在一定时间段内对用户反馈意见处理结果进行适当的公开，以体现自身的政务服务能力。

除了在评论和留言中公开的提问与回应，政府和民众还可以通过微博私信或是微信公众号进行互动。在浙江省、市级微信公众号的服务栏中，几乎都提供了官网的投诉建议网址的跳转，通过微信公众号可以直接跳转至相应页面进行意见反馈，现在微信成为民众使用率极高的一个社交媒体，通过微信公众号直接跳转的形式，用户不用再自行搜寻官方网页，便于民众进行更加直接的意见反馈。

目前，较多的政务类媒体在运营过程中仍然受限于传统思维，再加上部分领导者在观念上对于新媒体的认识存在差异，使得各新媒体账号缺乏活力。因此，要想打造真正有传播力的环境政务媒体，还需转变观念，解放思想，真正认可新媒体并且融入新媒体。在建设平台账号时，加大人力、物力方面的投入，才能够通过新媒体平台打开政务工作的新局面。领导人更新思维，自上而下开展工作，打造新媒体人才队伍，也可以更大限度地发挥年轻政务人员的创造力。而要想建立长久的与用户的和谐互动关系，归根结底还是应鼓励原创内容生产，从生态环境视角出发，制作出既符合政府宣传需求，又契合公众需求的专业性内容，提高内容生产各个环节的质量和水平。对于政策文本内容，还可以尝试多样化的传播形式，例如 AR（增强现实）、VR（虚拟现实）、H5 页面、直播等较为新颖的形式，将内容进行视觉化处置。这样的处理方式实际上不仅能够直观地呈现出生态环境的发展变化，还能够进一步增强政务新媒体的表现力和吸引力。

总体而言，浙江省、市级环境政务新媒体可以作为环境类新媒体发展的典型案例，其优势在于目前正处于积极建设新媒体矩阵的过程中，不论是微博、微信还是视频号，都保持较高的活跃度并且在不断发展。作为专门程度较高的专业型新媒体，环境政务新媒体在专业性领域具有较高的发言权重，如果仅仅发布单一信息内容可能难以保持长久的民众关注度，因此可以以专业内容为主，同时辅以其他类型的与民众生活相关的内容以维持热度。网页、微信公众号、微博具有各自的政务宣传特色，借助多矩阵的传播渠道，政务媒体除了要把重心放在资讯整合上，也要重点关注群众通过各类渠道了解资讯时的情况，如是否有回应，回应是否高效，解决问题是否彻底等。另外，在这种情势下，在大力进行生态文明建设的社会实践中，市一级的生态环境局可以说是打造环境政务媒体矩阵的“最后一公里”，对于相应辖区的生态环境更加了解，能够更好地结合当地实际进行环境宣传，直接应对各地区民众的需求，及时反馈并协调处理解决民众面临的生态环境问题，以此为基础打造出环环相扣的优秀环境政务新媒体矩阵，有助于生态环境局开展政务工作。

9.3 湖北省环境政务微博建设

湖北省地处长江经济带中心区域，是东西部双向开拓的重要纽带，自古以来一直发挥着重要的作用。同时，长江也是湖北发展的优势所在和重要依托。在生态环境保护方面，湖北一直锚定“加快建设美丽湖北、率先实现绿色崛起”战略目标，以生态省建设为统领，深入开展污染防治攻坚，着力提升长江保护修复水平，扎实推进生态环保督察问题整改。湖北省一直以来都十分重视生态环境保护和治理，生态环境保护工作一直在不断优化发展，省生态环境厅的新媒体矩阵宣传工作也做得较为全面，环境政务新媒体账号的持续运营，为配合深化生态文明体制改革、绿色低碳发展作出了重要贡献。

9.3.1 湖北省环境政务新媒体矩阵的建设现状

9.3.1.1 官方微博

湖北省生态环境厅官方微博账号“@湖北生态环境”，截至 2023 年 12 月底，粉丝数 13.2 万人，发布的微博获得转评赞 4.7 万次，发布的视频累计播放量 280 万次。湖北生态环境微博发布的内容主要包括湖北地方动态、时政要闻、空气质量预报、生态环境部门动态和自然环境科普内容等；还会转载其他有权威影响力的媒体如央视网、《人民日报》、CGTN 等的图文、视频和文章。其中，转载的视频和文章以生态环境保护主题为主，转载的图文主题围绕生态环境报道或科普宣传。

在新冠疫情防控期间，湖北生态环境微博也发布了一系列有关疫情的内容，如转载疫情相关的新闻报道，生态环境厅的抗疫行动报道等。

在湖北生态环境微博自主发布的视频中，观看量较高的有《＃人与自然和谐共生＃“鄂”美有我》（11 万次观看）、《“美丽中国 我是行动者”动漫科普视频之保护野生动物该怎么做》（34.9 万次观看）、《湖北省生态环境厅党员干部下沉社区抗击疫情纪实》(41.1万次观看)等视频。

9.3.1.2 官方微信公众号

湖北生态环境官方微信公众号是湖北省环境保护工作资讯发布的新渠道、工作交流的新平台、便民服务的新窗口。湖北生态环境微信公众号底部菜单栏设置了政务公开、政民互动、惠民服务三个版块。

政务公开版块包括中央生态环保督察、党史学习教育、环境执法大练兵、书记市长谈环保四个专题,专题下囊括了相应的专题文章整合链接,整理清晰,方便阅览。政民互动版块包括"我向总理说句话""微信矩阵""环保投诉""互动回复"四个部分,用户可以在这里进入国务院客户端小程序进行留言,或通过微信公众号完成线上生态环保投诉,并可以查看后台投诉信息的最新反馈情况。第三个菜单栏版块是惠民服务,由空气质量、环保服务、鄂汇办、各地疫情防控措施四个模块组成。用户可以很方便地查看实时空气质量和历史数据等,也可以点击链接进入湖北政务服务网查看和办理生态环境相关业务。鄂汇办是由湖北省人民政府推出的集政务办事、民生服务、政民互动、政务公开为一体的全省统一政务服务移动平台,提供一系列群众关注的热门服务,有力支撑湖北省政务服务掌上办、随时办。点击"各地疫情防控措施"可以跳转到国务院小程序查询各地的疫情防控措施。

9.3.1.3 官方抖音

"湖北生态环境"抖音账号是湖北省生态环境厅官方抖音号,截至2023年12月底拥有粉丝2.9万人,发布的视频播放量可观,很多短视频都受到了群众的欢迎,获得大量点赞。

湖北生态环境抖音在日常发布短视频内容的基础上,整合了几个视频专题合集,如合集《小楚说环保》以主持人小楚的讲解为观众介绍环保科普及环保理念,总播放量274.7万次;合集《环保在身边》拍摄身边的小事为案例引申环保主题,总播放量319万次;合集《公民十条小科普》结合抖音热点,以创意小视频的形式科普"公民十条",总播放量100.2万次;合集《湖北生态环境保护事业发展纪实》发布的系列视频也收获了良好的反馈。

9.3.1.4 官方网站

湖北省生态环境厅官方门户网站内容分区清晰,网页设计以蓝色调为主,简洁大方又有现代感。门户网站首页可以看到网站主菜单栏分为几个版块:机构设置、动态要闻、政府信息公开、互动交流、办事服务、环境数据。在门户网站的首页也可以看到这些版块以组件的形式组成了首页内容,动态要闻中主要包括环境新闻、湖北要闻、省厅动态、国务院要闻、地方动态;政府信息公开主要包括一些通知公告和政策文件，还提供了查看人事信息、招考信息、年度报表、建议提案等功能；互动交流部分主要负责接收咨询、投诉、举报等民意交流环节，还包含线上调查、厅长信箱等功能；办事服务部分可以链接到外部网站——湖北政务服务网，进一步完成业务咨询和办理；环境数据模块向公众展示了全省各地区的实时空气质量指数、水环境质量报告、生态环境公报等。

9.3.2 湖北省环境政务微博的特点

湖北生态环境政务微博发布的内容围绕生态环境展开，发布风格较为固定，发布频率高。发布内容具体包括生态环境保护、生态文明建设、自然环境科普等。在已发布微博中出现的排名前十的高频词分别为：生态环境、工作、环保、中国、湖北、空气质量、疫情、全国、重点、污染。从高频词排序及高频词云图（图 9-7）中可以看出，生态环境相关的内容是湖北生态环境微博中占比最多的。除此之外，从 2019 年底开始的新冠疫情在一定程度上影响了湖北生态环境微博的内容发布，在统计时间之内，疫情、新冠、肺炎等词也频繁出现。

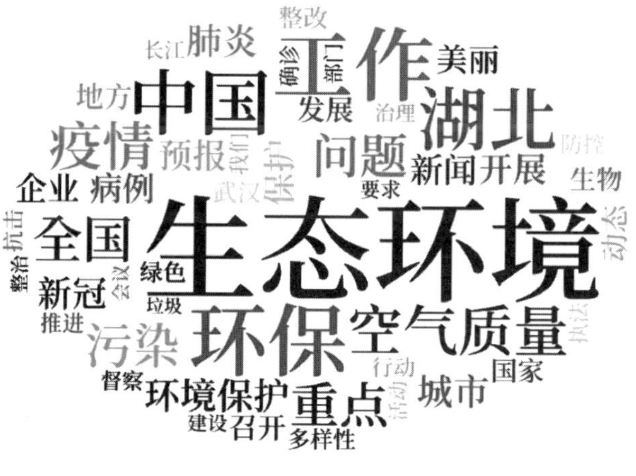

图 9-7 “湖北生态环境”官方微博高频词云图

具体来看，湖北生态环境官方微博发布微博常用的话题有“＃湖北地方动态＃”“＃时政要闻＃”“＃重点城市空气质量报告＃”等，这与每日发布的地方动态、时政要闻、空气质量预报、生态环境厅部门动态和自然科普等内容大致匹配，体现了湖北生态环境微博致力于通过微博的新媒体平台建立一个生态环境保护工作宣传平台，间接地为湖北省的生态环境保护作出贡献。

湖北生态环境微博发布微博的格式较为固定，内容风格偏向官方、严肃，以话题、标题、文字、图片、视频、文章链接组合构成。在转发其他微博账号发布的博文时，分享的文字内容为原微博的标题及附带话题。如湖北生态环境在2021年6月5日发布微博："＃六五环境日＃【＃人与自然和谐共生＃'鄂'美有我】今天是六五环境日，人与自然和谐共生，鄂美有我，建设美丽中国，湖北在行动！＃美丽中国我是行动者＃"，以话题和标题开头，简介了视频主题，并上传了一段时长5分34秒的视频，围绕标题展开了详细讲解。

无论是否有原创内容，湖北生态环境每日都会更新多条微博，平均每周发布90条微博，平均每月发布393条微博，更新频率保持在较高水平。如湖北生态环境发文数量季度走势图（图9-8）所示，湖北生态环境的发文数量在2019年到2020年提升较大，2020年第二季度发布微博数量最多，达2 469条；在2020年第三季度之后保持在每个季度1 000～1 500条的频率。据湖北生态环境周平均更新频率（图9-9）统计数据所示，2020年上半年湖北生态环境平均每周发布微博数量最多，最高每周达到255条，2020年下半年开始逐渐恢复至平均水平。

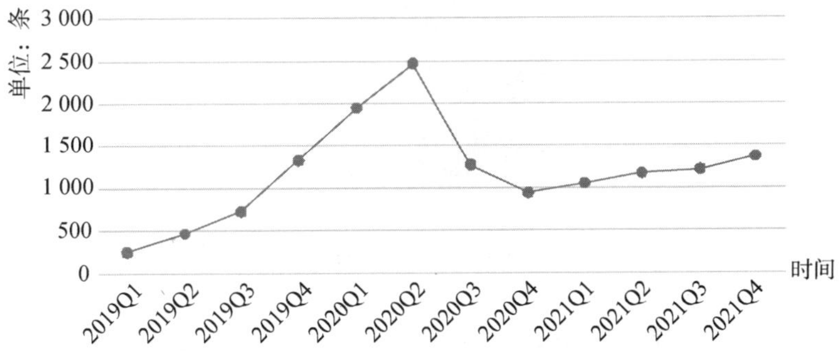

图9-8 "湖北生态环境"官方微博发文数量季度走势图

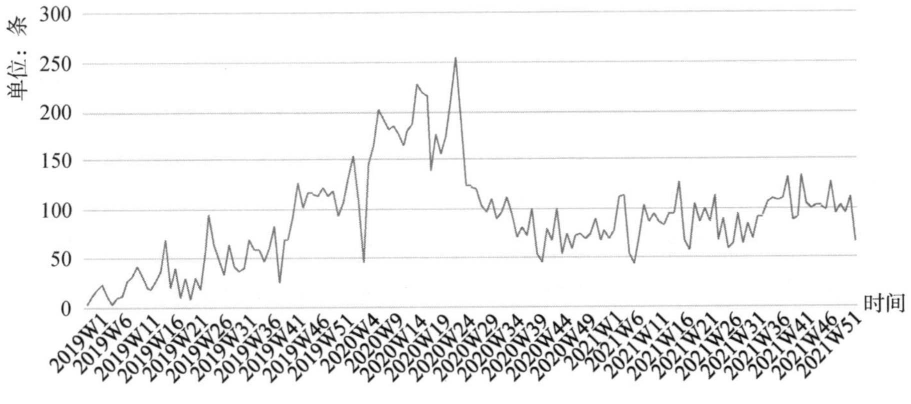

图9-9 "湖北生态环境"官方微博周平均更新频率

出现这种现象的主要原因是新冠疫情的影响，生态环境部出台了大量与新冠疫情防控相关的新政策和通告，湖北生态环境微博积极转发官方发布的通告内容，同时记录下了疫情之下湖北省生态环境厅在省内开展的许多疫情防控工作，因此在这段时间内微博发文大量增加。

湖北生态环境微博发布的微博中，自发文章数与转发文章数占比大致持平(图 9-10)。在自行发布的内容中，大部分来源为转载，原创发布的内容相对偏少。转载的内容有图文、视频等，主要出自“@央视网”“@人民日报”“@生态环境部”等具有权威影响力的微博媒体，部分转载的博文内容来自其他省份生态环境媒体发布的文章或视频。在湖北生态环境微博原创发布的内容中，一部分图文及文章是与湖北生态环境的官方微信公众号同步发布的，内容存在重叠。

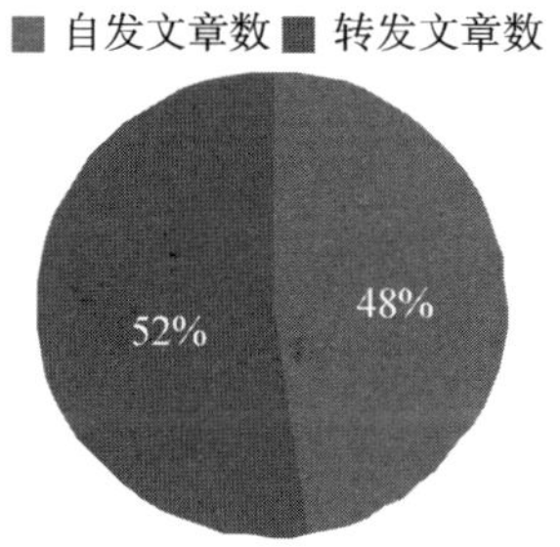

图 9-10 “湖北生态环境”官方微博原创比例

湖北生态环境微博借助视频、图文、文章等多种形式进行内容传播。该账号经常发布原创视频或是转载视频，其中原创发布的视频内容主要有生态环境相关宣传片、地方动态新闻视频、科普视频等。部分视频内容常采用动画的形式来表现，内容生动活泼，语言描述更简单直白，更通俗易懂，对于观众来说缩短了与环保政策、科学知识之间的距离。湖北生态环境的官方抖音号的数据也可以证明，有趣味性的视频内容更容易受到公众的欢迎。

以图文模式发布微博一般用于报道空气质量或地方动态新闻。针对空气质量的报道，大部分是转发文章，湖北生态环境微博会转发生态环境部发布的全国重点城市空气质量预报和全国空气质量预报。偶尔会采用“一图读懂”的长图形式取代传统的文字加图片模式，将生态环境保护工作会议、年度报告等的重点数据和文字在图片设计中突出展示，将数据做图形化的处理，方便群众了解，看起来通俗易懂，图片形式的报道还有利于进行二次传播。

除了以上形式，湖北生态环境还会发布微博文章进行地方生态环境动态的报道。在微博同步发布与微信公众号相同的内容时没有采用超链接分享的形式，而是以微博文章的形式发布，这样的好处是微博正文内容在微博文章内，用户查看时不用点击超链接跳转页面。附加详情的超链接容易出现诸如链接失效、跳转失败、第三方登录等问题，而转为微博文章，用户只需要点开文章便能查看内容，方便快捷。

在微博平台，湖北省环境政务新媒体与公众的互动率有待提高。尽管湖北生态环境微博账号的粉丝量有 10.1 万人，但每天发布的微博下的用户转发、评论、点赞量不稳定，受微博内容的影响浮动较大。作为湖北省生态环境厅的官方微博，在发布博文时保持了严谨、严肃的风格，很少出现引导公众互动的词汇语言，仅仅是客观陈述新闻或事实，因此公众可能仅限于浏览图文或视频。

当微博的阅读量或互动量较高时，通常是湖北生态环境微博在编辑内容时附带了与明星相关的话题，如在 2021 年 1 月 13 日发布的微博"＃远山的呼唤＃ ＃保护野生动物＃ ＃WCS＃ 纪录片《远山的呼唤》记录下了 WCS 野生生物保护学会中国区亲善大使@明星 A 进藏体验西藏野生动物保护工作的过程，感受野生动物保护工作的点滴"。微博"希望更多人可以感受到保护野生生物对保护大自然的重要意义，为保护野生生物尽一点力量。＃明星 A[超话]＃"获得了 513 次转发，593 条评论，3 447 个点赞。从转发、评论中可以看出这条微博获得的互动大多源于明星 A 的粉丝群体。获得转评赞数量排在第二的微博内容是 2021 年 5 月 5 日发布的"＃传递环保正能量＃＃明星说环保＃＃明星 B＃明星 B 是被权威媒体认可的最佳原创地球环保综艺的发起人，从北极圈到热带小岛，他保护珊瑚礁，关注极地冰川。爱地球，趁现在！@明星 B 将音乐与环保理念贯穿为一体，向世界传达美好。＃明星 B 公益正能量＃"。"@湖北生态环境"微博转载了"@成都生态环境"的微博视频，因为与明星相关，获得了粉丝的大量互动。此外，当发布的微博被如"@生态环境部"这样的有更多粉丝、更权威的微博账号转发时，其他省市的生态环境部门官方微博也会跟进转发，这条博文的曝光率会大大增加，达到更好的宣传效果。

在湖北生态环境的微博私聊界面，没有像微信公众号一样设置菜单栏方便公众进行各项互动。除此之外，湖北生态环境对于公众在微博评论区的评论很少回复，互动交流不足，不利于培养账号的粉丝黏性。当市级生态环境部门的官方微博进行转发、评论等互动时，湖北生态环境微博的回应也偏少。因此，公众在通过湖北生态环境微博这个平台与当地政府部门沟通或进行环境保护相关的投诉时，微博评论或私信可能不是一个最佳的渠道。

9.3.3 湖北省环境政务微博的经验启示

首先，要引进人才，提升环境政务新媒体创新能力。湖北省生态环境厅宣传部门应争取增加资金和人力投入，吸引高质量人才，尤其是擅长运营新媒体、有创新能力的年轻人，完善政务新媒体的运营团队结构，在扩大运营团队规模的同时也要注重提升工作人员的媒体运营专业能力，通过培训和学习，培养出适合发展生态环境类政务新媒体的人才。同时也要健全恰当的奖励机制，给予运营者更多的创造动力。

其次，应注重用户运营，拓展环境政务新媒体影响力。湖北省环境政务新媒体应该积极创新内容表现形式，在抖音、微博、微信平台发布的内容应该各有长处，可以打通各平台，发布优质内容，不局限于形式，尝试多元化的传播风格和话语风格。在日常运营过程中，湖北环境政务新媒体应该发挥线上媒体的优势，拉近与群众的距离，以评论、私信等形式积极回复群众提出的问题。在与公众互动时，需要注意措辞，保证生态环境部门的专业性和严谨度。

湖北省生态环境的政务新媒体矩阵需要获得更大范围的宣传，在制作环境保护图文、视频时可以在其中引导群众关注生态环境厅官方新媒体，方便群众获取环境保护相关信息、使用便捷的环保投诉渠道。如果缺少群众的关注和支持，那么政务新媒体也必然难以达到政务服务的最佳效果。

最后，还需增设人性化服务，提高环境政务新媒体服务水平。在各大平台设立的环境政务新媒体账号接收到群众的咨询时，最好可以安排环保部门专业的工作人员进行人工回复，让群众在提问后及时得到回应。在接收环境保护相关的投诉举报时，政务新媒体要做的不仅是为群众指向一个投诉平台，这样的投诉形式流程复杂，处理过程缓慢，最终的解决结果传送到新媒体账号，再转达给群众，耗时耗力。如果设立专门的投诉问题反馈流程，可以直接将群众投诉的问题反映给省或市生态环境厅(局)的相应部门。湖北环境政务新媒体应该担负起应有的政务服务责任，利用互联网交流的方便快捷，拉近与群众之间的距离。

9.4 重庆市环境政务微信公众号建设

依江而建、因江而兴的重庆，是长江经济带和长江上游地区的重要组成部分。重庆市环境政务新媒体矩阵建设颇具规模，内容优质，形式多样，功能健全，可作为长江上游地区环境政务新媒体案例的地区典型。

9.4.1 重庆市环境政务新媒体矩阵的建设现状

重庆市生态环境局官方网站信息内容更新及时，互动交流健康有序，信息公开规范透明；官方微博和微信建设情况较好，辖区内38个区县均开通官方政务平台，形成了规范的新媒体矩阵。

9.4.1.1 官方网站

重庆生态环境官方政务网站，也即重庆市生态环境局官方网站，承担着生态环境部门政府信息公开、环境质量数据公布、空气质量预报预警、行政许可事项在线办理、民意征集与交流互动等多项政府服务任务与功能。

重庆生态环境官方政务网站页面内容丰富全面，主菜单设置项包括：政务公开、渝快办、互动交流、环境质量。页面有多个可关闭浮窗，用以实时显示重要内容，例如：办公地址变更通告、蓝天曝光台、三线一单智检服务等。网页侧边的半透明浮窗展示了环境政务新媒体矩阵内的一系列跳转链接或二维码，包括：重庆生态环境微博、重庆生态环境微信公众号、全国生态环境投诉举报平台、空气质量App。

9.4.1.2 官方微博

重庆市生态环境局在新浪微博平台建立了官方微博号"@美丽重庆"。头像设置为青山绿水三峡景，辅以"美丽重庆"字样与印章。微博简介为"让我们一起向未来，为建设'山水之城—美丽之地'而奋斗"。

截至2023年12月31日，"美丽重庆"微博号拥有粉丝183.7万人，共发博2.716万条，获31.4万转评赞，视频累计播放量453.5万次。目前，微博号每日发表微博20条左右，以转载其他官方微博号的视频或文章为主，内容十分丰富。这些内容涵盖环保科普知识、萌趣野生动物、生态环境保护的政策与成果，以及占据更大比重的北京冬奥会、春节等其他微博实时热议话题。几乎每条微博均有重庆下辖区县的官方生态环境微博号转发，但鲜有评论或点赞。

9.4.1.3 官方微信公众号

重庆市生态环境局在微信公众平台创建公众号"重庆环保"，2018年10月29日，认证和更名为"重庆生态环境"。头像设置为单脚站立、单手竖起大拇指的重庆环保形象——"渝小环"。2023年9月18日，公众号更名为"美丽重庆"，头像设置与微博相同。公众号简介写道："推进生态文明，共建美丽重庆。"

截至2023年12月31日，公众号"美丽重庆"共发布原创内容1 408篇，视频号发布视频534条。目前，"美丽重庆"微信公众号通常于每个工作日发布

2～3 次图文消息推送，每次推送 2 篇图文内容；逢周末和节假日，则适当减少发文频次。

微信公众号的图文内容主要以市生态环境局活动和会议报道、生态环境保护政策、生态环境保护成果、环保知识科普和宣传为主，另有少量党政宣传和公共服务内容推送。单篇图文的阅读量一周内多数可达 200～1 000，几乎每一篇图文末尾都有少数“点赞”和“在看”标记。

9.4.1.4 官方抖音

重庆市生态环境局宣传教育中心于抖音平台创建账号“重庆生态环境”，头像设置为单脚站立、单手竖起大拇指的重庆环保形象——“渝小环”。抖音账号简介写道:“建设山清水秀美丽之地，重庆生态环境感谢您的关注！”2023 年 9 月 18 日，更名为“美丽重庆”。

截至 2023 年 12 月 31 日，抖音号发布作品 528 个，获赞 34.6 万次，粉丝 8.0 万人。其中，标记为“喜欢”的作品，也即“美丽重庆”抖音账号点赞的作品，均与生态环境或政务服务相关，特别的是，有大量重庆“环保星主播”个人账号发布的环保宣传短视频。

抖音账号“美丽重庆”创建了十余个作品合集，包括《2021 年全国低碳日宣传》《2021 年重庆市“最美生态文明践行者”》《渝小环讲科普》《党史学习合集》《城市为什么要禁止燃放烟花爆竹?》等。其所发布的原创视频内容，包括重庆市生态环境局举办的线下活动、自制环保网络剧、“渝小环”的科普课堂、“环保星主播”、重庆各区县的环保成效、党政知识教育等。截至 2023 年 12 月 31 日，获赞最多的原创作品为重庆环保网络剧“绿色生活从你我做起”。该作品于 2023 年 11 月 18 日发布，获赞 2.7 万次，评论 190 条，评论多为对该作品的称赞，半数用户的评论获得作者回复。

9.4.2 重庆市环境政务微信公众号的特点

重庆市是一座文化底蕴丰厚的城市，同时也是一座充满了现代文化活力的城市。重庆环境微信公众号在建设当中充分融合了多模态的话语表达形式和多样式的图文表现方式，在传播规范、权威和专业的信息内容的同时，不乏生动性和趣味性的内容。

一是信息发布及时，内容充实。重庆市环境政务新媒体的传播内容围绕生态环境保护展开，主要包括重庆市生态环境局的活动和会议报道、生态环境保护政策、生态环境保护成果、环保知识科普和宣传、党政宣传和公共服务内容。

2019 年初至 2021 年末,“美丽重庆”微信公众号每季度的发文数量基本稳定,如图 9-11 所示,在 2021 年后半年呈现出较明显的下降趋势,在 2021 年第三季度达到三年的最低值。但三年间,发文数量大致维持在每季度 250 至 350 篇。其中,2020 年第一、二季度的发文数量明显升高。2020 年上半年,“美丽重庆”微信公众号发布了较多专题或专栏内容,如“环环特工队”“排污许可云讲堂”“中央环保督察重庆在行动”“六五环境日”“典型人物”等,而这也是造成发文量激增的原因。

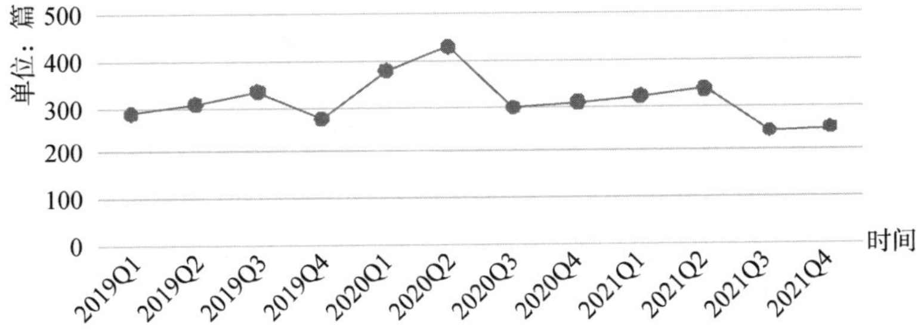

图 9-11 “美丽重庆”微信公众号发文数量季度走势图

三年间,如图 9-12 所示,“美丽重庆”微信公众号周平均发文 24 篇,月平均发文 104.8 篇,季平均发文 314.5 篇。每周发文数大约在 10 至 40 篇,节假日集中期发文数量较少,活动集中期发文数量较多。近期,“美丽重庆”微信公众号通常于每个工作日发布 2 次图文消息推送,每次推送 2 至 4 篇图文内容。推送时间一般为下午和晚上各推送一次。周末和节假日期间,减少发文频次和数量,但仍少量发送节日祝福或假日环保相关内容,如国庆节期间发布推送消息《国庆|国庆出游,不要忘记带上“文明”这件行李!》,春节期间则发布推送消

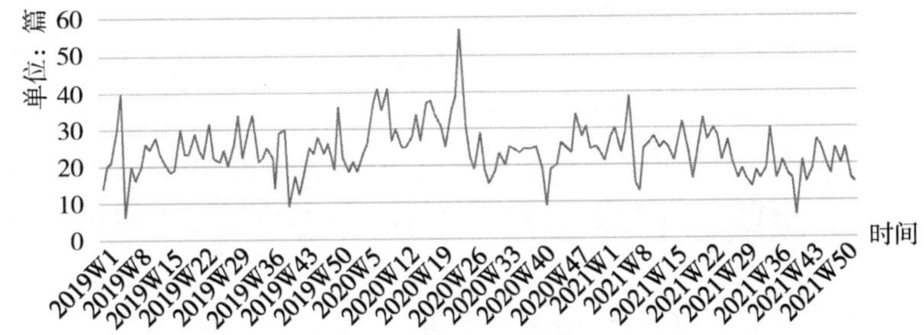

图 9-12 “美丽重庆”微信公众号周更新频率走势图

息《视频|重庆市生态环境局干部职工恭祝大家新春快乐!》。单篇图文的阅读量一周内多数可达200～1 000,几乎每一篇图文末尾都有少数“点赞”和“在看”标记。

就“美丽重庆”微信公众号而言,其图文消息和视频推送来源均以转载为主,原创内容占比20%。原创的图文内容,以重庆市生态环境局的活动和会议报道为主。“美丽重庆”微信公众号原创的“渝小环讲科普”栏目,以漫画图片或动画视频的形式宣传环保科普知识。而“渝小环讲科普”的动画视频,也是“美丽重庆”微信公众号原创视频的主要来源。除此之外,重庆市生态环境局工作人员的重要集体活动,如干部职工献唱、出镜节日祝福等,有时也以原创视频的形式在微信公众号发布传播。

二是传播形式多样,风格活泼。“美丽重庆”微信公众号图文的排版和风格,不拘泥于完全统一的格式,根据内容而有所不同。整体而言,图文以代表低碳环保的绿色为版面设计的主色调。尤其表现在每一篇图文的末尾,统一的“内容来源”和“编辑”的字样颜色、“共建无废城市,共享美好生活”的动图设计、其他图文超链接的边框与底色等。而与新年祝福、党政教育宣传等相关的图文内容,则以红色为版面设计的主色调。

每一篇微信公众号图文推送里,或以图片为主,或图片与文字兼具,单篇图文内容不多、篇幅较短,排版疏松,字体大小合宜,迎合了现代人碎片化小屏阅读的可接受的心理。当发布晦涩难懂的生态环境相关政策时,“美丽重庆”微信公众号会以图片解读的形式推送,尽管这些图片多数转载自其他政务新媒体账号,但也在很大程度上增强了用户点击和阅读政府政策的兴趣,降低了用户阅读和理解政府政策的难度,起到了推动政府政策有效传播的功效。

每一篇微信公众号图文推送的末尾处,均插入3至5条公众号内其他文章的超链接,读者可以通过选择并点击文末超链接,快捷跳转至公众号内的其他文章进行阅读。被纳入文末超链接的文章,是公众号近期推送的主要或重要的内容,基本以重庆市生态环境局的活动报道、国家和地方的生态环境保护政策及成果为主。文末超链接的附加,为微信公众号的重要内容的大众传播拓宽了传播渠道,也增加了用户继续在微信公众号内阅读文章的可能性。

“美丽重庆”微信公众号推送的历史消息中,大约一半的图文标题格式为《××××|××××××》,这样的标题设置,使读者一看到标题就可以颇为明晰地了解文章的大致内容。标题中“|”符号前的文字内容,标识着图文的形

式或模块；“|”符号后的文字内容，标识着图文的具体内容。如《蓝天曝光台|重庆市重点区域 $PM_{2.5}$ 浓度排名（1 月 7 日）》，说明了该篇图文归属于“蓝天曝光台”内容模块，图文的内容是“重庆市重点区域 $PM_{2.5}$ 浓度排名（1 月 7 日）”；《“无废城市”|守护绿色田园，共建“无废乡村”》，说明了该篇图文归属于“无废城市”内容模块，图文的内容关于“守护绿色田园，共建‘无废乡村’”；而《图解|国务院关于在市场体系建设中建立公平竞争审查制度的意见》，则说明该篇图文以“图解”的形式解释“国务院关于在市场体系建设中建立公平竞争审查制度的意见”。

“渝小环”，是诞生于重庆市生态环境局的重庆环保形象，同时也是“重庆生态环境”政务新媒体传播的重要传播符号。重庆环境政务新媒体矩阵内的账号，多以“渝小环”或“小环”自称，设置单脚站立、单手竖起大拇指的平面形象“渝小环”为账号头像。此外，“渝小环”也是“重庆生态环境”政务新媒体进行科普和宣传的重要传播载体。2022 年新年前夕，在“美丽重庆”微信公众号的推送里，身穿红衣、手持红灯笼的“渝小环”被作为动图，编辑到图文消息中，辅以送出新年祝福，展现了随时节变换装扮的可爱形象。

“渝小环讲科普”，是重庆市生态环境局宣传教育中心原创的环保科普栏目，于 2018 年 2 月 7 日开始推送“渝小环”问答模式的科普图文。2018 年 2 月 28 日起，平面卡通人物“渝小环”化身为科普课堂的讲解员，在动画短视频中传播环保知识。“渝小环”的动画科普课堂里，俏皮的配音、活泼的动画、童稚的字体，让一个个时长一分钟左右的短视频，呈现出生动可爱的视听风格。2019 年 9 月 16 日起，“渝小环讲科普”又开始以漫画的形式出现，“渝小环”出现在 6 幅连环画故事中，借简单有趣的故事情节传播环保科普知识。

除了打造活泼可爱的重庆环保形象“渝小环”，“美丽重庆”微信公众号的活泼之处同样体现在重庆市生态环境局为重庆环保宣传组织开展的合作活动中。2020 年 12 月，重庆市生态环境局、市文联首次联合开展“重庆市环保星主播”活动。来自重庆的一线主持人、新媒体主播、网络达人们，化身为重庆生态环境的传播符号，以“环保星主播”的身份出发，用或亲和、或科普、或幽默、或戏剧化的演绎，围绕打好打赢污染防治攻坚战、“无废城市”建设、“山水之城 美丽之地”等主题志愿服务重点工作，通过短视频的形式，号召大家参与重庆生态文明建设。关于“环保星主播”的短视频，主要通过抖音平台发布，微信公众号等其他平台账号有时也会为“环保星主播”发文宣传和引流，展现出重庆市生态环境局内部的强联动性。

三是注重互动交流。“美丽重庆”微信公众号内，在菜单栏内提供“微发布”

服务和“办事服务”。其中,“微发布”菜单下设选项“新闻发布”“污染防治攻坚战”“碳达峰碳中和”。“微发布”菜单中,集合了“美丽重庆”政务公众号发布的重要内容。“办事服务”下设选项“生态环境有奖举报”“信息公开”“机械编码及监督”“危废通助手”“机动车查询”。“办事服务”菜单选项,是“美丽重庆”政务公众号的政务功能入口集中区,为微信端的用户提供线上便捷办事服务功能,让民众在手机上用最常用的社交软件,即可快捷处理政务事项。

此外,根据重庆市生态环境局举办的线上互动活动,设置一项可根据情况实时变化的菜单,一般情况下设置为“惠碳通”。2022 年春节期间,“惠碳通”改设为“新春答题”活动小程序,春节假期结束后,重新恢复为“惠碳通”。“惠碳通”是“美丽重庆”微信公众号实现与用户交互的重要平台。用户在微信公众号对话窗口点击“惠碳通”菜单选项,即可进入一个微信小程序。该小程序由重庆征信有限责任公司与重庆市生态环境局合作运营,全称为“惠碳通生态产品价值实现平台”。“惠碳通”小程序内设置了小游戏、小知识、问答等模块,用户可通过步行、游戏等活动积攒“碳积分”,用以兑换与环保相关的“绿色”文创等商品,实现了低碳生活的生态产品价值,同时也增强了用户低碳生活的接纳度、获得感和满足感。

2019 至 2021 年,“美丽重庆”微信公众号的总“阅读”数 423.4 万次,总“点赞”数 7 444 次。总体看来,“美丽重庆”微信公众号的图文阅读量不算太多,大部分图文发布一周后的阅读量在 200～1 000,极少出现超过 1 万的情况。2019 至 2021 年,“美丽重庆”微信公众号阅读量最高的图文是 2019 年 10 月 8 日发布的《主城区部分路段高排放车辆限行通告征求公众意见》,该篇图文标记为“CQEE”原创内容,阅读数 37 371 次。三年间阅读量位居第二的图文是 2019 年 9 月 11 日发布的“CQEE”原创内容《注意！重庆市第六届生态文明知识竞赛活动正式启动》,阅读数为 28 286 次。三年间阅读量最高的非原创内容为 2020 年 2 月 5 日推送的《钟南山 10 个最新判断:何时疫情高峰期、病毒来源、药物研究进展……》,阅读数为 21 005 次。

2020 年 6 月,微信公众平台在微信公众号的图文末尾增加了“分享”选项,并回归了 2018 年 12 月被“好看”替代的“点赞”选项,同时保留 2019 年 3 月用以替换“好看”的“在看”选项。2020 年 7 月 6 日,“美丽重庆”微信公众号发布的次条、荐号视频《央视镜头中的重庆环保人——曾庆》,获“点赞”数 129 次,是“美丽重庆”微信公众号三年间“点赞”数最高的视频。2021 年 12 月 1 日,“美丽重庆”微信公众号发布的头条、原创推文《重庆生态环境保护综合行政执法队伍换发全国统一制式服装》,获“点赞”数 59 次,是“美丽重庆”微信公众号三年间“点赞”数最高的原创图文。

“美丽重庆”微信公众号内，阅读量较多的图文，文末有时出现若干条“精选留言”，并有部分“精选留言”被作者回复，“精选留言”的内容包括工作建议和环境情况反映等。相反，阅读量在 1 万以下的图文，几乎无文末“精选留言”。当然，因为微信公众号的用户留言，只有公众号运营者在后台标记“精选”后才得以显示给受众。所以，文末无“精选留言”或“精选留言”较少的原因至少有两方面，一是无用户发出留言，二是用户留言未被后台登选；甚至还有可能因为用户曾发出留言，但未被登选，故而放弃留言。此外，即便是阅读量过万的图文，末尾的“点赞”和“在看”数也并不多。

由此可以看出，重庆市生态环境局的官方微信公众号，其实很大程度上扮演着单向传播者的角色，很少收到受众的反馈，也很少基于图文内容主动与用户互动交流。根本而言，这是由微信公众平台订阅号自身“订阅性”的大众传播特点所决定的，从这一方面来说，“美丽重庆”微信公众号已尽到了其作为一个政务微信订阅号应尽的职责。另外，“美丽重庆”微信账号，通过在主菜单添加“碳惠通”或“新春答题”等基于线上活动的微信公众号功能，一定程度上改善和增强了其作为一个微信订阅号的互动性和与公众的联系。

重庆市环境政务新媒体的互动交流，更多地体现在其在微博平台的策略化运营。2019—2021 年，“美丽重庆”微博号内微博，“转评赞”数最多的微博博文，超半数是以影视明星作为名人环保使者，以短视频、微博话题等形式出现在“美丽重庆”微博博文中。本土明星的正面公益形象在微博中的传播，成功助力“美丽重庆”微博号吸引更多的粉丝流量，促成更多的互动交流和更好的传播效果。此外，一条发布于 2019 年 9 月 17 日的“新中国成立 70 周年”的抽奖活动微博，因手机等大奖的吸引力和“关注，转、评、赞，并‘@3 名好友’”的抽奖参与要求，也获得了大量“转评赞”互动数。

9.4.3 重庆市环境政务微信公众号的经验启示

作为长江上游的重要城市，长江经济带高质量发展的稳步推进，长江大保护战略的贯彻落实，离不开重庆，更需要重庆发挥巨大的作用。重庆市环境政务微信公众号充分利用微信表现形式新颖多样的特点，灵活运用文字、图片、语音、视频等方式，扩大传播面，实现政民互动，使政府获取舆情的途径更贴近民众、更多样化，又有助于政府扩大影响力，对政府塑造威信、站稳舆论阵地具有重要保障。

第一，打造人格化的环境政务微信公众号。政务新媒体并不应该是冰冷的媒体，而应当让受众真切地感受到其背后是有温度的运营人。现在网络上广受欢迎的政务新媒体公众号，多在充分发掘自身特点后，呈现出人格化、亲和、有温度的运营。“美丽重庆”紧密加强生态环境局内各部门的联系，加强生态环境局与政府其他机构的联系，倾听群众声音，重视评论区的民众反馈；利用社群扩大传播效果，在各平台建立生态环境交流群、举报反馈信息群等社群，确保生态环境政策、工作动态等信息及时、精准推送到“千家万户”，及时收集民众举报信息，解决民众环境问题。尤其是营造了个性鲜明、和蔼可亲却不乏权威的“渝小环”形象。“渝小环”的平面形象设计灵活多变，根据传播内容，科普动画或漫画中的“渝小环”具备了人格化情绪、潮流化特征、节日化气息和季节化元素。多变亲切的“渝小环”形象让公众感受到“渝小环”背后有温度的政府的真实存在。

第二，打造接地气的环境政务微信公众号。在打造人格化形象的同时，“美丽重庆”以符合用户思维模式的形式展现内容，在话语模式、表现手法等方面积极创新，这主要表现在：一是文风清新明快，有助于提升内容阅读的流畅性和舒适度，给用户带来良好体验；二是利用创意互动，让用户参与其中，乐在其中，在此过程中，政务新媒体与用户互动交流，增进了解与信任，比如设置“渝小环”带来的“有奖答题环节”，不仅有知识问答，还有抽奖。

第三，打造全媒体呈现的环境政务微信公众号。全媒体作为媒介融合的产物，形成了一种对传播形态的创新，表达上涵盖了视觉、听觉、触觉等大众接受资讯的全部感官，为不同的受众提供多层次、多方式的传播形态，从而带来一种即时、多角度、多体验的媒体体验。“美丽重庆”积极实现“多媒体融合”，通过文字、图片、音频、视频等形式进行信息呈现。“美丽重庆”特设“视频号”，由于建设时间尚短，发布作品不多，但所发布的视频作品大多质量较高，画面精美，镜头丰富，剪辑流畅，充分反映了运营人员的精力投入和对于“视频号”建设的重视。

展望

长江经济带是我国区域发展的战略重点。长江经济带的人口、经济比重大，科学、技术、文化先进，消费能力强。上游地区是重要生态安全屏障，也是生态补偿机制探索的先行区域。近年来，长江经济带大部分省市的城市空气质量优良天数比例、细颗粒物($PM_{2.5}$)年均浓度、水质优良比例、森林覆盖率、水土流失治理等方面的成果显著。2019 年，长江全面实施“十年禁渔”；2020 年首次实现消除劣Ⅴ类水体。① 长江经济带 11 省市率先完成生态保护红线划定，包括水源涵养、生物多样性维护、水土保持、水土流失控制等 6 大类 144 个片区，构成了以“三区十二带”为主的生态保护红线空间格局。长江经济带也面临一系列的生态环境问题：长江干支流、江湖之间自然连通受阻严重；通江湖泊数量显著减少；蓄滞洪区达标建设严重滞后，连江支堤、湖区圩堤防洪标准偏低，地区季节性水资源供需矛盾突出；沿江岸线开发违规或粗放利用；多种珍稀物种濒临灭绝，江豚面临极危态势，白鳍豚已功能性灭绝；环境污染承载力整体上处于超载状态；成渝城市群、武汉城市群、长株潭城市群等重点区域大气污染仍严重；能源结构仍以煤为主，太阳能、生物能源、风能等开发利用程度偏低；生态环保责任追究、环境资源审计、监督制度以及生态环境统筹协调治理机制还需完善，生态价值补偿机制还需精准化、科学化、智慧化。②

一、人口变迁

长江经济带人口总体平衡。各地自然增长率趋缓，个别地区个别年份出现负增长。人口流入流出频繁，总体呈现向东部集中态势。城镇化进程继续推进，特别是中西部地区，发展比较迅速。不同地区的发展状况对生态文明建设存在不同的挑战与风险。长江经济带的东部地区因基础条件、收入和文化优势，吸纳中西部的人口、人才，继续扩大城市规模，也会进一步引领现代化、国际化，但也面临能源消费、垃圾污水、酸雨等环境资源压力。长江经济带的中西部地区需调整城镇化思路，以适应新的人口变迁特点。中西部地区的城

---

① 中国日报. 生态环境部长江局：长江经济带生态环境保护发生转折性变化 [EB/OL]. (2021-01-06)[2021-10-23]. https://cjjg.mee.gov.cn/xwdt/jnyw_1/202101/t20210106_816147.html.

② 郝吉明，王金南，张守攻，等. 长江经济带生态文明建设若干战略问题研究[J]. 中国工程科学，2022，24(1)：141-147.

市应该根据人口数量、经济产量和资金实力合理规划城市规模和建设速度，不能盲目贪大求全，不能依赖土地财政、寅吃卯粮。中西部地区的乡村需要及时“精明收缩”，避免基础设施投资的浪费。

从政策建议上讲，长江经济带所有地区都需要从紧控制城镇用地规模，框定城镇发展边界，在土地存量上发展经济，吸纳安置人口。为夯实上游地区的生态屏障功能，解决当地就业、生计问题是关键，协作区域之间可以协商生态移民、参军、入学、务工等机会的统筹再分配，让上游地区的人们获得实实在在的发展机遇。

二、绿色生活方式

绿色生活方式是指在日常生活中体现节约、环保和健康原则，在追求生命价值的过程中，实现人与自然关系的和谐。长江经济带东部和中西部各地在绿色消费、绿色出行和绿色建筑方面取得了一定的成绩。未来绿色生活方式呈现三个特点：区域绿色生活方式日趋平衡，参与主体日趋增多以及绿色生活方式的内涵日趋完善。

一是区域绿色生活方式日趋平衡。长江经济带中的东部和中西部之间差异是短期内无法改变的事实。东部经济发达地区的绿色生活方式需要遏制奢靡浪费，降低能耗物耗，追求更高质量的精神文化生活。中西部欠发达地区的绿色生活方式应提高生产效率，保护生态环境，合理开发生态产品。绿色生活方式虽然与经济发展阶段有关，但仍然具有独立变化的特点。不论是经济发达地区还是经济欠发达地区，都需要节约资源，都追求身心健康和优良的生活环境。绿色生活方式就是适应各种经济发展水平的健康生活方式。

二是参与主体日趋增多。受现代消费主义误导，多数社会主体尚未树立绿色消费的自觉意识和生活习惯，因此，在绿色生活方面的参与性不足。随着环境压力的增大和生态文明建设的推进，绿色生活方式已经成为越来越多居民的理想生活方式。生态文明理论应澄清理论困惑，“绿色生活方式”不同于消费至上的拜金主义，不同于消极奢靡的“躺平”，是与经济、文化和生态效应相均衡的理想生活行为，是应大力倡导的生活方式。

三是绿色生活方式的内涵日趋完善。过去绿色生活的内涵以高品质、促健康的生活行为为主，主要表现为食用绿色蔬菜、有机食物等行为，其内涵与高品质的生活相连接，是一种聚焦自我的养生行为。随着生态文明理念的不断普及，绿色生活方式的内涵也实现了“由内向外”的转变，将社会的生态效益、经济效益、文化效益与自身的健康相结合，结合对居民日常生活经验的尊重，形成了一种绿色健康、环境友好的生活方式。

三、社会组织

长江流域的绿色发展对民间环保组织的高质量发展提出了更高的要求，民间环保组织应当发挥构建环境协同治理体系方面的功能，在推动环境治理社会化进程中发挥更为重要的作用。步入新时代，长江流域走“生态优先、绿色发展”的道路应当更加注重发挥民间环保组织的重要作用。展望未来，民间环保组织在发展中需要注重以下路径优化。

一是系统总结民间环保组织发展经验。长江流域民间环保组织在面向未来的发展中，应当坚持“回头望”，即挖掘和梳理民间环保组织参与环境治理的逻辑脉络与行动艺术。经过多年的发展，不少民间环保组织在拓展环境治理参与空间、提高组织自我造血能力以及构建组织品牌活动等方面形成了各具特色的经验体系。这些经验值得系统梳理和总结，除了学界的学术研究，民间环保组织自身也需要注重总结和提炼成功的发展经验，做到“温故而知新”，进而以民间环保组织的“共同经验”来推动高质量发展。

二是面向时代需求树立新品牌。长江流域民间环保组织在面向未来的发展中，应当坚持“向前走”，树立专业化与智能化的发展方向。国家高度重视环保工作，企业与社会各界对民间环保组织的环境监督、环境公益诉讼等也都提出了更高的要求。面对数字社会的新机遇与新挑战，长江流域民间环保组织需要注重以智能化、信息化以及专业化的手段强化组织参与环境治理的能力建设，带动环保组织迈向新时代。

三是构建协同治理体系。长江流域民间环保组织在面向未来的发展中，需要坚持“共步伐”，即以协同治理的时代要求，构建以及维护环境协同治理体系。民间环保组织在早期的发展中受限于环保“小世界”[①]的约束，也没有真正发挥协同治理的功能。因而，长江流域民间环保组织应当注重调整自身实践策略，破除潜在的参与局限，维护好同社会大众的亲和关系，并以更为亲和的话语艺术和实践策略来构建同政企之间的合作关系，走协同治理的发展之路。

总而言之，作为环境多元共治的重要力量，民间环保组织以桥梁的作用连接着政府、企业以及公众等治理主体。面向未来，长江流域的民间环保组织应当回顾自身的“发展史”与“成长史”，走符合新时代要求的发展之路，以更为智慧与艺术的方式优化民间环保组织参与环境治理的路径与空间。民间环保组织还需要在探索环境多元共治和深入推动生态文明建设方面发挥更大的作

---

① 晋军，何江穗. 碎片化中的底层表达——云南水电开发争论中的民间环保组织[J]. 学海，2008(4)：39-51.

用，以推动自身迈向高质量发展轨道。

四、社区治理

长江经济带各省市高度重视社区治理在生态文明建设中的作用。由于相关经验不足，社区治理工作仍处于探索阶段，需要处理主体参与度低、智能化与数字化程度低、生态弱势群体关注不足等问题。面对不足，长江经济带可以从以下三个方面入手进行改善以及调整。

一是强化多元主体协同参与。由于长江经济带许多重要生态产品都在农村，因此，激发农村居民参与热情，有效协调农村居民、企业和当地政府的利益关系，才能科学合理地保护和开发生态资源。通过资金投入和政策引导，吸引外来的创业成功者、返乡创业者、退休还乡者及技术人员和专家学者入驻或扎根农村，引领和带动村落民众进行"生态资源再生产"。生态资源丰富地区可以鼓励村民以入股方式参与生态资源保护和开发，共享生态开发成果，逐步建立起"企业专业管理、村民参与经营、政府监督管理"的多元化管理模式。

二是积极推进社区智能化治理。未来社区治理和管理应积极引入更多高新科技手段，如物联网、区块链、大数据、云计算、5G等，创新环境治理技术手段，提高治理效率。通过数字化技术搭建智慧应用基础设施平台，可拓宽公众参与、监督渠道，有序增强公众参与程度，完善公众协管监督环境问题机制，发挥民间组织和志愿者的积极作用。

三是督促提高弱势群体的社会保障。社区治理应当将因生态保护而失业、转业的群体，纳入就业重点人群，实施免费职业技能培训，通过职业介绍、有组织劳务输出、设立公益性岗位等方式促进就业。社区治理也需要提升底层劳动者的职业地位，如保洁员、保安、运输员等，督促提高其工资待遇、职业福利，改善工作环境。尊重底层劳动者就是尊重每一位劳动者的尊严，弘扬劳动光荣的文化传统。

另外，城市社区也要正确处理居民与小区内野生动物、流浪动物的关系。针对城市居民与野生动物、流浪动物的冲突问题，未来城市社区治理应通过科普讲座、志愿者宣传、生态读书会、环保活动等途径，帮助居民熟悉地方生态环境，掌握有关城市野生动物、流浪动物生活习性的信息，纠正居民投喂、追赶动物的不文明行为。由于野生动物、流浪动物与居民日常生活息息相关，城市社区也应在社区动物治理中发挥居民自治的作用，如鼓励居民自发形成动物治理的社区社会组织，协助相关部门进行流浪动物治理，并监督与纠正居民日常生活中对待野生动物的不文明行为。

五、政务媒体

环境政务新媒体平台应以“微博＋微信”为双核，融合互补。作为环境政务新媒体，微博和微信各有优势，都能够起到加强环境政府部门与公众交流互动的作用。相关部门应充分认识两者的特征与区别，在应用过程中将两者结合在一起，相互配合、补充，共同促进环境政府部门服务水平的提高。一方面，发挥微博的集群效应，配合政务微信的应用。微博的应用加强了不同政府部门之间的沟通互动，且具有明显的集群效应。相较于微博，微信平台更适合发布即时性强、针对性高的信息。将环境政务微博和微信结合使用，能够相互配合，产生更好的总体效果。比如，对微信用户举报的负面环境事件进行调查核实后，利用微博平台对其进行曝光，既能保护微信用户的个人信息安全，又能更好地发挥公众舆论的监督作用。另一方面，利用微博平台扩大政务微信的推广范围。相对于微博，微信平台的开放性较低，推广范围较小。环境主管部门开通政务微信后，需要借助微博平台进行有力的宣传与推广。利用微博平台，能够有效扩大环境政务微信的推广范围，为环境政务微信的顺利运营打下基础。今后环境政务媒体工作应着力做好以下三件事。

一是构建“互联网＋政务”的环境政务新媒体平台。“十四五”期间，“互联网＋政务”成为电子政务发展的新方向。环境主管部门应充分利用不断发展的互联网与信息化新技术、新思维，进行环境政务新媒体平台的顶层设计。在确保信息安全和政府系统良性运行的基础上，将环境政务中面向社会公众的公共服务转移到互联网平台上。创新传统的电子政务服务方式，搭建“互联网＋政务”的环境政务新模式，为公众提供更加优质高效的环境公共服务，依托互联网，从顶层设计层面不断实现环境政务上的创新。

二是优化环境政务资源的智慧化配置。“互联网＋”下的环境政务应从单一的工具性思维上升到更能体现互联网本质的价值性思维。在不危及信息安全的前提下，借助已有的互联网基础设施和不断变革创新的信息技术，打造一个信息公开、透明、共享、协同的综合性环境公共服务的网络平台。及时反馈和响应公众需求，并通过政府部门间的协同合作实现环境政务资源在不同主体间的优化整合与配置，提高公共服务产品的供给质量和效率。智慧化环境政务平台将有助于打破主体间的碎片化状态，加强信息共享与交互，更好地应对和处理环境突发事件。

三是以用户思维重构环境政务服务。“互联网＋”下的环境政务必须以公众需求为核心，才能真正提高政府的服务效率和水平，获得公众的认可。在我国电子政务已经度过了基础设施建设阶段的情况下，如何借鉴电子政务发展中的“用户思维”，真正将“为民服务”的用户思维融入政府的环境治理和服务中，成为环境政务新媒体平台继续发展面临的关键问题。

六、生态文化

长江经济带的生态文化建设面临生态素质教育、生态文化产品与生态旅游服务等方面的挑战与风险。生态素质教育在形式、内容上已经积累了一些经验，但效果较为一般。如何保障生态素质教育进一步转化为实际行动，是一项巨大的挑战。生态文化产品与生态旅游服务具有经济、文化、生态三种属性，其开发或设计需要遵循“经济、文化、生态”平衡原则。经济性是其生命力和物质保障，文化性是社会效益的体现，生态性是价值核心和可持续性的体现。三者需要保持一定平衡，切忌开发过程中过分追求经济效益、忽视文化与生态环境的需求，只有这样才能给生态文化建设提供强大动力。

长江经济带各省市可以因地制宜地进行多样化的评估与激励。生态素质教育旨在提升社会文化氛围，培养民众生态素养和生态认同。如果仅仅为了满足政绩需要或完成上级任务，容易使生态素质教育流于形式，引起民众反感或抵触心理。长江经济带各省市可以提供公共资源，以项目购买制、政府筹办制等方式开展活动，鼓励各地根据实际情况决定活动形式、数量和激励形式。项目活动要以群众喜闻乐见的形式，整合优质本土传统文化和生态文明要求。项目效果评估应适应本地特点，形式多样，方便简洁；重参与过程，轻功利评估；重本土性特点，轻标准化要求。

七、自然保护区

自然保护区建设不仅提高了地方生态环境的治理水平，也保护了部分珍稀物种。当前，自然保护区面临生态补偿标准低、经费保障机制不健全、生态保护与地方发展相冲突等问题。其根源在于生态空间和生产、生活空间的相互挤压，并未实现社会、经济与生态系统的协调发展。社会、经济与生态系统并非相互独立，而是相互关联的。社会、经济发展是以一定的资源和生态环境为基础的。良好的生态环境可以为社会、经济发展提供必要的资源。高质量的社会、经济发展也能为生态环境的保护提供必备的物质、技术、资金。因此，自然保护区只有做到社会、经济与生态系统的有机联系，才能实现生态保护与地方发展相协调，为今后保护区建设提供更多的技术、资金。今后，长江经济带各地区的自然保护区应做好以下三方面的工作。

首先是建立自然保护区与周边社区的利益共享机制。周边村庄应充分利用生态优势，发展生态农业，实现人与野生动物的和谐共处。一些保护区周边地区即使放弃了以往打猎、伐木、挖药、捕鱼等传统生计方式，也能借助自然保护区建设的机遇，充分发挥生态优势，大力发展生态旅游、生态农业，实现保护区与周边社区的利益共享。

其次是建立健全生态补偿机制。野生动物有时也会骚扰周边社区居民的生产和生活。生态补偿机制或野生动物肇事赔偿机制既能保障当地村民的合法权益，也能赢得当地村民的配合，提高保护野生动植物的效果。自然保护区可以开展市场化生态补偿试点，并结合当地实际情况建立生态补偿标准体系和多样化的生态补偿方式与途径，创新野生动物肇事公众责任保险机制。

最后是择机设立自然保护地基金。根据 2019 年中共中央办公厅、国务院办公厅联合发布的《关于建立以国家公园为主体的自然保护地体系的指导意见》，国家鼓励金融机构和社会资本出资设立自然保护地基金，对自然保护地建设管理项目提供融资支持，以解决自然保护区经费不足的困境，并尝试由政府机构和民间机构合作管理自然保护区基金。通过自然保护区基金的带动，自然保护区周边地区可以大力发展生态农业，实现良好的经济效益，并担负自然保护区运营经费。

八、区域协同

长江经济带区域协同能力仍存在两大短板。一是区域之间的合作度较低。尽管长江经济带各地区都有或多或少的区域协同合作形式和机制，但还是属于传统意义上的“弱合作”，难以解决刚性的利益矛盾或突发的危机。二是跨区域管理主体存在不明确性。长江经济带下游地区经济发达，政治、文化资源富集，中上游地区则相反，难以形成生态价值共识和平等协商的沟通机制。在中央政府的大力推动下，长江经济带区域之间的协同工作将形成以下发展趋势。

一是形成合理的成本共担机制。区域之间通过全方位、全过程联动，探索社会、经济、生态之间的和谐平衡点，实现经济系统、社会系统与生态系统的融合发展。

二是构建城市群新格局。根据长江经济带的权威规划，长江经济带的城市群新格局是“1 个世界级城市群（长三角城市群）＋2 个国家级城市群（长江中游城市群、成渝城市群）＋3 个区域型城市群（江淮城市群、黔中城市群、滇中城市群）”。这是既基于历史传统，又面向未来的科学规划。城市群应致力于实现“生产—生活—生态”空间合理配置，协同推进“新型工业化、信息化、城镇化、农业现代化和生活绿色化”的发展模式。

九、结论

在生态文明建设前期成绩的基础上，长江经济带需要解决社会系统的三大运作机制，即动力机制、阻力机制和合力机制。动力机制的核心是活力，让社会主体有所作为，激励内在动力，想干事、能干事、干好事。阻力机制在于平衡、监督、约束、科学严谨，尊重生态规律、系统性(多元)、演化性(非线性)、自然性。现行政策中，往往约束的多，激励的少，特别是经济调节手段相对偏弱，社会治污活力没有被完全激发起来。合力机制主要在于发挥多方力量，可借鉴德国-捷克治理易北河的经验。1990 年，德国与捷克协商同意成立 8 个双边合作工作小组：行动计划组、检测小组、研究小组、沿海保护小组、灾害组、水文组、公众小组和法律政策小组，分别负责相关工作。① 对于生态破坏行为，无论是有意的还是无意的，主动的还是被动的，均要承担责任，超额、大量消费需要承担生态破坏的责任。人性十分复杂。人可以是最大的动力，能够发明尖端科技、关怀世界、塑造美好生活，也可能是最大的阻力、破坏力，如非法排污，违法捕获珍稀生物，乱伐森林资源，任意丢弃垃圾，生活奢靡，随意浪费粮食、能源等。

① 陈丽媛. 长江经济带生态文明建设研究[M]. 武汉：湖北科学技术出版社，2020：31。

后记

本书是长江大保护与高质量发展研究系列丛书的社会卷，着重梳理了长江经济带的农村社区建设、城市社区建设、农村绿色能源、野生动物保护以及环保社会组织和政务新媒体等方面的工作和经验，分析了该区域生态文明建设所面临的困难与挑战，以及各地对此所做的有益尝试。根据当前长江经济带的生态文明建设现状以及社会卷的特点，本书主体由三大版块内容组成，分别是生态社区（第1—4章）、环保组织（第5—6章）和政务媒体（第7—9章）版块。生态社区版块主要关注社区生态文明建设现状，从农村社区、城市社区、农村新能源以及野生动物保护等方面进行论述。环保组织版块着重梳理探讨长江保护实践中民间环保组织的产生、发展及其演变，系统梳理了民间环保组织参与长江保护的基本历程和主要实践，总结民间环保组织推动环境治理的新策略。政务媒体版块基于“大数据”分析了政务新媒体的现状与不足，并提出了改进之道。

本书由长江保护与绿色发展研究院、江苏长江保护与高质量发展研究基地组织编写。感谢在本书的具体编写过程中付出辛勤劳动的各位专家学者，包括顾金土、陈涛、陈文育、邓倩、王旭波、杨方、林辉霖、沈雯珂、杜瑶、吴子峰、王瑞清、韩廷梁、吴迪、李玲、王晓晓、汤丽媛、牛帅、李惟笑、童欣、李艺红、刘璇、王晓惠、张月沐、屈星星、金珺垚、周宇婷、兰祥敏、贺明慧、罗奕、栗楠等。他们积极参与写作大纲、资料收集、实地考察到文本撰写、编辑统稿等各个环节，并参与研讨，贡献智慧、辛勤探索，确保了书稿的质量和进度。河海大学公共管理学院、社会学学科对编写工作也给予了多方面支持，在此一并表示感谢。我们也对长江经济带生态文明建设的研究同行表示敬意，正是你们关于生态文明建设的理论探索和经验总结激发我们的思考与探索，激励我们的持续研究。